Le Vin

par

LES RÉDACTEURS DES ÉDITIONS TIME-LIFE

ÉDITIONS TIME-LIFE • AMSTERDAM

TIME-LIFE BOOKS

DIRECTEUR DES PUBLICATIONS POUR L'EUROPE : Kit van Tulleken
Responsable de la conception artistique : Ed Skyner
Responsable du service photographique : Pamela Marke
Responsable de la documentation : Vanessa Kramer
Responsable de la révision des textes : Ilse Gray

CUISINER MIEUX
Secrétaire de rédaction de la collection : Ellen Galford
Coordination : Debbie Litton, Liz Timothy

COMITÉ DE RÉDACTION POUR LE VIN
Secrétaire de rédaction : Margot Levy, Deborah Thompson
Responsable de l'Anthologie : Tokunbo Williams
Rédaction : Alexandra Carlier, Tim Fraser, Thom Henvey
Documentaliste : Krystyna Mayer
Maquette : Mary Staples
assistée de : David Mackersey
Préparateurs de copie : Sally Rowland, Charles Boyle,
Kate Cann, Frances Dixon
Documentalistes pour l'Anthologie : Debra Raad, Stephanie Lee
assistées de : Aquila Kegan
Correctrice : Judith Heaton
Service de la rédaction : Molly Sutherland

SERVICE DE FABRICATION DE LA COLLECTION
Responsable de la fabrication : Ellen Brush
Responsable de la qualité : Douglas Whitworth
Responsables de la coordination : Jane Lillicrap, Linda Mallett
Iconographie : Ros Smith
Département artistique : Janet Matthew
Service de la rédaction : Lesley Kinahan, Debra Lelliott,
Sylvia Osborne

ÉDITION FRANÇAISE
Direction : Monique Poublan, Michèle Le Baube
Secrétariat de rédaction : Cécile Dogniez, Nouchka Pathé
avec la collaboration de : Laurence Giaume
Traduit de l'anglais par A.M. Thuot et D. Laufer à l'exception
de l'introduction et d'une partie de l'Atlas-glossaire traduits
par D. Le Bourg
Titre original : Wine

© 1983 TIME-LIFE Books B.V.
All rights reserved. Third French printing, 1984

ISBN 2-7344-01053

TIME-LIFE is a trademark of Time Incorporated U.S.A.

Couverture : on sert ici un grand Bordeaux, un
Domaine de Chevalier 1969. La forme du verre,
évasé dans le bas et légèrement rétréci vers le
haut, importe beaucoup pour apprécier le bouquet
du vin avant de le déguster *(page 34).*

LE CONSEILLER PRINCIPAL :
Richard Olney, d'origine américaine, vit et travaille en France
depuis 1951, où il fait autorité en matière de gastronomie. Il est
l'auteur de *The French Menu Cookbook* et de *Simple French
Food* pour lequel il a reçu un prix. Il a également écrit de
nombreux articles pour des revues gastronomiques en France et
aux États-Unis, parmi lesquelles les célèbres *Cuisine et Vins de
France* et *La Revue du Vin de France.* Il a dirigé des cours de
cuisine en France et aux États-Unis et il est membre de plusieurs
associations gastronomiques et œnologiques très renommées,
entre autres l'Académie Internationale du Vin, la Confrérie des
Chevaliers du Tastevin et la Commanderie du Bontemps de
Médoc et des Graves.

CONSEILLERS POUR LE VIN :
Michel Lemonnier, également conseiller pour la France, normand d'origine, a collaboré
à *Cuisine et Vins de France* et à *La Revue du Vin de France* de 1960 à 1981 et écrit
régulièrement dans plusieurs publications gastronomiques. Cofondateur et vice-président
de l'association Les Amitiés gastronomiques internationales, il est membre de la plupart
des Confréries et Académies viti-vinicoles de France, et surtout de l'Académie
Internationale du Vin où il fut le parrain de Richard Olney. Il partage sa vie entre la
France et le Maroc. *Sybille Bedford,* O.B.E., a conçu et rédigé la partie de ce livre qui
sert de guides des vins du monde. Résidant à Londres, elle est la biographe d'Aldous
Huxley et l'auteur de nombreux romans et autres ouvrages. Grand amateur de vin, elle
s'intéresse particulièrement aux vins français et allemands.

LE PHOTOGRAPHE :
Alan Duns est né en 1943 dans le Nord de l'Angleterre et a suivi les cours de l'Ealing
School of photography. Il a travaillé dans la publicité mais s'est spécialisé dans la
photographie culinaire. Ses travaux ont paru dans d'importantes revues britanniques.

LES CONSEILLERS INTERNATIONAUX :
Grande-Bretagne : *Jane Grigson,* diplômée de l'université de Cambridge, a grandi dans
le Nord de l'Angleterre. Depuis la parution de son livre *Charcuterie and French Pork
Cookery,* en 1967, elle a publié un certain nombre d'ouvrages culinaires, parmi lesquels
Good Things, English Food et *Jane Grigson's Vegetable Book.* Elle est correspondante de
la rubrique gastronomique du supplément en couleurs de l'*Observer* de Londres depuis
1968. *Alan Davidson* est l'auteur de *Fish and Fish Dishes of Laos, Mediterranean
Seafood* et *North Atlantic Seafood.* Il est le fondateur de *Prospect Books,* publication
érudite sur la gastronomie et l'art culinaire. *Russell Hone* a travaillé durant de
nombreuses années dans le négoce du vin en France, en Allemagne, en Grande-Bretagne
et aux États-Unis. **Allemagne fédérale :** *Jochen Kuchenbecker* a une formation de chef
cuisinier, mais a travaillé pendant dix ans comme photographe culinaire dans plusieurs
pays européens avant d'ouvrir son propre restaurant à Hambourg. *Anne Brakemeier,* qui
vit également à Hambourg, a écrit des articles sur la cuisine dans de nombreux
périodiques allemands. Elle est coauteur de trois livres de cuisine. **Italie :** *Massimo
Alberini* partage son temps entre Milan et Venise. C'est un écrivain gastronomique très
connu et un journaliste qui s'intéresse particulièrement à l'histoire de la cuisine. Il a écrit
18 ouvrages dont *4000 Anni a Tavola, 100 Ricette Storiche* et *La Tavola all'Italiana.*
Pays-Bas : *Hugh Jans* vit à Amsterdam où il traduit des livres et des articles de cuisine
depuis plus de vingt-cinq ans. Il a écrit deux ouvrages : *Bistro Koken, Koken in een
Kasserol* et *Vrij Nederlands Kookboek.* Ses recettes sont publiées dans plusieurs
magazines néerlandais. **États-Unis :** *Carol Cutler* vit à Washington D.C. et est l'auteur de
The Six-Minute Soufflé and Other Culinary Delights qui fut primé. *Judith Olney* a reçu sa
formation culinaire en Angleterre et en France. Elle a écrit deux livres de cuisine.

Une aide précieuse a été apportée pour la préparation de cet ouvrage par les membres
du personnel des Éditions Time-Life dont les noms suivent : *Maria Vincenza Aloisi,
Joséphine du Brusle* (Paris) ; *Janny Hovinga* (Amsterdam) ; *Berta Julia* (Barcelone) ;
Elisabeth Kraemer (Bonn) ; *Ann Natanson, Mimi Murphy* (Rome) ; *Bona Schmid* (Milan).

TABLE DES MATIÈRES

Gloire à Bacchus

Le miracle du vin — ce moût bourbeux, doux et poisseux du raisin frais, amené au bouillonnement écumeux par une puissance invisible qui, en s'apaisant, révèle un nectar limpide portant le don de l'euphorie — a toujours semblé relever d'une alchimie divine. Aujourd'hui, nous préférons dévêtir le miracle de son mystère; le mécanisme de cette force, nommée fermentation alcoolique, s'explique en termes scientifiques, mais le mystère de la diversité et de la complexité du vin demeure intact.

Il est extraordinaire que du raisin provenant de vignes voisines de même cépage, de même âge, poussant apparemment dans des sols semblables, bénéficiant du même ensoleillement et traitées de façon identique par le même vigneron, puisse produire des vins de caractère sensiblement différent; c'est un fait étonnant que les analyses de laboratoire puissent déceler des composants identiques dans un vin banal de fabrication industrielle et dans un cru de grand prestige sans parvenir à distinguer ce en quoi ils diffèrent.

Le rôle du vin est de nous procurer du plaisir... Mais il y a autre chose: il est porteur d'un message si élémentaire qu'on l'appréhende sans pouvoir le formuler ni le comprendre. Tout comme le Parthénon, Michel-Ange et le renouvellement des saisons, le vin est inscrit dans l'ordre universel. A table, le vin se modifie subtilement et se valorise selon les mets qu'il accompagne, et il ne s'exprime pleinement que dégusté entre amis dans une atmosphère de détente. Le présent livre est consacré aux soins et au service du vin — à la manière de le traiter pour qu'il se donne au mieux, dévoilant ses nuances, qu'un moindre respect risquerait de compromettre ou de détruire. Le propos de cette introduction est d'expliquer ce qu'est le vin, afin que s'exalte notre plaisir quand il coule dans nos verres.

Les deux arts — ou les deux sciences — dont dépendent les qualités du vin sont la viticulture — la culture de la vigne — et l'œnologie ou science du vin (du grec *oinos*, vin). L'œnologie comprend la vinification — la transformation contrôlée du jus de raisin en vin et les soins ultérieurs, essentiels à la stabilité du vin.

Des millions de micro-organismes, parmi lesquels de nombreuses variétés de levures, se fixent sur la pellicule cireuse, ou pruine, du grain de raisin. La fermentation alcoolique est rendue possible par la présence de ces levures qui, se nourrissant d'une fraction des sucres de raisin, prolifèrent rapidement et sécrètent des enzymes qui décomposent une partie ou la totalité des sucres restants en des quantités à peu près égales d'alcool et de gaz carbonique.

Tous les raisins peuvent fermenter. Mais, de toutes les espèces de vignes du monde, une seule, la vigne européenne, *vitis vinifera*, contient suffisamment de sucres fermentescibles et un taux d'acidité assez bas pour que son jus se transforme en un vin équilibré et stable, sans ajout massif de sucre pour élever son degré d'alcool ni de dilution concomitante d'eau pour réduire son acidité. De quelques milliers de variétés, ou cépages, de *vitis vinifera* proviennent presque tous les vins du monde *(pages 18 à 21)*. Ces vins peuvent être classés en quatre grandes catégories: les vins secs; les vins moelleux ou liquoreux; les vins mousseux; les vins vinés.

Dans les vins secs, la fermentation a transformé en alcool à peu près tous les sucres de raisin. On exprime souvent la teneur en sucre du moût de raisin par le degré potentiel d'alcool que pourraient fournir ses sucres. Dans le cas des vins secs, un potentiel de 12°, par exemple, représente également la teneur en alcool réelle du vin après fermentation.

Dans les vins liquoreux, une partie seulement des sucres s'est transformée en alcool. Ces vins sont faits soit avec des raisins partiellement desséchés, ou passerillés, soit avec des raisins déshydratés par l'action d'un champignon, *botrytis cinerea*, dit aussi «pourriture noble», en raison de ses effets bénéfiques. Dans les deux cas, il s'ensuit une forte concentration des sucres et une fermentation incomplète, les levures étant rendues inopérantes par l'alcool qu'elles produisent elles-mêmes et par un excès de sucre qu'elles ne peuvent transformer ou par l'action du champignon. Ainsi, le moût des raisins passerillés peut avoir une teneur alcoolique potentielle de 24°; si la fermentation s'arrête à 18°, ce chiffre représentera le degré d'alcool réel du vin, les 6 autres degrés restant dans le vin sous forme de sucres de raisin non transformés. Parmi les vins ainsi obtenus, citons certains Muscat et Malvoisie non vinés, les vins produits par la pourriture noble n'atteignant pas des degrés d'alcool aussi élevés.

Pour produire les vins mousseux, une seconde fermentation est provoquée en récipients hermétiquement clos par l'addition d'une solution de sucre et des levures. Les meilleurs vins mousseux sont obtenus par la méthode champenoise (voir l'*Atlas-glossaire*).

Les vins vinés sont obtenus en y ajoutant des alcools distillés. Ils peuvent être secs ou doux, suivant que l'adjonction d'eau-de-vie est faite précocement, mutant ainsi la fermentation pour conserver une partie des sucres de raisin dans le vin, ou plus tard, ce qui a pour effet d'augmenter la teneur alcoolique d'un vin sec. Le Xérès, le Banyuls et le Porto (voir l'*Atlas-glossaire*) sont des vins de ce type.

Aperçu historique

Quelques millénaires avant que Noé ne plantât sa vigne, on faisait déjà du vin en Mésopotamie. La vinification au temps d'Homère, décrite par Hésiode dans *Les Travaux et les Jours*, était la même que celle des vins liquoreux à base de raisins passerillés aujourd'hui. Quand les Phocéens — des Grecs d'Asie Mineure — fondèrent la ville de Marseille au VIᵉ siècle avant J.-C., ils introduisirent leurs propres cépages dans le Midi de la France et en Espagne. Mais, à l'époque de l'Empire romain, si les Romains enseignèrent l'art de la viticulture aux tribus conquises, il est probable que des cépages caractéristiques, tels le Riesling, le Pinot noir, le Chardonnay et les deux Cabernet *(pages 18 à 21)*, dérivent de vignes autochtones de la région du Rhin, de la Bourgogne et du Bordelais.

Dans l'Antiquité, le vin était fait pour vieillir. Scellés dans les amphores de terre cuite, enterrées au frais, bien des vins n'étaient estimés prêts à boire qu'après quinze à vingt-cinq ans de conservation. Pour l'expédition du vin par mer, les Romains adoptèrent les tonneaux en bois introduits par les Gaulois mais, pour sa conservation, ils restèrent fidèles aux amphores, qu'ils fermaient hermétiquement en utilisant des bouchons de liège cachetés de cire.

Avec la chute de l'Empire romain, l'usage du bouchon de liège se perdit et, en même temps, la notion du vieillissement du vin. Les vins étaient consommés dans l'année; tirés des barriques en vidange, ils devenaient progressivement vinaigrés à l'approche de la nouvelle vendange. Il existe peu de descriptions des vins d'antan, mais nous savons qu'à l'époque où Aliénor d'Aquitaine accéda au trône d'Angleterre, assouvissant ainsi la soif anglaise pendant trois siècles, le vin de Bordeaux était clairet — devenu *claret* pour les Anglais; que le Volnay garda sa teinte « œil de perdrix » jusqu'à la fin du XVIIIᵉ siècle, une certaine proportion de Chardonnay s'entremêlant au Pinot noir dans la vinification en rosé pour assurer sa finesse et sa légèreté de couleur; quant au Champagne, on ne savait jamais, d'une récolte à l'autre, de quelle couleur serait le vin.

C'est pourtant en Champagne que se fit un premier pas en avant. Comme il en est souvent ainsi sous les climats froids, les vins de Champagne ont toujours eu une tendance naturelle à pétiller, l'approche de l'hiver ralentissant l'action des levures et laissant des traces de sucre qui continuent à fermenter lentement en produisant du gaz carbonique. Vers 1690, dom Pérignon, cellérier de l'abbaye bénédictine de Hautvillers, cherchant un moyen d'emprisonner ce pétillement dans le vin, redécouvrit l'usage du bouchon de liège, qu'il expérimenta sur des bouteilles en verre très résistantes, récemment

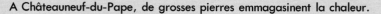

A Châteauneuf-du-Pape, de grosses pierres emmagasinent la chaleur.

Le vignoble en pente douce de Château Loudenne, Médoc.

fabriquées. Pendant plus de mille ans, les seuls bouchons utilisés avaient été des bondes en bois, entourées de toile et trempées dans l'huile d'olive afin de minimiser le passage de l'air. En quelques années, les bouteilles en verre et les bouchons de liège allaient révolutionner la conservation de tous les vins.

Vers la même époque, un autre secret des temps anciens s'est dévoilé: les propriétés magiques du *botrytis cinerea*. Dans la région de Tokay, en Hongrie, un malencontreux retard de la vendange avait obligé les vignerons à faire leur vin avec des raisins flétris sur pied de façon alarmante: il en résulta un vin superbe, d'un goût totalement nouveau, qui eut bientôt l'honneur de figurer sur la table du raffiné Louis XIV.

A mesure que les Européens découvraient le monde, ils propageaient la culture de la vigne. Au milieu du XVIᵉ siècle, les Espagnols plantèrent des vignobles au Mexique et, peu après, au Pérou, au Chili et en Argentine; en Afrique du Sud, les premières vignes apparurent au milieu du XVIIᵉ siècle; la Californie et l'Australie reçurent leurs premiers ceps à la fin du XVIIIᵉ siècle et la Nouvelle-Zélande quelques décennies plus tard. En Europe même, au XVIIIᵉ siècle, les Britanniques s'étaient bien implantés dans les centres viticoles, qu'ils allaient rendre célèbres pour leur production de vins vinés. A cette époque, le Porto, le Madère et le Xérès étaient des vins de table secs, mais, sous prétexte qu'ils ne pouvaient voyager sans renforcement d'eau-de-vie, le penchant britannique pour les boissons alcoolisées a imposé la pratique du vinage — quelque peu frauduleuse à l'origine — devenue, avec le temps, une respectable tradition; un siècle plus tard, ces vins avaient acquis leurs titres de noblesse.

C'est alors que frappa le fléau le plus implacable et le plus destructeur de toute l'histoire de la viticulture. En 1863, dans le Gard, à proximité des vignobles du sud de la vallée du Rhône, apparut le *phylloxera vastatrix*, minuscule puceron, parasite de la vigne, provenant d'Amérique, probablement avec des boutures de vignes importées à titre expérimental. Dans sa phase la plus dangereuse, le phylloxéra vit et se nourrit sur les racines de la vigne. Les espèces de vigne américaines étaient immunisées mais les cépages de l'espèce *vinifera* ne possédaient pas cette immunité: le puceron leur suça la sève, laissant des blessures inguérissables; les feuilles tombèrent, les vignes dépérirent et moururent.

A la fin des années 1860, toute la vallée du Rhône et le Bordelais étaient infectés puis, par une route détournée, le phylloxéra arriva au Portugal. Nombre de viticulteurs bordelais se réfugièrent dans la Rioja, en Espagne; le fléau les rattrapa cinq ans plus tard. D'autres, originaires du Midi de la France, allèrent s'installer en Algérie, où ils plantèrent les premiers vignobles de ce pays; le phylloxéra les y suivit en 1887.

Au cours des années 1870, l'île de Madère, la majeure partie de l'Espagne, la Bourgogne, l'Allemagne, l'Autriche et la Hongrie en furent à leur tour victimes. Le caractère insidieux et sans rémission de cette épiphytie n'a pas été compris à temps pour empêcher l'expédition de boutures contaminées en Californie, en Australie et, au début des années 1880, en Afrique du Sud. Le phylloxéra gagna l'Italie en 1888, la région de Tokay en 1890, la Champagne en 1891 et les vignobles de Xérès en 1894.

On essaya de nombreux traitements, certains des plus fantaisistes. En plaine, des vignobles furent inondés dans le vain espoir de noyer la vermine. On s'aperçut que le phylloxéra n'aimait pas le sable; ainsi, certains viticulteurs abandonnèrent leurs vignes et en replantèrent de nouvelles en terrain sablonneux. Mais la majorité d'entre eux furent acculés à la ruine.

Le remède se trouva enfin à la source du mal; les vignes indigènes de la partie est de l'Amérique du Nord résistaient au phylloxéra; en greffant la vigne *vinifera* sur des porte-greffes américains, on sauva le vignoble. Le refus, au début, de greffer la vigne noble sur des pieds vulgaires succomba rapidement à la nécessité; une fois mise en route, la reconstitution fulgurante du vignoble européen fut un véritable miracle.

Au cours de ces années pénibles, des savants français, à la recherche d'une méthode de repeuplement moins laborieuse du vignoble, créèrent des vignes hybrides, résistantes au phylloxéra, par croisements de cépages *vinifera* avec des espèces américaines. Ces vignes, dites hybrides français, ou — comme elles ne sont pas greffées — «producteurs directs», eurent en Europe une existence brève et sans gloire. On en planta dans l'île de Madère; le vin obtenu fut jugé inacceptable et il fallut les arracher, les remplacer par des cépages traditionnels greffés. Dans les pays d'Europe, l'utilisation de ces hybrides est actuellement interdite pour les vins d'appellation d'origine contrôlée.

Sauf quelques endroits miraculeusement épargnés, ou dont les terrains sablonneux rebutent le parasite — Chypre, le Chili, l'Australie du Sud, quelques endroits en Hongrie et en Autriche, et les vignobles récemment plantés au nord-ouest des États-Unis — partout où pousse la vigne, le sol est infecté. Sans les porte-greffes américains, donc, nous n'aurions plus les vins de notre héritage. Sans doute, les premières déceptions des vins de vigne greffée comparés à ceux d'avant le phylloxéra furent justifiées; les porte-greffes de l'espèce *vitis labrusca* s'adaptaient mieux à la plaine et aux sols riches qu'aux côtes et aux sols pauvres d'où naissent les grands vins. Depuis, l'art du greffage a connu d'énormes progrès; il existe aujourd'hui de nombreux porte-greffes créés à partir d'autres espèces américaines, tels *vitis rupestris*, *riparia* et *rotundifolia*, chacun s'adaptant plus particulièrement à tel ou tel cépage, à telle

En Suisse, plantation en terrasses, à flanc de coteau.

ou telle nature de sol et de climat. Ces porte-greffes correspondent ainsi aux cépages producteurs de nos meilleurs vins actuels — ces cépages résultant eux-mêmes, depuis des millénaires, de mutations et d'adaptations aux climats et microclimats divers, aux structures du sol et du sous-sol. Dans l'esprit d'émulation, ces cépages ont été transplantés sous d'autres cieux et dans d'autres terroirs. Les résultats sont parfois excellents, mais jamais semblables.

L'art de la viticulture

Pour donner le meilleur d'elle-même, la vigne doit souffrir: le meilleur vin est le fruit de conditions et de techniques de culture qui concourent à restreindre la production du cep à quelques grappes de raisin parfaitement mûres d'une belle concentration de saveurs. Les plus grands vins sont souvent produits dans des régions au climat difficile et dont le sol pauvre ne se prête guère à d'autres cultures. Pendant l'hiver, une taille sévère contrarie la tendance naturelle de la vigne à s'égarer, limitant en même temps le nombre de grappes qu'elle pourrait produire — et, en été, les grappillons, ou grappes secondaires, doivent à nouveau être supprimés afin qu'un petit nombre de grappes privilégiées profitent au maximum des bienfaits de la sève et du soleil. Les plantations serrées contribuent également à limiter la production, tout en améliorant la qualité: la vendange de un hectare de 10 000 pieds ne sera pas plus importante que celle de un hectare du même terrain planté en vignes du même cépage — plus espacées pour faciliter le travail mécanique — au nombre de 5 000, mais le vin sera meilleur. En viticulture préphylloxérienne, au temps où la vigne se reproduisait par provignage — ou marcottage — certains vignobles, en Bourgogne et en Champagne, par exemple, comptaient en moyenne 25 000 ceps à l'hectare. En présence du phylloxéra, le provignage n'est plus possible.

L'âge de la vigne est d'une grande importance; elle peut fructifier dès sa deuxième année mais, pour atteindre ses qualités optimales, elle doit attendre que ses racines aient pris de la force dans le sol friable de surface et amorcé leur patiente et progressive pénétration des sous-sols, effritant les amas de gravier et fissurant la roche, s'enfouissant profondément, puisant des sources souterraines et des éléments minéraux qui, des années plus tard, se refléteront dans le corps et le bouquet d'un grand vin. Avec les raisins de jeunes vignes, on fait souvent de très jolis vins de table, légers, glissants, fruités; dans le Bordelais, les Premiers Crus vinifient à part les raisins provenant de vignes qui ont moins de dix ans, commercialisant ces vins sous d'autres étiquettes que celles des châteaux.

Les vignes pré-phylloxériennes dépassaient facilement l'âge de cent ans. Les sujets greffés n'ont pas une telle longévité; souvent ils sont arrachés avant d'atteindre la quarantaine, lorsque leur productivité commence à décroître. Certains viticulteurs, cependant, ne supprimant jamais un cep en bonne santé, car la qualité de son raisin continue à s'améliorer, malgré son rendement diminué.

La vigne exige un sol bien drainé, une exposition protégée et de la chaleur. Il s'ensuit que les meilleurs vins proviennent toujours de coteaux, soit en pente douce comme dans le Médoc, soit, comme dans l'Hermitage, en terrasses escarpées. Un terrain caillouteux est également bénéfique, les pierres emmagasinant la chaleur du soleil qu'elles font rayonner la nuit, protègent les vignes des gelées printanières et, plus tard, améliorent la maturation du raisin.

Le microclimat aussi contribue à la personnalité du vin. Un microclimat est un climat à l'intérieur d'un climat — une zone

Au Château Latour, un vieux cep et un jeune plant.

limitée, dans une certaine région, où des conditions particulièrement favorables se créent par suite d'une configuration naturelle spéciale. Il en est ainsi des vallées qui, dans les climats froids, canalisent les brises tièdes — ou les brises fraîches dans les climats chauds — vers des pentes privilégiées. Typique aussi est la forme d'amphithéâtre à l'exposition est-sud-ouest, captant ainsi le maximum de rayonnement solaire dans la journée, tout en étant à l'abri des vents trop froids et des gelées soudaines. Un tel microclimat peut résulter d'une simple dépression au flanc d'un coteau, accordant à quelques vignes l'avantage sur leurs voisines; à plus grande échelle, une immense cuvette naturelle est parfois créée par une structure montagneuse, qui protège les vignes des intempéries.

A différents cépages conviennent différents sols. Ainsi, le Palomino et le calcaire s'associent à la qualité à Xérès; dans les sols crayeux de la Champagne et de la Côte-d'Or, le Pinot noir et le Chardonnay donnent leurs vins les plus sublimes, alors que le Gamay produit des vins médiocres sur ce calcaire, mais des vins d'un grand charme sur les coteaux granitiques du Beaujolais. Remarquablement adaptable, le Cabernet-Sauvignon, cultivé avec succès un peu partout dans le monde, préfère néanmoins à toute autre terre les quartz cailouteux, les grès ferrugineux et les sables argileux du Bordelais.

Une vigne doit être saine, résistante aux maladies, mais sans vigueur excessive: une vitalité exubérante entraîne la dispersion des énergies de la plante, une végétation et une fructification surabondantes. Pour être sûrs que les vignes soient saines, d'une vigueur moyenne, et qu'elles restent fidèles aux qualités inhérentes aux lignées, ou variations locales, d'un cépage donné, beaucoup de vignerons pratiquent la sélection clonale — c'est-à-dire la multiplication par bouturage de plants génétiquement identiques. Il est donc théoriquement possible qu'un vignoble soit peuplé par des milliers de clones issus d'un seul cep. Cependant, pour préserver la complexité et les attraits spécifiques d'un vin, le viticulteur recourt plutôt à une sélection de différents clones d'un seul ou de chaque cépage (suivant les traditions de la région), afin d'utiliser chaque lignée en fonction des légères particularités de sol ou d'exposition que présentent les diverses parties du vignoble. Au Château Haut-Brion, par exemple, on cultive isolément des clones sélectionnés dans le vignoble même, de Cabernet-Sauvignon, de Cabernet franc et de Merlot; des microvinifications en laboratoire permettent d'analyser la structure et les arômes de chaque produit, avant de prendre les décisions de plantation.

Le rythme annuel de la viticulture impose la taille en fin d'hiver, après les grands froids, mais bien avant la montée de la sève. La méthode de taille et de conduite de la vigne dépend du cépage, du climat et de la tradition locale; dans tous les cas, on supprime presque totalement la végétation de l'année précédente, et l'on rabat à quatre ou cinq yeux — ou bourgeons en formation — les courçons conservés. Les grappes se forment sur les jeunes rameaux nés de ces yeux. En cours de végétation, les rejets improductifs poussant sur le vieux bois sont supprimés et, plus tard, les extrémités des nouvelles pousses, afin de faire refluer la sève vers le raisin. Les feuilles qui encombrent les grappes, empêchant l'air de circuler, sont éliminées, mais non celles qui font légèrement écran aux ardeurs du soleil. Cet

effeuillage est cependant réduit au minimum car, au moment où le raisin commence à mûrir, les feuilles lui apportent une grande partie de ses sucres. La vigne fleurit à la fin du printemps; cent jours après, environ, le raisin est mûr et la vendange peut commencer.

La vinification en rouge

Le monde microscopique des levures est peuplé d'une grande variété de formes et de propriétés. Dans les vignobles et dans les celliers, où le vin se fait depuis des générations de vignerons, s'opère progressivement une sélection naturelle de levures — sélection qui peut être spécifique à un cru, influençant son caractère.

Certains producteurs estiment peu sage d'intervenir dans l'équilibre écologique de ces levures indigènes; d'autres utilisent des levures cultivées en laboratoire — généralement à partir de souches prélevées dans le vignoble même — soit pour renforcer la population si le raisin a été lavé par des pluies, soit pour préparer un « pied-de-cuve », levain en pleine fermentation, dont on ensemence la première cuve par année froide, lorsque le départ de la fermentation est difficile. Les pays non européens utilisent souvent des levures cultivées en laboratoire à partir de souches provenant de vignobles réputés d'Europe. Comme le Riesling, le Pinot noir, le Chardonnay, le Gewurztraminer et le Cabernet-Sauvignon, entre autres, sont couramment vinifiés dans le même lieu, différentes cultures de levures sont gardées en réserve.

Trois grandes catégories de levures président au début, au milieu et à la fin de la fermentation alcoolique. Les premières provoquent le

Au Château d'Yquem, grappes de Sémillon attaquées par la pourriture noble.

Foulage-égrappage mécanique du raisin au Château Latour.

La fermentation alcoolique est pratiquement terminée au bout de six à huit jours mais, si le moût doit s'imprégner du tanin maximal des peaux — indispensable à la structure d'un vin de garde — la cuvaison pourra se prolonger de une ou deux semaines; suivant l'année, cette période est très variable — une grande partie de l'art du vigneron réside dans l'intuition décidant de la durée de cuvaison. En revanche, si l'on désire obtenir un vin souple et fruité, peu tannique, d'une séduisante jeunesse, à boire rapidement, le moût peut être écoulé dans une autre cuve au sommet de la fermentation — dès qu'il est assez coloré — pour achever sa fermentation sans contact avec les peaux tanniques.

Après l'écoulement du «vin de goutte», le marc est soumis à plusieurs pressurages, jusqu'à extraction totale du jus. Ces «vins de presse», plus faibles en alcool, sont plus riches en acides, en tanin et en couleur. Selon les besoins, on ajoute au vin de goutte une ou plusieurs de ces pressées.

Les rafles — ensemble des pédoncules et pédicelles qui soutiennent les grains de raisin — contiennent également du tanin, plus âpre que celui des peaux; elles peuvent être séparées du raisin — totalement, en partie ou pas du tout — avant fermentation, selon le cépage, l'année, la tradition locale et le résultat recherché. Les rafles communiquent une âcreté transitoire au vin jeune, masquant ses autres qualités et imposant un vieillissement plus long. Dans le Bordelais et partout où l'on utilise le Cabernet-Sauvignon, raisin à peau épaisse, fortement colorée et tannique, on l'égrappe; dans

départ de la fermentation; très sensibles à l'alcool qu'elles produisent, elles meurent dès qu'est atteint un seuil de 3 ou 4 degrés. Tandis qu'elles disparaissent, commencent à proliférer des levures d'un autre type, capables de résister aux niveaux alcooliques moyens des vins secs, soit 12° environ. Enfin, les levures de la troisième phase prennent le relais. Elles se multiplient mal en présence des précédentes, mais elles supportent jusqu'à 18° d'alcool; elles terminent la fermentation des ultimes traces de sucre dans de nombreux vins secs et elles assurent le dernier stade de la vinification des vins liquoreux. (Un autre type de levure ne se développe qu'en présence de la pourriture noble, au premier stade de la fermentation.)

A part les raisins «teinturiers» à chair rouge, employés pour renforcer la couleur des vins courants de plaine, les pigments de tous les raisins à vin rouge sont contenus dans les pellicules des grains; pulpe et jus sont incolores. Pour extraire au maximum la couleur, ainsi que les éléments aromatiques et le tanin que renferment les peaux, il faut détruire la structure cellulaire de celles-ci. En vinification traditionnelle, les grappes mûres sont légèrement foulées aussitôt qu'elles arrivent du vignoble, puis transférées dans les cuves, où la fermentation commence au bout de quelques heures — plus ou moins vite selon la température ambiante.

La transformation des sucres en alcool et en gaz carbonique dégage de la chaleur; chaleur et alcool désagrègent les cellules pelliculaires, et le moût, bouillonnant d'écume sous l'effet du gaz qui s'échappe, vire au violet intense. Normalement, la chaleur atteint son maximum vers le troisième ou le quatrième jour; il faut parfois la modérer par divers systèmes de refroidissement, sinon les levures risquent de subir une mutation. A mesure que le niveau d'alcool s'élève et que celui des sucres s'abaisse, la multiplication des levures décroît rapidement, ainsi que la chaleur et la turbulence.

Égrappage à la main à Château Palmer.

l'Hermitage, la Syrah n'est pas égrappée. En Bourgogne, les avis sont partagés: certains producteurs procèdent à cette opération, pour rendre leurs vins plus accessibles dès leur jeunesse, alors que d'autres jugent que le tanin supplémentaire des rafles permettra aux vins de mieux évoluer.

Autrefois, on égrappait le raisin en le frottant à la main sur des grilles en bois, qui retenaient les rafles *(ci-contre à gauche)*; de nos jours, on emploie plus couramment des égrappoirs-fouloirs mécaniques, qui rejettent les rafles et envoient le raisin écrasé et le jus directement dans les cuves.

Ces cuves peuvent être en bois, en béton ou en autre matériau à revêtement intérieur inerte, ou encore en acier inoxydable. L'acier est d'un entretien facile, et sa bonne conductivité permet un contrôle précis de la température, au moyen d'un système extérieur de circulation d'eau — chaude, pour déclencher la fermentation si nécessaire; froide, pour maintenir la chaleur en-dessous du point critique (qui peut varier de 28° à 35°, suivant les avis différents, le climat et quelques impondérables).

Les cuves peuvent être ouvertes ou closes, ces dernières étant munies d'une trappe pour l'introduction du raisin et l'échappement du gaz: elles sont plus pratiques pour la vinification à grande échelle. Quand les propriétés sont petites ou, comme en Bourgogne, quand un vigneron possède plusieurs petites parcelles d'appellations différentes, les cuves ouvertes demeurent traditionnelles.

Le «chapeau», masse spongieuse de pulpe et de peaux qui se forme à la surface du moût sous l'impulsion du gaz échappant, peut être laissé flottant (dans ce cas, il est refoulé régulièrement vers le fond) ou maintenu immergé au moyen d'une claie. Les deux méthodes ont leurs partisans. Durant la première phase de la fermentation, le moût est régulièrement soutiré à la base de la cuve et rejeté, à la pompe, à sa surface, afin d'aérer la masse, d'activer les levures, de disperser la chaleur et, dans le cas d'un chapeau flottant, de le maintenir mouillé. Une fois la fermentation tumultueuse terminée, la masse de peaux et de pulpe s'enfonce d'elle-même dans le moût pour y macérer. On couvre ou l'on ferme alors les trappes des cuves, pour y maintenir une couche de gaz carbonique, isolant ainsi de l'air le moût incomplètement fermenté.

Pour faire des vins rouges souples, d'une jolie couleur, un autre procédé consiste à libérer les pigments des peaux en chauffant la vendange; puis elle est refroidie, pressée immédiatement, ensemencée de levures de culture et le jus est fermenté, sans contact avec les peaux. Ni ce vin ni sa couleur ne se prêtent bien au vieillissement. Plus intéressant est le mode de vinification en rouge appelé macération carbonique, employé surtout pour la production de vins de primeur. Les grappes entières, non éclatées, sont placées dans des cuves étanches, sous pression de gaz carbonique, soit injecté, soit dégagé naturellement d'une faible quantité de moût mis en fermentation dans la cuve; au cours des deux semaines environ de macération se produit, dans les grains intacts, une fermentation intracellulaire qui transforme partiellement les sucres en alcool, tout en réduisant, parfois de moitié, leur teneur en acide malique (l'acide malique et l'acide tartrique sont les deux acides principaux du moût). Le jus de goutte est soutiré, le raisin pressé et les deux jus sont assemblés dans une cuve où, normalement, la fermentation s'achève en deux jours de temps. On obtient alors des vins tendres, fruités aromatiques, d'un grand charme bus jeunes et frais.

Grappes de raisins non foulées dans un pressoir champenois.

Parmi les micro-organismes qui, comme les levures, s'attachent à la pruine du raisin, il existe des bactéries lactiques; elles provoquent une fermentation secondaire, dite malolactique, qui décompose l'acide malique du vin en acide lactique et en gaz carbonique. Il s'ensuit une désacidification naturelle, essentielle à la qualité de tous les vins rouges. Non seulement la quantité de cet acide est diminuée de moitié, mais l'acide lactique est moins agressif que l'acide malique qu'il remplace, et le bouquet du vin gagnera en nuance et complexité, grâce aux esters résultant de cette fermentation. La fermentation malolactique s'opérant à une température plus basse que la fermentation alcoolique, il est rare qu'elle commence avant que cette dernière soit achevée, ou du moins sur le déclin. Dans les cuvaisons prolongées, la fermentation malolactique passe souvent inaperçue. Parfois, elle est capricieuse: comme les levures, les bactéries lactiques finissent par s'établir dans les celliers et les vignobles, mais la fermentation démarre difficilement dans les bâtiments neufs.

Toutes les fermentations ne sont pas souhaitables; une au moins peut être désastreuse, celle due au bacille acétique, ou acétobacter, présent dans l'air, qui change le vin en vinaigre. La parade est l'anhydride sulfureux, l'antiseptique à tout faire du vinificateur. On stérilise les barriques vides en y faisant brûler des mèches soufrées suspendues à la bonde et, en cours de vinification, on ajoute souvent au raisin foulé des cristaux de métabisulfite dissous dans du vin avant cuvage, puis après la fermentation malolactique. Autorisées par la législation, ces pratiques générales sont cependant discutées, au moins pour la vinification en rouge. L'anhydride sulfureux est également meurtrier pour les bactéries acétiques et lactiques; il peut

Les cuves modernes sont souvent en acier inoxydable.

Fermentation en cuve ouverte au Vieux Château Certan.

compromettre la fermentation malolactique et détruire les levures fragiles, appauvrissant ainsi la complexité des populations de levures. Les partisans de l'utilisation du soufre dans la vinification en rouge prétendent qu'en traces infimes il exalte la finesse et les qualités organoleptiques du vin. Dans tous les cas, la discrétion et une fine intuition s'imposent quant à son usage.

Une autre controverse, celle de la chaptalisation — l'apport du sucre raffiné au moût non fermenté pour élever le degré d'alcool d'un vin — remonte au début du XIXe siècle, époque à laquelle le comte Jean Antoine Chaptal de Chanteloup, alors ministre de l'Intérieur, préconisa cette méthode qui lui doit son nom. De nos jours, en Allemagne, par exemple, la chaptalisation des vins dits « de table » est autorisée, mais non celle des appellations plus restrictives ; toutefois, pour les adoucir, on y autorise l'ajout, après fermentation, du moût de raisin non fermenté. En France, la chaptalisation est permise dans certaines régions, en année déficiente et sous certaines conditions ; elle est interdite en Italie et en Californie, mais l'addition de concentré de raisin au moût non fermenté — autre manière d'augmenter les sucres fermentescibles — est licite dans les deux pays. La législation et le bon sens œnologique sont souvent en désaccord ; quand on ajoute au moût du concentré de raisin, ses sucres sont fermentés, mais ses acides et autres constituants demeurent — ce qui a pour effet de détruire l'équilibre et le caractère originel du vin. Tandis qu'une judicieuse addition de sucre, dissous dans un peu de moût, n'apporte qu'un supplément d'alcool, renforçant ainsi son fruit et son équilibre en année difficile, sans pour autant le dénaturer.

La vinification en blanc

En principe, la différence entre la vinification des vins blancs et celle des rouges réside dans le fait que les raisins blancs sont pressés aussitôt cueillis, le jus étant fermenté sans contact avec les peaux. Quand les raisins noirs sont vinifiés en blanc, il en résulte du vin rosé. Les vins blancs sont presque toujours faits avec des raisins blancs, mais on peut aussi en faire avec des raisins noirs (dont seule la peau est pigmentée), à condition qu'ils soient cueillis juste mûrs et pressés aussitôt, sans foulage initial — au-delà d'un certain stade de maturité, les pigments commencent à teinter le jus. Il est de tradition de faire du vin blanc avec du raisin noir en Champagne — cas presque unique — où d'immenses et larges pressoirs en extraient le jus blanc le plus rapidement possible.

La nervosité rafraîchissante d'un vin blanc sec provient d'une acidité plus forte que celle d'un vin rouge. Le cépage, le climat, le degré de maturité déterminent l'acidité du raisin. A mesure qu'il commence à mûrir, sa teneur en sucre augmente et son acidité diminue; il est mûr quand, au maximum de sa taille, il est le plus juteux, sa teneur en sucre restant momentanément stable. Si le temps le permet, il passe ensuite par différents stades de surmaturité, qui font augmenter de nouveau sa teneur en sucre, alors que son poids diminue et son acidité continue à décroître.

Le raisin mûrit différemment sous différents climats. Dans les régions du nord, les bonnes années, il peut atteindre une forte concentration de sucre en stades de surmaturité, tout en gardant l'acidité essentielle à l'équilibre du vin, alors que, sous un climat chaud, le même cépage, tout juste mûr, manquera d'acidité. Pour assurer au vin l'acidité indispensable, le raisin peut être cueilli au moment où, ayant acquis sa saveur caractéristique, il n'a pas encore atteint la maturité complète; l'acidité peut être accentuée aussi en freinant ou en supprimant la fermentation malolactique.

Le raisin blanc passe le plus souvent au pressoir sans être égrappé; le jus, lors du pressurage, n'est pas sensiblement affecté par ce bref contact avec les rafles, mais la présence de celles-ci facilite l'opération, en empêchant la masse de devenir trop compacte. Alors que le raisin rouge est envoyé directement aux cuves aussitôt foulé, le jus du raisin blanc se trouve exposé à l'air bien plus longuement, lors du foulage et pendant tout le pressurage; il faut donc plus encore le protéger des bactéries nocives. L'anhydride sulfureux utilisé à cette fin a aussi pour effet de paralyser momentanément les levures, ce qui retarde le départ de la fermentation et permet aux matières solides en suspension de se déposer; le moût débourbé, relativement limpide, est décanté en barriques ou en cuves pour la fermentation.

Afin qu'ils gardent tout leur fruité et leur fraîcheur d'arôme, les vins blancs doivent fermenter à des températures plus basses que les rouges. Dans les vinifications traditionnelles en fûts, par température automnale, la perte de chaleur en petit volume est suffisante pour

Chais de la première année au Château Mouton-Rothschild.

que le moût ne dépasse pas 20°C. Au début, les fûts ne sont remplis qu'aux trois quarts, de façon à nourrir les levures en oxygène et à prévenir les débordements ; une fois passée la phase la plus active de la fermentation, on fait le plein des barriques pour garder le vin à l'abri de l'air. La température basse allonge la période de fermentation et, à l'approche de l'hiver, il faut parfois chauffer les celliers pour activer la fermentation malolactique, indispensable à la qualité et à la stabilité des grands vins blancs de garde.

Plus le récipient de fermentation est grand, plus la température monte et plus il est difficile de la restreindre. Actuellement, des installations réfrigérées et d'autres systèmes de refroidissement permettent la fermentation de vins blancs en vastes cuves, à des températures strictement contrôlées, aux environs de 15° à 18°C, parfois plus basses. Une suite rapide de traitements de clarification — centrifugation, réfrigération proche de 0°C, filtrages — stabilise souvent ces vins et permet leur mise en bouteilles précoce.

L'élevage du vin en fûts

Quelle que soit leur couleur, les vins susceptibles d'évoluer et de vieillir réagissent mal aux traitements violents, qui président par ailleurs sans dommage à la commercialisation dans l'année des vins courants ou de primeur. Ils bénéficient d'une maturation en fûts. Il peut s'agir de la barrique bordelaise de 225 litres ou de la pièce bourguignonne de 228 litres, en usage maintenant dans le monde entier, ou bien de foudres contenant jusqu'à 100 hectolitres. Plus le tonneau est grand, plus faible est la quantité de vin au contact du bois, et plus l'évolution est lente.

Selon la taille du tonneau et selon sa propre nature, le vin peut séjourner dans le bois de six mois à plusieurs années en se dépouillant très doucement. Pendant cette période, il « respire » à travers le bois ; une certaine concentration de tous ses constituants se produit par suite de l'évaporation, la perte d'eau étant plus forte que celle d'alcool. Par le bois, l'oxygène pénètre dans le vin, provoquant des modifications chimiques qui participent aussi au processus de maturation.

Le vin est périodiquement soutiré d'un tonneau dans un autre, afin qu'il abandonne ses lies — levures mortes, cristaux de tartre, débris cellulaires de raisin et d'autres solides qui se déposent par sédimentation. En fin de soutirage, on vérifie sa limpidité en présentant un verre du vin à la flamme d'une bougie ou à une autre faible source de lumière, et au moindre trouble on arrête la décantation.

Soutirage du vin pour le séparer de ses lies. En encadré, un test de limpidité.

Cette clarification par soutirage est souvent parachevée par un collage, qui consiste à fouetter dans le vin une substance qui se coagule au contact des acides et des tanins et se dépose en entraînant les corps microscopiques en suspension; lorsque les lies de collage ont été précipitées, on soutire le vin clarifié. Le collage au blanc d'œuf est typique pour les vins rouges; les blancs sont souvent collés à la colle de poisson ou à la bentonite, sorte d'argile.

Les vins se clarifient mieux en fûts qu'en foudres, où d'ailleurs le collage est moins pratique. On procède souvent, à la place, à des filtrages. Il y a cependant, dans toutes les régions, des vignerons qui récusent soutirage, collage et filtrage, accusés de priver le vin du fond nuancé de son caractère, de nuire à sa force.

Si l'absorption d'oxygène favorise la maturation du vin, on ne laisse jamais sa surface exposée à l'air, où pullulent des acétobacters, actifs seulement en contact avec de l'air et toujours prêts à faire tourner le vin en vinaigre. Pour pallier l'évaporation, les tonneaux sont fréquemments ouillés — remplis jusqu'à la bonde, ou «œil» —; à cette fin, on garde toujours à portée des tonnelets et bouteilles de diverses contenances remplis du même vin. Toutefois, les soins les plus attentifs ne peuvent éliminer tout l'acide acétique, dont des traces imperceptibles, d'ailleurs, contribuent par leur volatilité à renforcer et à libérer le bouquet.

Au début de l'évolution d'un vin, les chocs dus aux variations des températures saisonnières précipitent le dépôt des grosses lies; par la suite, le vin se dépouille plus tranquillement à des températures plus basses et plus constantes. Les vins qui exigent plus d'une année de soins avant leur mise en bouteilles sont descendus de leurs celliers en rez-de-chaussée de première année, dans des caves plus fraîches de deuxième année, puis, éventuellement, dans des caves en deuxième sous-sol — encore plus fraîches — de troisième année. Pendant tout ce lent processus de transformation et d'affinement, on examine et l'on goûte fréquemment le vin, afin de pouvoir mieux surveiller sa santé, sa clarté et son évolution.

Le «goût du bois» figure souvent dans les conversations d'amateurs de vin; sa signification est apparemment fort subjective. La plupart des vins vieux sont élevés dans du chêne bien abreuvé, utilisé d'année en année, qui ne communique aucun goût au vin. Quand on dit d'un vin qu'il a un goût de bois ou de chêne, ce goût n'a souvent rien à voir avec le bois, mais résulte d'une teneur élevée en tanin et d'un long séjour en fût ou foudre, où l'oxydation, parfois excessive, altère le vin, imposant une vieillesse prématurée: sa fraîcheur et son fruité s'évanouissent et il risque d'avoir un taux d'acidité relativement élevé.

Impossible à confondre avec tout autre, la saveur de chêne neuf dans un vin jeune disparaît avec l'âge: quelques-uns de nos vins les plus prestigieux ne sont élevés que dans du chêne neuf. Ainsi, soutirés et transvasés dans des fûts de leur millésime, jusqu'à leur mise en bouteilles, deux ans à deux ans et demi plus tard, ces fûts sont alors revendus à d'autres producteurs. Certains mêlent judicieusement des fûts neufs et des fûts usagés, afin d'éviter l'occultation de leurs vins par la puissance du chêne neuf. Le chêne neuf, en effet, est un véritable assaisonnement, assez violent; pour absorber ses âpres tanins, différents de ceux du raisin, et son caractéristique parfum de vanille, tout en se maintenant en équilibre, un vin doit avoir une structure puissante et une personnalité résolue. Seul le concours d'un microclimat et d'un sol privilégiés, de lignées sélec-

Examen du vin au Château d'Yquem.

tionnées de cépages nobles, de vieilles vignes, d'une production limitée et d'un tri consciencieux des raisins, produira un vin de cette étoffe; il sera peut-être dense, dur, sans grâce et jaloux de ses qualités dans sa jeunesse, mais, avec le temps, il s'épanouira en beauté et vivra longtemps.

Les vinifications spéciales

D'un voile de levures résistantes à l'alcool — la fleur — qui se forme à la surface de certains vins, tenus en tonneaux qui ne sont ni soutirés ni ouillés, défiant les lois régissant d'autres vinifications, naissent les saveurs particulières des Xérès Fino et Amontillado, et les vins jaunes du Jura, dont le somptueux Château-Chalon est le plus célèbre exemple.

Comme les bactéries acétiques, ces levures ont besoin d'air, mais les deux sont ennemies et une seule peut dominer. Le vin doit avoir un degré élevé d'alcool — 15° environ — pour que le voile se constitue, tout en repoussant les attaques des acétobacters. Aussi, pour concentrer les sucres, fait-on légèrement passeriller le raisin de Xérès au soleil, sur des nattes de paille; celui de Château-Chalon est vendangé en état de surmaturité. Une fois la fleur bien établie, elle isole le vin de l'air, repousse les bactéries et, en décomposant l'acide acétique présent dans le vin, réduit son acidité volatile. Le vin se concentre avec le temps (le Château-Chalon doit rester un minimum de six ans sous son voile de levures avant d'être mis en bouteilles), le degré alcoolique augmentant en raison de la plus grande évaporation d'eau; l'oxydation subie en même temps détermine en partie le caractère de ces vins extraordinairement secs, au léger goût de noisette. Toutes les conditions favorables au développement de la fleur ne sont pas encore connues, mais l'une — primordiale — est une dense population écologique de ces levures, acclimatée depuis des siècles.

La pourriture noble

Le plus invraisemblable des vins — couleur de miel ou d'or vieilli, liquoreux, vibrant et pénétrant, au fond délicat d'amertume — est celui que l'on fait avec du raisin pourri — ou qui semble l'être. Pour distinguer de la décomposition pernicieuse son état d'altération, on appelle « pourriture noble » le champignon qui en est responsable, le *botrytis cinerea* (du grec *botrys*, grappe de raisin, et du latin *cinis*, *eris*, cendre). Il en est ainsi du moins quand il attaque des grains de raisin blanc sains, mûrs à point, dont il concentre les sucs dans leur pellicule flétrie, mais intacte. S'il s'en prend à des raisins non mûrs, endommagés par des piqûres d'insectes ou des averses, il agrandit les blessures et ouvre la voie aux moisissures; on l'appelle alors « pourriture grise », et il peut gravement compromettre la vendange. Il détruit également les pigments du raisin rouge et donne aux vins une couleur terne et grisâtre.

Les vins de ce type, parmi lesquels le Sauternes, le Tokay de Hongrie et les vins liquoreux d'Allemagne, ne peuvent être produits tous les ans, car le développement de la pourriture noble exige à la fois chaleur et humidité — de belles journées d'automne avec des brumes matinales —, quand le raisin arrive à maturité. Les cépages précoces et à peau épaisse permettront au Botrytis de faire son travail avant l'arrivée du mauvais temps, les peaux résistant intactes à l'action du champignon tout en isolant la pulpe de l'air.

L'invasion d'un vignoble par la pourriture noble se produit par étapes irrégulières et, même sur les grappes individuelles, l'action

Dégorgement du dépôt d'une bouteille de Champagne.

est progressive d'un grain de raisin à l'autre; sur une même grappe existent des grains flétris et cendrés, d'autres encore ronds, mais à la peau brunie et amollie par un début d'attaque, ainsi que des grains mûrs, fermes et indemnes. Afin de profiter pleinement de la pourriture, les grains sont prélevés sur chaque grappe au fur et à mesure qu'ils atteignent un degré parfait de flétrissement, avant dessèchement complet, ce qui impose de multiples cueillettes — souvent cinq, six, sept ou davantage, sur une période pouvant, certaines années, durer jusqu'à deux mois. Chaque cueillette est ensuite vinifiée séparément.

Deux caractéristiques, particulières au Botrytis, expliquent les différences de structure et de goût qui existent entre ces vins et les vins liquoreux faits avec des raisins simplement passerillés. En premier lieu, la concentration des acides et des sucres des raisins passerillés au soleil est due à une déperdition d'eau, mais sans modification de leur composition. Tandis qu'en se nourrissant des sucres et des acides, le Botrytis change la structure chimique du raisin, créant des éléments nouveaux qui interviendront dans le bouquet du vin, et comme il consomme plus d'acide que de sucre, l'acidité du moût est affaiblie. En second lieu, le Botrytis sécrète un anticorps qui gêne la fermentation alcoolique. Dans des moûts de raisins passerillés, mais chimiquement inchangés, les levures résistantes à l'alcool sont capables de transformer les sucres jusqu'au niveau alcoolique de 18°. Tandis que, dans les raisins flétris par le Botrytis, une forte concentration de sucre correspond à une forte concentration du champignon, lequel arrête précocement la fermentation alcoolique. Par exemple, l'équilibre parfait des vins de Sauternes est dû à une teneur en sucre qui représente un potentiel de 20° environ d'alcool; mais, inhibée par le Botrytis, la fermentation s'arrête à 13,5° ou 14°. Si le raisin était cueilli avec une plus forte teneur en sucre, la fermentation s'arrêterait encore plus tôt, et le vin, encore plus liquoreux, serait moins alcoolisé; cueilli très au-dessous d'un potentiel de 20°, le vin serait déséquilibré par excès d'alcool et manque de sucre.

Les vinifications varient considérablement. Ainsi, les vins de

Le remuage du Champagne conduit le dépôt vers le bouchon.

Tokay ne sont pas faits de grains atteints de pourriture noble: ceux-ci servent seulement à faire une pâte que l'on ajoute au moût d'autres raisins blancs. Pour les Sauternes, la vinification ne diffère de celle des autres vins blancs que par l'impossibilité de faire déposer, avant fermentation, les corps solides en suspension dans le moût épais et visqueux. Le jus trouble est directement mis en fûts, où sa fermentation est très lente, de même que sa clarification. Au Château d'Yquem, on considère qu'une période de trois ans et demi est nécessaire à la clarification du vin avant sa mise en bouteilles.

Une fois en bouteilles, il n'est pas rare alors qu'il devienne centenaire, parfaitement imperturbable.

Qu'on le déguste encore jeune ou après des décennies d'évolution lente dans la fraîcheur sereine d'une cave ténébreuse, c'est toujours le plaisir dispensé par le vin qui est la fin véritable de l'art et de la science de ceux qui l'ont créé. Parmi les vins liquoreux, peu de vins peuvent rivaliser avec un grand Sauternes, mais tous les vins sont une source de plaisir — et ce livre se propose de vous en faire découvrir les secrets.

Richard Olney

Dans les caves bourguignonnes, des milliers de bouteilles attendent les amateurs.

Le choix du cépage

Bon nombre de vins sont vinifiés à partir d'un seul raisin ou cépage, dont ils reflètent les traits distinctifs ; d'autres en contiennent plusieurs, chacun apportant ses qualités propres, tels l'arôme, la couleur, la vinosité, l'acidité et le corps. Un vin doit son caractère à l'équilibre de ces éléments réunis.

A travers le monde, on cultive plus de trois mille variétés de vigne appartenant à l'espèce européenne *vitis vinifera*, certaines produisant les plus grands vins. Parmi les principaux cépages blancs, quelques-uns sont illustrés ici ; les cépages rouges les plus répandus figurent aux pages 20 et 21. Nous avons seulement cité les régions du globe les plus importantes où poussent ces vignes ; la plupart, en effet, sont également cultivées ailleurs. Une description d'autres cépages se trouve aux pages 138 à 140.

Maints cépages européens ont été transplantés avec succès dans d'autres contrées. Toutefois, lorsqu'elle croît sous un climat plus chaud, une variété précise donne des résultats franchement différents de ceux obtenus dans une zone tempérée. En outre, la nature du sol, qu'il soit sablonneux, graveleux, crayeux ou granitique, influe nettement sur le caractère d'un vin, indépendamment du cépage dont il est issu *(page 8)*.

Parmi les cépages nobles, le Cabernet-Sauvignon est celui qui s'adapte le mieux à de nouvelles conditions de culture : du Bordelais, on a réussi à l'acclimater un peu partout dans le monde. Il confère son caractère aux vins fins de Californie, d'Afrique du Sud et d'Australie. Le Pinot noir bourguignon, pour sa part, s'adapte moins volontiers aux autres climats. Hors de Bourgogne, le Pinot blanc et le Pinot gris, raisins blancs de la même famille, donnent souvent de meilleurs résultats.

D'autres variétés prospèrent dans de nouveaux terroirs : le Zinfandel, par exemple, cultivé dans le Sud de l'Italie sous le nom de Primitivo, est surtout utilisé comme puissant vin d'assemblage. Ce raisin pousse dans le Nord de la Californie, où règne un climat plus frais, et produit des vins très fruités, légèrement herbacés.

Le Chardonnay. Ce raisin donne les grands vins blancs de Bourgogne de la Côte de Beaune et de Chablis, les vins blancs de la Côte chalonnaise, le Pouilly-Fuissé et les autres vins du Mâconnais. C'est le raisin blanc qui entre dans la vinification du Champagne. On lui doit aussi les grands vins blancs californiens.

Le Sémillon. Donne les vins blancs secs des Graves ; lorsqu'il est atteint par la pourriture noble *(page 16)*, ce cépage produit aussi les grands vins blancs liquoreux, tels le Sauternes, le Barsac et le Loupiac ; on le mélange à une quantité moindre de Sauvignon blanc et de Muscadelle. On le cultive aussi en Californie et en Australie.

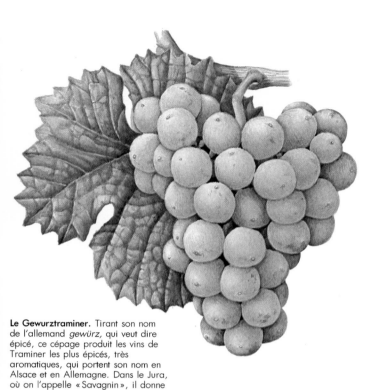

Le Gewurztraminer. Tirant son nom de l'allemand *gewürz*, qui veut dire épicé, ce cépage produit les vins de Traminer les plus épicés, très aromatiques, qui portent son nom en Alsace et en Allemagne. Dans le Jura, où on l'appelle « Savagnin », il donne le vin jaune. Il pousse aussi en Autriche, en Italie, en Californie, en Afrique du Sud et en Australie.

Le Sauvignon. Dans le Bordelais, on le mélange au Sémillon pour vinifier les vins liquoreux de Sauternes et de Barsac, ainsi que les Graves blancs secs. Dans la vallée de la Loire, connu sous le nom de Blanc fumé, il donne les vins du Sancerrois, au goût de pierre à fusil, et, à Pouilly-sur-Loire, le Pouilly-Fumé. On le cultive aussi en Californie et en Australie.

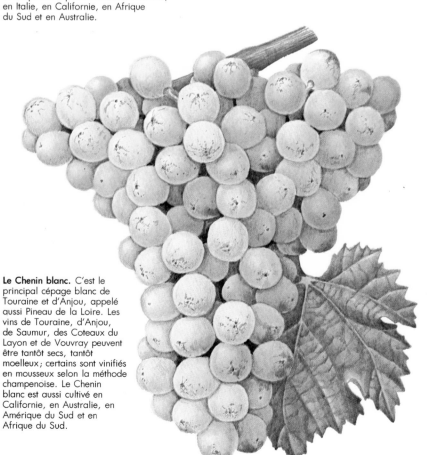

Le Chenin blanc. C'est le principal cépage blanc de Touraine et d'Anjou, appelé aussi Pineau de la Loire. Les vins de Touraine, d'Anjou, de Saumur, des Coteaux du Layon et de Vouvray peuvent être tantôt secs, tantôt moelleux ; certains sont vinifiés en mousseux selon la méthode champenoise. Le Chenin blanc est aussi cultivé en Californie, en Australie, en Amérique du Sud et en Afrique du Sud.

Le Riesling. Il s'agit du plus noble cépage cultivé en Alsace et dans maints autres endroits — Allemagne, Italie, Autriche, Suisse, Yougoslavie et la plupart des régions viticoles du monde. Les vins sont généralement frais, vifs et secs, ou moelleux ; lorsqu'il est atteint par la pourriture noble, le Riesling donne les remarquables vins moelleux de vendange tardive.

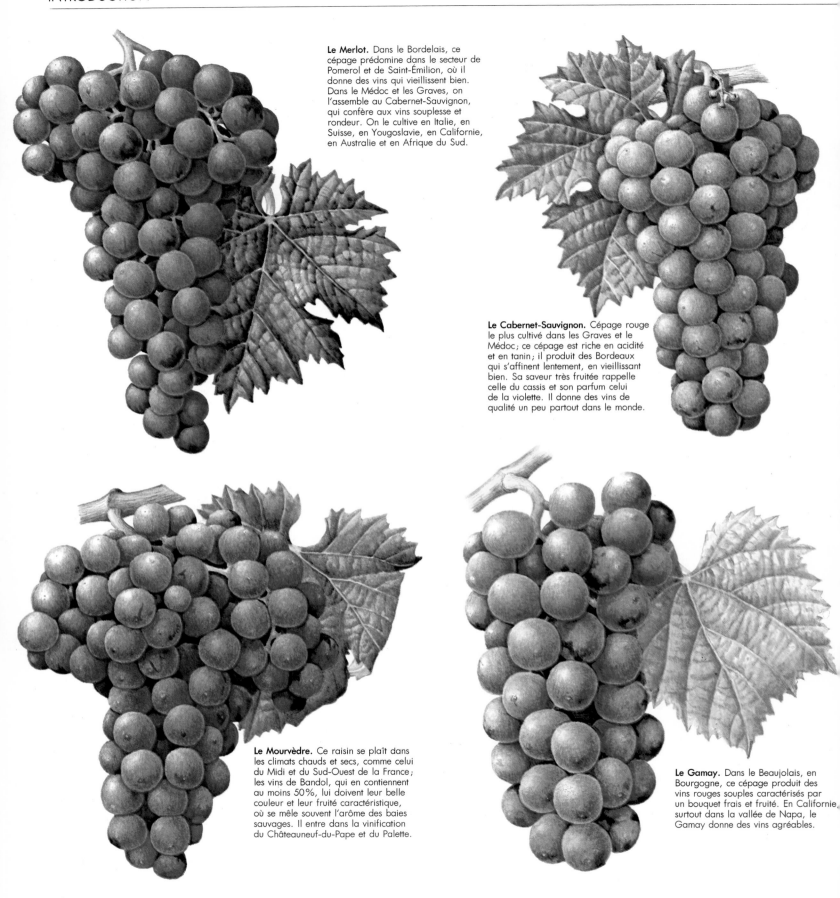

Le Merlot. Dans le Bordelais, ce cépage prédomine dans le secteur de Pomerol et de Saint-Émilion, où il donne des vins qui vieillissent bien. Dans le Médoc et les Graves, on l'assemble au Cabernet-Sauvignon, qui confère aux vins souplesse et rondeur. On le cultive en Italie, en Suisse, en Yougoslavie, en Californie, en Australie et en Afrique du Sud.

Le Cabernet-Sauvignon. Cépage rouge le plus cultivé dans les Graves et le Médoc ; ce cépage est riche en acidité et en tanin ; il produit des Bordeaux qui s'affinent lentement, en vieillissant bien. Sa saveur très fruitée rappelle celle du cassis et son parfum celui de la violette. Il donne des vins de qualité un peu partout dans le monde.

Le Mourvèdre. Ce raisin se plaît dans les climats chauds et secs, comme celui du Midi et du Sud-Ouest de la France ; les vins de Bandol, qui en contiennent au moins 50%, lui doivent leur belle couleur et leur fruité caractéristique, où se mêle souvent l'arôme des baies sauvages. Il entre dans la vinification du Châteauneuf-du-Pape et du Palette.

Le Gamay. Dans le Beaujolais, en Bourgogne, ce cépage produit des vins rouges souples caractérisés par un bouquet frais et fruité. En Californie, surtout dans la vallée de Napa, le Gamay donne des vins agréables.

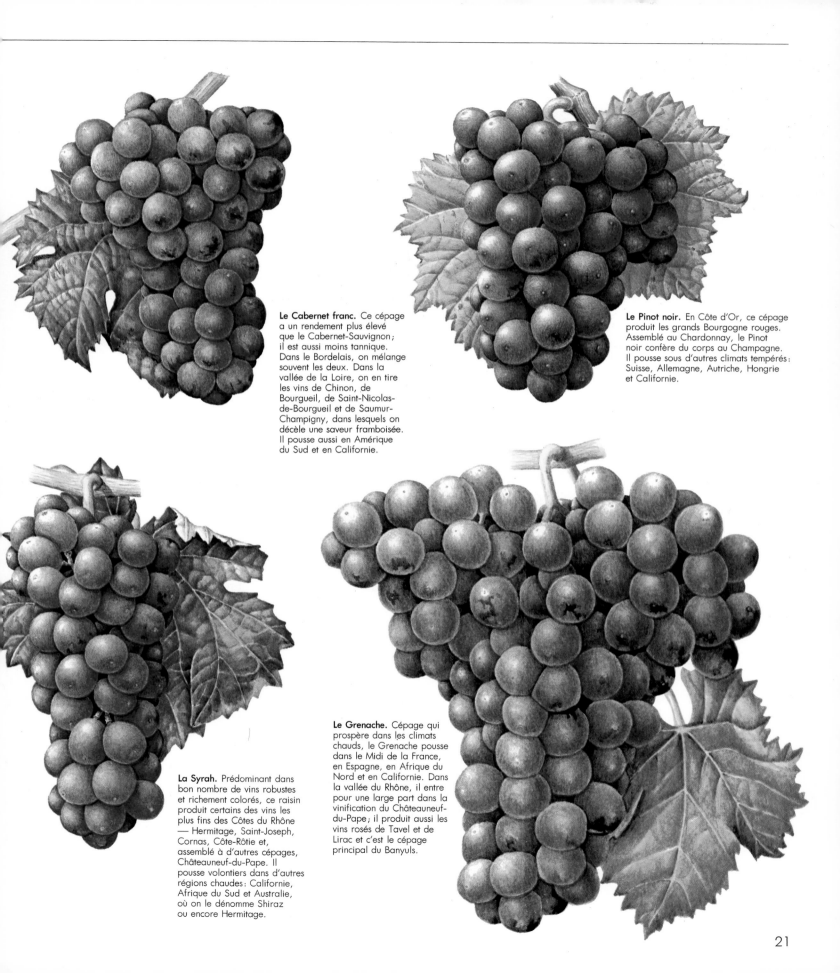

Le Cabernet franc. Ce cépage a un rendement plus élevé que le Cabernet-Sauvignon; il est aussi moins tannique. Dans le Bordelais, on mélange souvent les deux. Dans la vallée de la Loire, on en tire les vins de Chinon, de Bourgueil, de Saint-Nicolas-de-Bourgueil et de Saumur-Champigny, dans lesquels on décèle une saveur framboisée. Il pousse aussi en Amérique du Sud et en Californie.

Le Pinot noir. En Côte d'Or, ce cépage produit les grands Bourgogne rouges. Assemblé au Chardonnay, le Pinot noir confère du corps au Champagne. Il pousse sous d'autres climats tempérés: Suisse, Allemagne, Autriche, Hongrie et Californie.

La Syrah. Prédominant dans bon nombre de vins robustes et richement colorés, ce raisin produit certains des vins les plus fins des Côtes du Rhône — Hermitage, Saint-Joseph, Cornas, Côte-Rôtie et, assemblé à d'autres cépages, Châteauneuf-du-Pape. Il pousse volontiers dans d'autres régions chaudes: Californie, Afrique du Sud et Australie, où on le dénomme Shiraz ou encore Hermitage.

Le Grenache. Cépage qui prospère dans les climats chauds, le Grenache pousse dans le Midi de la France, en Espagne, en Afrique du Nord et en Californie. Dans la vallée du Rhône, il entre pour une large part dans la vinification du Châteauneuf-du-Pape; il produit aussi les vins rosés de Tavel et de Lirac et c'est le cépage principal du Banyuls.

1
Le choix du vin et sa conservation
Au rythme des vendanges

Savoir ce que l'on peut escompter d'une bonne bouteille ajoute considérablement au plaisir que l'on a déjà à la choisir et à la servir. La diversité des vins vendus dans le commerce est quelquefois déroutante. Cependant, la silhouette d'une bouteille fournit souvent une indication sur le contenu, certains modèles ayant été adoptés dans les principales régions vinicoles *(page 26)*. L'étiquette vous éclairera davantage: la plupart mentionnent le pays d'origine, le nom du vignoble ou du négociant, une région ou un cépage. Ces éléments suffisent parfois pour deviner le caractère du vin, car certains traits dominants, comme la légèreté, le corps, la finesse ou la complexité, particularisent les produits d'une région donnée *(page 28)*.

Le millésime apparaît sur l'étiquette, sauf si la bouteille contient un assemblage de vins d'années différentes; c'est une indication importante, révélatrice de la qualité autant que de l'âge du vin. En effet, les conditions climatiques, surtout dans les pays tempérés, peuvent affecter la production. Un guide des millésimes, depuis 1945, figure dans ce volume.

Il est très précieux de connaître les millésimes s'il s'agit de vins vieux. Chaque année, on produit toutes sortes de bons vins, la plupart étant des vins de table à boire jeunes. Or, la longévité des vins fins peut aller de dix ans à plus d'un siècle. En vieillissant, ils changent de couleur *(page 32)* et accentuent leur complexité. Un grand vin produit au cours d'une petite année, un Château Latour 1963, par exemple, évoluera plus vite que le même vin fait lors d'une année exceptionnelle, comme 1961. Au bout de vingt ans, le millésime 1961 n'a pas encore atteint son apogée.

Même si l'étiquette permet d'identifier un vin, seul ce dernier saura révéler sa personnalité. Il le fait de plusieurs manières. Ainsi, sa robe, toujours admirée pour sa beauté intrinsèque, peut en indiquer l'âge. Son bouquet, en se déployant dans le verre *(ci-contre)*, laisse pressentir les qualités du produit. En vous familiarisant avec la pratique de la dégustation *(page 34)*, vous apprendrez à formuler vos impressions concernant la couleur ou le «nez», et à juger le vin de façon méthodique. Vous décrirez ces sensations éphémères avec votre vocabulaire propre ou, plus spécifiquement, en vous inspirant des termes œnologiques expliqués à la page 24. Vos impressions seront notées dans un carnet de dégustation *(page 36)*.

aire tourner doucement le vin dans un verre enu par le pied constitue une étape capitale réludant à la dégustation. Ce geste favorise expansion des arômes, qui se concentrent lors au-dessus du liquide. Le dégustateur ume le bouquet pour y percevoir les senteurs, uis prend une gorgée de vin en bouche our en analyser le goût *(page 34)*.

Le langage du vin

Le vin a son vocabulaire propre. En effet, sans les termes définis ici, il serait pratiquement impossible de décrire les impressions sensorielles subjectives que l'on ressent lorsque l'on goûte un vin. Parce qu'ils permettent de formuler plus aisément les nuances gustatives, olfactives et autres sensations, ces termes font partie du langage universel du vin. Vous les rencontrerez dans cet ouvrage, et ils seront sûrement prononcés chaque fois qu'il s'agira de déguster un vin ou d'en parler.

Certains mots, «acidité» ou «tanin», par exemple, définissent la structure du vin; d'autres, comme «élégant» ou «gouleyant», sont des adjectifs plus courants servant simplement à décrire de façon imagée les caractéristiques particulières d'un vin.

Acidité. L'une des saveurs de base d'un vin; c'est l'acidité qui est responsable de sa nervosité et de sa vivacité.

Aigrelet. Trop acide. Caractéristique indésirable dans un vin jeune, qui ne disparaîtra pas avec l'âge.

Aigu. Qui a du mordant, trait dû à une acidité un peu marquée.

Alcool. L'un des principaux constituants du vin; il lui donne en partie sa force et son caractère. Voir *Équilibre.*

Ambré. Dont la robe a une belle couleur qui va du jaune au doré foncé, comme celle d'un très vieux Sauternes.

Ardent. Se dit d'un vin dont la teneur en alcool laisse dans la bouche une impression de chaleur. Voir *Équilibre.*

Aromatique. Qualifie un vin dans lequel se distingue nettement tel et tel arôme.

Arôme. Odeur de fruit, fleur ou autre parfum qui participe au bouquet.

Arrière-goût. Impression laissée dans la bouche par un vin après dégustation et qui diffère de la sensation perçue initialement.

Astringent. Riche en tanin, provoquant une crispation des muqueuses de la bouche. Voir *Tanin.*

Austère. Un peu dur, sans autres caractéristiques apparentes. Certains grands vins, austères dans leur jeunesse, s'adoucissent et révèlent leur personnalité en vieillissant.

Automnal. Se dit d'un vin qui produit des impressions olfactives et gustatives rappelant les feuilles mortes, l'humus, les truffes, les champignons.

Bouchonné. Vin exhalant une odeur très désagréable «de bouchon»; il s'agit d'un défaut assez rare.

Bouquet. Ensemble des odeurs et arômes qu'exhale un vin au cours de son évolution. S'applique aussi généralement à une senteur agréable perçue dans un vin. Terme souvent utilisé dans le même sens que *Arôme.*

Brique. Couleur rouge tirant sur le brun, caractérisant certains vins rouges vieux.

Capiteux. Riche en alcool et d'une grande vinosité.

Caramel. Peut se dire de la robe de certains vins liquoreux et aussi de l'arôme discernable dans certains vins, tel le Madère.

Charnu. Riche, qui a du corps et de la fermeté.

Charpenté. Vin de solide structure, riche en alcool et en tanin, corsé et généralement beau vin de garde.

Chêne. Odeur et goût caractérisant un vin élevé dans des fûts en chêne neufs.

Clair. Caractérise la limpidité d'un vin. Dans la pratique de la vinification et de l'élevage des vins, qualifie le vin débarrassé de sa lie.

Complet. Vin équilibré et harmonieux.

Complexe. Se dit d'un grand vin doté de caractères olfactifs et gustatifs multiples et riches.

Corps. Solidité d'un vin conférée par les composants de base: acidité, tanin et alcool.

Corsé. Se dit d'un vin dont toutes les qualités ressortent avec intensité.

Costaud. Fort et rustique.

Coulant. Souple, peu corsé, moelleux et agréable.

Court. Qui a une persistance faible. Voir *Persistance.*

Cristallin. Parfaitement limpide et brillant.

Cru. Qualifie un vin dans sa prime jeunesse, doté d'une certaine rudesse.

Cuit (goût de). Saveur prononcée, voire caramélisée. S'applique également au goût de confitures ou de pruneaux présent dans un vin fait avec des raisins mûrs lors d'un été exceptionnellement chaud.

Décrépit. Se dit d'un vin dont les caractères ont été fortement amenuisés par l'âge.

Délicat. Qualité fragile, souvent dentelée, d'un bon vin à l'apogée de son évolution. Ce terme désigne aussi un bon vin léger, bien équilibré, avec une odeur et un goût plaisants, mais pas trop affirmés.

Dentelle. Caractère des vins raffinés et légers où s'équilibrent des nuances à la fois vives et délicates. En revanche, «tomber en dentelle», comme disent parfois les vignerons, qualifie un vin qui s'efface.

Dépouillé. Se dit du vin jeune lorsqu'il est clarifié après le dépôt de ses composants solides, au cours de son élevage. Se dit aussi d'un vin vieux, devenu plus clair après avoir «déposé» sur les parois de la bouteille.

Déséquilibré. Discordant; faiblesse ou prédominance d'un ou plusieurs constituants de base. Voir *Équilibre.*

Distingué. Vin fin alliant caractère, élégance et distinction:

Doux. Se dit souvent pour moelleux.

Droit. Qui présente des caractères nets, sans odeur ou goûts étrangers ou anormaux.

Élégant. Vin de qualité exceptionnelle, très distingué, présentant un équilibre harmonieux, des propriétés intactes et une certaine légèreté.

Épais. Se dit d'un vin dense, corsé, lorsqu'il s'agit d'un vin encore jeune et, péjorativement, d'un vin fait, lorsqu'il est lourd et sans grâce.

Épanoui. Prompt à dévoiler toutes ses qualités. Se dit d'un vin à point et très ouvert.

Épicé. Qualifie l'odeur et le goût des vins qui ont des arômes d'épices; on y décèle parfois une saveur de poivre, de clou de girofle, de cannelle, etc.

Équilibre. Rapport existant entre les constituants de base, acidité, tanin et alcool. Si ces éléments sont fondus, on dit que le vin est bien équilibré.

Évolué. Exprime l'état d'un vin en fonction de sa maturité. Un vin qui a bien évolué a vieilli correctement.

Exubérant. Fougueux, qui a de la sève. Ce qualificatif s'applique généralement aux vins jeunes et fruités.

Faible. Sans cachet, peu fruité, manquant d'acidité, de tanin et d'alcool.

Fait. Prêt à boire, épanoui, vieilli à point.

Fatigué. Épuisé, passé, lorsqu'il s'agit d'un vin trop vieux; mais un vin, sans être trop vieux, peut être «fatigué» par un traitement lors de sa vinification ou par un voyage ensuite. On le laisse alors «reposer».

Fauve. Se dit d'un vin dégageant des saveurs animales et sauvages.

Féminin. Fin, sensuellement bouqueté, léger et délicat.

Ferme. Fort et bien équilibré, dans lequel on perçoit une légère nuance tannique et acide. Voir *Équilibre.*

Fermé. Se dit d'un vin qui ne révèle pas son caractère. Bon nombre de vins fins sont fermés dans leur jeunesse. Voir *Austère.*

Fin. De bonne qualité, distingué.

Finesse. Qualité d'un vin qui a de la distinction et de la grâce.

Finir (bien ou mal). Se réfère à la dernière impression laissée par un vin en fin de bouche.

Floral. Vin généralement jeune dans lequel on décèle un parfum de fleurs, qui se conjugue avec les arômes de fruits pour composer le bouquet.

Fondu. Se dit d'un vin fait dont les composants sont harmonieusement équilibrés.

Fort. Charnu, puissant, souvent vineux.

Foxé. Odeur caractérisant les vins faits aux États-Unis, avec des cépages indigènes. Le terme «foxé» provient de l'anglais «Fox» qui signifie renard d'où parfois l'expression «vin qui renarde».

Fragrant. Rappelant l'arôme agréable des fleurs, des épices et des herbes.

Frais. Jeune et plein de sève; s'applique souvent aux vins légers, bien équilibrés, peu chargés en tanin, qui se boivent jeunes.

Franc. Dépourvu de défaut, d'anomalie ou de saveur étrangère.

Fruité. Dont le parfum rappelle celui d'un fruit. Hormis naturellement le goût du raisin, on peut discerner diverses notes fruitées dans un vin: abricot, agrumes, cassis, cerise, fraise, framboise, myrtille,

êche, poire, pomme, prune, mûre, ainsi que la
aveur prononcée des fruits cuits. Dans les vins
ouges jeunes apparaît souvent une nuance fruitée,
ranche et spontanée, de baies rouges.

** umé.** Goût qui rappelle les aliments fumés, l'odeur
es feuilles brûlées ou toute odeur de même nature.

umet. Bouquet très concentré qui confirme la
ersonnalité d'un vin.

Garde. Un vin de garde est un vin qui n'acquiert
outes ses qualités qu'après un certain temps de
ieillissement.

Généreux. Plein, épanoui, riche, généralement haut
n alcool.

Gibier (odeur de). L'odeur qu'exhale la chair du
ibier à plume se rencontre généralement dans le
ouquet des vins vieux comme les Bordeaux et celle
u gibier à poil dans certains Bourgogne et les
rands crus des Côtes du Rhône.

Gouleyant. Se dit d'un vin qui se boit facilement.

Gracieux. Léger et élégant.

Grand. Vin d'une classe élevée, qui présente une
ersistance aromatique intense.

Gras. Plein, onctueux. Se dit aussi d'un vin onctueux
 haute teneur en glycérine.

Grossier. Rustaud et de qualité médiocre.

Harmonieux. Parfaitement équilibré.

Herbacé. Odeur d'herbes fraîches ou de foin.

Honnête. Décent, sans anomalies ni défauts, mais
énué de qualités marquantes.

nsipide. Manquant de saveur.

odé. Goût rappelant des senteurs marines.

armes. On dit d'un vin qu'il « pleure » lorsque sa
lus ou moins grande viscosité dépose des traînées,
es « larmes », sur les parois du verre quand on le
ait tourner.

éger. Qui a peu de corps ; s'applique généralement
 un vin jeune, prêt à boire. Qualificatif péjoratif
orsqu'on l'emploie pour un vin décevant, qui ne
épond pas à ce qu'on en attendait.

impide. Ayant de la clarté et de l'éclat.

iquoreux. Riche, velouté, doux et opulent, dont tous
es éléments sont fondus. Se dit aussi d'un type de
ins particuliers (voir Atlas-glossaire).

ong. Qui a une grande persistance au palais.

oyal. Se dit d'un vin simple, honnête et franc.

Mâche. Un vin qui a de la mâche a du corps, de la
hair et donne à la bouche une sensation de
lénitude telle qu'on croirait pouvoir le mâcher.

Madérisé. Plat, avec une saveur oxydée. Un vin
lanc madérisé prend souvent une teinte brune et
erne. Voir *Oxydé*.

Maigre. Léger, qui manque de moelleux et de corps.

Métallique. Goût plutôt dur de métal.

Miel (goût de). Saveur douce caractérisant souvent
es vins liquoreux fins, comme le Sauternes
page 16), mais aussi certains vins plus secs.

Moelleux. Fait et onctueux, doux et sans âpreté.

Moisi. Odeur et parfois goût de moisi ou de pourri.
ette anomalie se produit dans les vins vinifiés avec
es raisins attaqués par la pourriture grise, ou ceux

conservés dans des barriques mal entretenues.

Mou. Faible, manquant d'acidité et de caractère.

Muet. Vin fermé qui ne s'exprime pas encore.

Mûr. Arrivé à maturité complète, riche et fruité.

Nerveux. Vif, jeune, vibrant.

Nez. Ensemble des odeurs perçues dans un vin.

Noble. Parfaitement structuré, de grande qualité, et
racé. Se dit d'un grand vin à n'importe quel stade
de son évolution.

Noisette (goût de). Nuance gustative souvent
associée aux vins élevés avec la fleur *(page 16)*. On
décèle parfois un parfum d'amandes fraîches dans
les vins blancs et rouges jeunes et frais.

Oxydé. Se dit d'un vin qui a une saveur plate et
passée due à un trop long contact avec l'air.

Paillettes. Cristaux naturels, non toxiques, d'acide
tartrique présents dans certains vins exposés au
froid.

Passé. Synonyme de décrépit, trop vieux, qui a
perdu la plupart de ses qualités.

Perlant. Qualifie un vin très légèrement effervescent,
qui picote agréablement la langue.

Persistance. Durée en bouche. On dit qu'un vin est
court ou long en bouche selon qu'il a une persistance
plus ou moins durable.

Pierre à fusil (goût de). Odeur et goût métalliques
caractéristiques, souvent rencontrés dans les vins
vinifiés à partir du cépage Sauvignon, cultivé sur un
sol particulier : s'applique par exemple au Pouilly
Fumé ou au Sancerre.

Piqué. Aigrelet, goût de vinaigre dans un vin abîmé
par une exposition à l'air.

Plat. Manquant d'acidité, de cachet et de saveur
propres ; se dit aussi d'un vin mousseux qui a perdu
son effervescence.

Plein. Vin puissant, vineux, bien équilibré.

Pointu. Trop acide.

Primeur. Vin de l'année, destiné à être bu dans les
mois qui suivent sa vinification, avec toute sa
souplesse et sa fraîcheur.

Profondeur. Qualifie un vin complet, doté de
nombreuses et riches nuances gustatives qui se
prolongent en parfaite homogénéité.

Puissant. Charnu, vineux, riche en tanin et en alcool.

Rafraîchissant. Désaltérant ; s'applique souvent aux
vins légers, un peu acidulés, que l'on boit jeunes.

Racé. Vin noble, nerveux, de grande qualité.

Râpeux. Qualifie certains vins jeunes et surtout
tanniques.

Riche. Doté de tous les éléments qui assurent une
bonne structure, une belle harmonie et un grand
équilibre.

Robe. Aspect et couleur du vin.

Robuste. Vigoureux, concentré, qui a du corps et un
bon équilibre.

Rondeur. Qualité d'un vin bien évolué : un vin rond
est moelleux, corsé, ample et sans aspérité.

Rude. Qui accroche, parce que tannique et acide,
généralement dans les vins pas encore faits.

Rugueux. Dur et âcre, généralement dans les vins

pas encore faits.

Sec. Vin qui n'a pas de douceur, les sucres du raisin
ayant été complètement transformés lors de la
fermentation.

Séché (ou desséché). Qui a perdu son moelleux, sa
fraîcheur et sa chair, souvent par oxydation.

Séveux. Nerveux, vineux, vif, à caractère affirmé.

Solide. Ferme, bien structuré, qui vieillira bien.

Soufre (odeur de). On utilise couramment de
l'anhydride sulfureux lors de la vinification. A trop
forte dose, sa présence est indésirable : il picote le
nez et l'arrière-gorge, et se reconnaît nettement à
son odeur.

Souple. Facile à boire, sans âpreté, coulant ; se dit
des vins jeunes, peu tanniques, ou des vins qui se
sont assouplis avec l'âge.

Soyeux. Délicatement souple, onctueux et
harmonieux.

Structure. La composition et la constitution d'un vin.

Suave. Se dit d'un vin harmonieux en souplesse et
en moelleux avec un arôme doux et agréable.

Tanin. L'un des principaux constituants du vin rouge,
qui provoque un resserrement par astringence des
tissus de la bouche. Très présent dans les grands vins
de Bordeaux, de Bourgogne et des Côtes du Rhône,
il agit comme conservateur lors du vieillissement,
s'adoucissant peu à peu en se déposant au fur et à
mesure que les vins s'affinent.

Tartre. Voir *Paillettes*.

Terne. Ayant une odeur et un goût sans attrait, ou
manquant de limpidité et d'éclat.

Terroir. Goût caractéristique propre à certains vins
et rappelant la nature du sol sur lequel a poussé la
vigne.

Tuilé. Se dit d'un vin rouge vieux dont la couleur
s'est estompée, prenant une teinte orangée.

Vanillé. Senteur de vanille prise par certains vins
élevés dans des fûts en chêne neufs *(page 15)*.

Velouté. Onctueux, subtil, riche et harmonieux, sans
âpreté.

Venaison. Nuance olfactive rappelant celle de la
chair de gibier, que l'on rencontre dans certains vins
vieux.

Vert. Se dit soit d'un vin très jeune au fruité encore
légèrement acerbe, soit d'un vin vinifié avec des
raisins non parvenus à maturité complète.

Vif. Rafraîchissant et plutôt acidulé. La vivacité est
une qualité appréciable pour un vin blanc léger ou
rouge de primeur.

Vigoureux. Robuste, plein de sève et d'avenir.

Viné. Type de vin additionné d'alcool (voir Atlas-
glossaire).

Vineux. Qui a les caractères communs à tous les
vins : caractère alcoolique, odeur, arôme, etc.

Violette. Odeur spécifique que l'on rencontre dans
certains vins. Le caractère de violette légèrement
vanillée des Musigny leur donne une distinction
incomparable.

Viril. Se dit d'un vin bien charpenté, au caractère
accusé.

La dive bouteille

La forme même d'une bouteille fournit souvent la première indication sur la nature d'un vin. Certaines formes classiques couramment rencontrées dans les principales régions viticoles d'Europe ont été adoptées pour des vins à base des mêmes cépages. Il existe également de nombreuses bouteilles à la forme inhabituelle, certaines servant d'emblème à une région, d'autres particulières à un seul vignoble.

La forme cylindrique de la plupart des bouteilles offre l'avantage de pouvoir les coucher pour faire vieillir le vin en cave

(page 15). De cette façon, les bouchons ne risquent pas de se dessécher. Le verre, de couleur verte ou brune, protège le vin des effets nocifs de la lumière ; traditionnellement, le verre incolore est réservé à certains vins rosés ou blancs.

Parmi les formes classiques, la bouteille bourguignonne se reconnaît à ses épaules tombantes, modèle également adopté dans les Côtes du Rhône et la vallée de la Loire,

ainsi que dans les régions produisant de vins issus des cépages Pinot noir et Chardonnay *(pages 18 et 21)*. Une bouteille analogue, quoique bien plus lourde et un peu plus grande, sert en général pour le Champagne et les vins mousseux. Ces bouteille sont en verre épais afin de résister à l pression du gaz.

La bouteille bordelaise classique, étroit et aux épaules hautes, est en verre ver pour les vins rouges et incolore pour le blancs. On a adopté cette forme pour d'au tres vins rouges faits avec le cépage Caber

Porto — Tokay — Verdicchio — Côtes-de-Provence — Champagne — Bourgogne

et-Sauvignon dans diverses contrées. La bouteille de Porto lui ressemble, avec un goulot légèrement renflé.

La plupart des vins allemands sont mis en bouteilles dans de hautes flûtes, en verre brun dans la région rhénane, en verre vert dans celles de la Moselle, de la Sarre et de la Ruwer. En Alsace, on emploie une flûte encore plus élancée. Ces bouteilles servent également aux vins faits avec les cépages Riesling, Sylvaner et Gewurztraminer cultivés dans d'autres pays.

Des formes moins courantes peuvent particulariser un vin. Dans le centre de l'Italie, une bouteille aux flancs bombés rappelant les amphores romaines est propre au Verdicchio. En Toscane, pays du Chianti, celui-ci se reconnaît à sa fiasque habillée de paille, laquelle, moins utilisée actuellement, cède la place à la bouteille bordelaise, notamment pour le Chianti « classico ».

Une bouteille d'un demi-litre, au long col qui s'évase doucement, caractérise le Tokay de Hongrie. Une forme ondulée s'emploie parfois pour les Côtes-de-Provence; le Château-Chalon, vin jaune du Jura, est logé dans une bouteille à la silhouette trapue, le clavelin. Une bouteille plate en forme de flasque, appelée *bocksbeutel*, se rencontre en Allemagne, en Franconie; une forme similaire, quoique plus ronde, est utilisée pour les rosés portugais, par exemple, ainsi que pour certains vins chiliens.

En règle générale, la contenance d'une bouteille courante est de 70 à 75 cl. Il en existe de plus grandes, ainsi que des demi-bouteilles. Selon la taille du flacon, un vin évolue plus ou moins vite. Dans un magnum, un litre et demi, il se dépouille plus lentement et, par conséquent, vieillit mieux que dans une bouteille ordinaire; dans une demi-bouteille, le processus est plus rapide.

Bordeaux

Château-Chalon

Chianti

Bocksbeutel

Vin du Rhin

Vin d'Alsace

Les types de vins

Chaque vin a sa personnalité qui reflète aussi bien la nature du cépage, du sol et du climat que l'âge du produit et le procédé de vinification *(pages 8 à 17)*. Par exemple, certains vins blancs tel le Muscadet sont plutôt vifs, légers et secs, les Hermitage blancs étant corsés, racés et complexes.

Grâce aux tableaux ci-contre et page de droite, il vous sera aisé de sélectionner un vin répondant aux caractères recherchés. Vous pouvez aussi consulter cette liste pour connaître le type d'un vin; des renseignements très détaillés figurent par ailleurs dans l'Atlas-glossaire, des pages 90 à 136. Il arrive toutefois qu'une même appellation englobe des vins très différenciés: tel Vouvray de Touraine sera sec et léger, alors que d'autres sont moelleux ou même liquoreux. Ces variations résultent tantôt des conditions climatiques — un seul vignoble produit parfois des vins fort différents d'une année à l'autre —, tantôt des méthodes de vinification employées. Un même vin peut avoir des caractéristiques qui se retrouvent dans deux catégories différentes, comme un Sauternes, à la fois complexe et liquoreux.

Dans les tableaux, on a regroupé les vins par pays producteur, en citant l'appellation en vigueur. En France, la plupart des vins sont classés par zone géographique, comme le Bordelais, et doivent leur nom à la région viticole d'où ils proviennent: Médoc, Graves, par exemple. En Alsace, on désigne un vin d'après le cépage, tel le Riesling.

La classification allemande tient compte de la richesse plus ou moins accentuée des vins. Ainsi, le Kabinett est le moins riche, le Trockenbeerenauslese, le plus plein et le plus riche, venant au premier rang.

En Italie, certains vins portent le nom d'une région, tel le Chianti; d'autres, celui du cépage, comme le Pinot nero. En Californie, en Australie, en Afrique du Sud et en Amérique latine, on retrouve, pour les meilleurs vins, le nom du cépage dans l'appellation *(pages 18 à 21)*. Le terme «primeur» associé à un vin rouge — par exemple Pinot noir, Beaujolais, Côtes du Rhône primeur — désigne un produit spécialement vinifié pour être bu très jeune.

Vins blancs

Colonnes :
1. VINS BLANCS SECS, VIFS ET LÉGERS
2. VINS BLANCS TRÈS PARFUMÉS AVEC UNE POINTE DE DOUCEUR
3. VINS BLANCS RONDS
4. VINS BLANCS VIGOUREUX ET CHARPENTÉS
5. VINS BLANCS COMPLEXES
6. VINS BLANCS LIQUOREUX

Pays	Région	Appellation	Secs, vifs et légers	Très parfumés	Ronds	Vigoureux et charpentés	Complexes	Liquoreux
FRANCE	Alsace	Riesling	●	●	●			
		Gewurztraminer	●	●				
		Muscat	●	●				
		Pinot blanc, Pinot gris		●				
		Sylvaner, Edelzwicker	●					
	Bordelais	Graves				●	●	
		Sauternes, Barsac					●	●
		Loupiac, Cérons						●
		Sainte-Croix-du-Mont						●
		Entre-deux-Mers	●					
		Bordeaux divers et génériques	●	●				
	Bourgogne	Chablis Grand Cru et Premier Cru			●			
		Chablis, Petit Chablis			●			
		Côte-de-Beaune			●			
		Côte chalonnaise			●			
		Mâconnais			●			
		Bourgogne aligoté	●					
	Champagne	Coteaux Champenois	●					
	Côtes du Rhône	Condrieu			●			
		Crozes-Hermitage				●		
		Hermitage				●		
		Saint-Joseph				●		
		Châteauneuf-du-Pape			●	●		
	Jura	Château-Chalon					●	
		Vin jaune					●	
		Vin de paille					●	●
	Vallée de la Loire	Muscadet, Gros-Plant	●					
		Coteaux-du-Layon						●
		Quarts-de-Chaume						●
		Savennières				●		
		Vouvray	●		●			●
		Sancerre, Pouilly-Fumé	●	●				
		Pouilly-sur-Loire	●					
		Quincy, Reuilly (vallée du Cher)	●					
	Provence	Côtes-de-Provence			●	●		
		Bellet, Cassis, Palette			●			
ITALIE		Soave		●				
		Frascati, Vernaccia		●				
		Verdicchio	●					
		Pinot bianco, Pinot grigio		●				
ALLEMAGNE		Kabinett		●				
		Spätlese, Auslese						●
		Beerenauslese, Eiswein					●	●
		Trockenbeerenauslese					●	●
AUTRICHE			●	●				●
SUISSE		Fendant			●			
HONGRIE		Balaton, Badacsonyi, Somló	●					
		Tokay Aszú et Aszú Eszencia					●	●
AUTRES PAYS		Chardonnay: *Californie, Idaho, Oregon, Washington*			●	●		
		Riesling: *États-Unis, Australie, Afrique du Sud*		●				
		Sauvignon: *Californie*		●				
		Gewurztraminer: *Californie, Afrique du Sud, Australie*		●				●
		Sémillon: *Australie*			●	●		
		Chenin blanc: *Californie*		●	●			

Vins rouges

Column character legend (left → right in the table):

- **C1** = GRANDS VINS ROUGES DE GARDE, COMPLEXES ET AMPLES
- **C2** = VINS ROUGES FINS ET COMPLEXES
- **C3** = VINS ROUGES CHARPENTÉS ET ROBUSTES
- **C4** = BONS VINS ROUGES SIMPLES ET LOYAUX
- **C5** = VINS ROUGES LÉGERS ET PEU TANNIQUES, À BOIRE JEUNES ET FRAIS

Pays	Région	Appellation	C1	C2	C3	C4	C5
FRANCE	Alsace	Pinot noir					●
	Bordelais	Graves, Médoc	●	●	●	●	
		Saint-Émilion, Pomerol	●	●	●	●	
		Bourgeais, Blayais		●		●	
		Canon-Fronsac		●		●	
		Autres appellations «Bordeaux»		●		●	●
	Bourgogne	Côte-de-Nuits	●	●			
		Côte-de-Beaune	●	●			
		Côte chalonnaise		●		●	
		Mâconnais				●	●
		Beaujolais				●	●
		Bourgogne génériques				●	●
		Passe-tout-grain				●	●
	Champagne	Coteaux Champenois					●
	Côtes du Rhône	Côte-Rôtie	●	●	●		
		Crozes-Hermitage			●	●	
		Hermitage	●	●	●		
		Saint-Joseph		●		●	
		Cornas		●	●		
		Gigondas			●	●	
		Châteauneuf-du-Pape		●	●		
		Côtes-du-Ventoux				●	●
		Coteaux du Tricastin				●	●
		Côtes-du-Rhône-Villages				●	●
	Jura	Arbois				●	
	Vallée de la Loire	Saumur-Champigny					●
		Saint-Nicolas-de-Bourgueil		●		●	●
		Bourgueil, Chinon		●		●	
		Gamay de Touraine					●
	Provence et Sud-Ouest	Côtes-de-Provence				●	●
		Bandol		●		●	
		Palette		●		●	
		Cahors			●	●	
		Corbières				●	●
		Minervois				●	●
ITALIE		Barolo	●	●	●		
		Barbaresco	●	●	●		
		Barbera		●	●		
		Dolcetto					●
		Grignolino					●
		Valpolicella					●
		Bardolino					●
		Pinot nero, Merlot					●
		Chianti					●
		Chianti classico		●		●	
ESPAGNE		Rioja		●		●	
ALLEMAGNE		Spätburgunder (Pinot noir)					●
AUTRICHE							●
SUISSE							●
AUTRES PAYS		Cabernet-Sauvignon: *Argentine, Chili, Afrique du Sud, Californie, Australie*		●	●	●	
		Pinot noir: *Oregon, Californie*		●		●	
		Shiraz: *Australie, Afrique du Sud*		●	●	●	
		Pinotage: *Afrique du Sud*				●	
		Zinfandel: *Californie*			●	●	
		Zinfandel primeur: *Californie*					●
		Pinot noir primeur: *Californie*					●

Associer le nom et le caractère. En vous reportant au tableau de la page de gauche pour les vins blancs et au tableau ci-contre pour les vins rouges, sélectionnez un vin dans la liste verticale regroupant les régions et les appellations. Les pastilles vous en indiqueront le caractère, porté en haut de chacune des colonnes de couleur. Inversement, pour localiser un vin précis, consultez d'abord la description générale: elle vous guidera vers le nom du vin. Les indications données ne concernent que les vins «tranquilles», c'est-à-dire non mousseux.

L'aspect du vin

Parmi toutes les caractéristiques d'un vin, la couleur, ou robe, est celle que l'on perçoit immédiatement. Or le cépage, le terroir sur lequel pousse la vigne et le climat, ainsi que le procédé de vinification influent sur l'aspect d'un vin *(ci-contre)*. La couleur peut même révéler le degré de vieillissement du produit; la maturation engendre en effet de délicates transformations, qui sont illustrées à la page 32.

Hormis le plaisir visuel qu'elle procure, la couleur indique parfois un type de vin. Le Xérès, par suite de la sélection et des assemblages dont il résulte, présente de subtiles gradations. Les deux principaux types sont le Fino, pâle, sec et délicat, et l'Oloroso, plus moelleux et plus corsé, vieil or ou ambré *(ci-contre, en haut)*. Tous deux peuvent être assemblés à des vins qui les adoucissent et les colorent. L'Oloroso, par exemple, sert à préparer des *Cream sherries*, doux et foncés.

Les divers types de Porto se reconnaissent aussi à la robe *(ci-contre, en bas)*. De couleur violine quand il est jeune, le Porto s'éclaircit en vieillissant. Le Porto Tawny doit sa teinte et son parfum de noix au fait qu'il mûrit en fûts pendant quinze ans.

Chacun des quatre types de Madère porte le nom du raisin dont il est tiré. Aujourd'hui, toutefois, ils se composent de plusieurs cépages. Le Malmsey (Malvoisie) est le plus foncé, le plus onctueux et le plus corsé; le Bual, ou Boal, plus pâle, a une saveur moins douce; le Verdelho est encore plus clair et plus sec, le Sercial étant le moins coloré et le plus sec de tous *(page de droite, en haut, à gauche)*.

Le Marsala *(page de droite, en haut à droite)*, le plus connu des vins de liqueur siciliens, est fait avec les cépages Catarreto, Grillo et Inzolia. Sa couleur dépend de l'âge et des assemblages, les bruns chauds particularisant les vins les plus doux.

Un vin rosé tire sa couleur du cépage dont il provient *(page de droite, en bas à gauche)*; intervient aussi la durée pendant laquelle le jus reste en contact avec la peau du raisin avant le pressurage. Plus la peau séjourne dans le vin, plus il est teinté.

La plupart des Champagne *(page de droite, en bas à droite)* sont vinifiés avec un mélange de raisins rouges et blancs. Pour le Champagne rosé, on laisse cuver les raisins rouges avec leur peau, ou on ajoute du vin rouge de la région champenoise.

Le Xérès : de l'ambre chaud au jaune paille

Le Fino et l'Oloroso. L'Oloroso *(premier en partant de la gauche)*, dont la couleur va du caramel foncé à l'ambre doré, a un goût moelleux et rond dû aux assemblages. Le Palo Cortado *(deuxième)*, Xérès rare du type Oloroso, plus pâle, est aussi plus sec. L'Amontillado *(troisième)*, qui appartient au type Fino, acquiert avec l'âge une couleur ambrée et un goût de noix sec. Le Fino *(quatrième)*, le plus pâle et le plus sec, exhale un bouquet frais.

Le Porto : rouge, roux et blanc

Des tons qui révèlent le caractère. Un Porto jeune millésimé *(ci-dessus, à gauche)* se reconnaît à sa couleur violine. Le Porto Tawny *(ci-dessus, au centre)* a une teinte mordorée; l'anneau topaze qui apparaît souvent dans le verre est un signe de qualité. Des raisins blancs donnent le Porto blanc *(ci-dessus, à droite)*, moins consommé, de couleur miel et au goût relativement sec.

Le Madère : du caramel foncé au brun roux

Des vins qui portent le nom du cépagne. Le Madère le plus foncé et le plus onctueux est le Malmsey *(ci-dessus, à gauche),* somptueux vin réputé pour sa richesse, son parfum et sa tenue. Le Sercial, le plus pâle et le plus sec, se reconnaît à sa fraîcheur prononcée et à son goût légèrement acidulé. Tous les Madère ont une saveur caramélisée, à peine perceptible en arrière-goût ; celle-ci est due à l'étuvage que subit le vin au cours de son élevage.

Le Marsala

Un brun automnal. Le Marsala est traditionnellement un vin doux de couleur brune, à la saveur caramélisée très légèrement acidulée et au bouquet subtilement malté. Les Marsala plus secs ont des tons moins chauds que ceux à la saveur douce et fruitée.

Le rosé : d'une région à l'autre

Des nuances subtiles. Le cépage Pinot, noir du Sancerrois, dans la vallée de la Loire, donne un vin rosé *(ci-dessus, à gauche).* Le Tavel, rosé produit dans la vallée du Rhône, plus teinté, est fait avec du Grenache *(ci-dessus, au centre).* Les vins de Bandol, du Midi de la France, sont issus de plusieurs cépages ; ils ont une teinte rose orangé *(ci-dessus, à gauche).*

Le Champagne

Deux produits pour une même région. Le Champagne millésimé *(à gauche),* de couleur paille ou blond doré, fonce très légèrement en vieillissant. Un bon Champagne se reconnaît à ses bulles d'égale finesse, abondantes et durables. Une blondeur rose est caractéristique du Champagne rosé *(à droite).*

La robe, reflet de l'âge

Pendant sa période de vieillissement en cave, le vin se fait lentement, évoluant en saveur et changeant de couleur. Bon nombre de vins se bonifient assez peu avec l'âge, et il vaut mieux les boire jeunes, sauf, naturellement, les vins fins et complexes qui demandent un certain temps pour fondre leurs divers éléments en un tout parfaitement harmonieux. Quelques-uns des principaux vins rangés dans cette catégorie sont énumérés aux pages 28 et 29.

A mesure que les vins évoluent, leur robe se transforme. Les vins blancs foncent, s'habillant d'une teinte plus dorée. Les rouges perdent leurs reflets violets et deviennent d'un beau rouge, qui s'éclaircit par la suite. Il arrive, par exemple, qu'un très vieux vin blanc, tel un Sauternes, soit beaucoup plus foncé qu'un Bordeaux rouge vieux.

Pour illustrer les modifications qui s'opèrent lors du vieillissement dans un vin blanc fin et sec, nous avons choisi un Bourgogne complexe et corsé *(encadré ci-contre, en haut)*: ce vin, à peine coloré dans sa jeunesse, prend une teinte dorée en vieillissant. Les vins blancs liquoreux comme le Sauternes ainsi que les vins alsaciens de vendange tardive, jaune pâle au début, deviennent mordorés avec le temps *(encadré page de droite, en bas)*.

Pour beaucoup de vins rouges jeunes fins, une robe vivement colorée indique un produit très fruité, riche en tanin. Un Bordeaux rouge jeune *(encadré page de droite, en haut)* a une couleur cramoisie; un Bourgogne du même âge aura une robe rubis avec des tonalités violettes. Au fil des ans, les vins perdent leur âpreté tannique, en même temps que leurs nuances violettes. Ils évoluent d'abord du rouge vif au rouge brique et, enfin, avec la plénitude de l'âge, présentent une jolie teinte tuilée.

Pour être millésimé, le Porto doit provenir de très bons vins, produits au cours d'une année exceptionnelle: les éleveurs décident alors que tel vin possède les qualités requises pour être millésimé. Dans sa jeunesse, le Porto millésimé a une couleur violette tellement intense qu'il en paraît presque noir. Après de nombreuses années en bouteilles, il vire au roux *(encadré ci-contre, en bas)*, qui s'estompera encore jusqu'au beige rosé.

Le Meursault

Les gradations d'un vin blanc fin. Une couleur jaune clair aux reflets vert pâle caractérise la robe des vins blancs jeunes de Bourgogne; ici un Meursault 1979 *(ci-dessus, à gauche)*. Avec l'âge, sa coloration s'accentue, prenant peu à peu des tons dorés, plus intenses et plus chauds. Quant au Meursault 1947 *(ci-dessus, à droite)*, il a une délicate couleur d'ambre clair.

Le Porto millésimé

Du violet au roux. Le Porto millésimé très jeune se reconnaît à sa couleur violette. Le Porto millésimé Taylor 1977 *(ci-dessus, à gauche)* a commencé à perdre ses reflets bleus, prenant une teinte violine moins brutale. Avec l'âge, il deviendra d'un beau rouge, s'ornant peu à peu de reflets orangés. Ici, un Porto millésimé de 1920, dont on ne connaît pas l'éleveur, a une couleur rousse auréolée de blond doré *(ci-dessus, à droite)*.

Le Médoc

Évolution des vins rouges. Lors du vieillissement, les vins du Médoc passent d'une couleur cramoisie très vive à un rouge brique estompé. Le beau grenat d'un Château Latour jeune, tiré au tonneau plusieurs mois avant la mise en bouteilles *(à gauche),* se nuance nettement de violet. Le Château Montrose 1937 *(au centre),* très coloré, a néanmoins des tons chauds. Le Château Rausan-Ségla 1899 *(à droite),* toujours en parfait état, a pris une couleur de terre cuite, sans perdre son bouquet.

Le Sauternes

Effets de l'âge sur un vin liquoreux. Pour illustrer le passage à l'âge adulte d'un Sauternes, nous avons choisi un Château Suduiraut. Dans le vin de 1971, la teinte fraîche, jaune acidulé, du vin jeune s'est adoucie pour laisser la place à une couleur de miel blond *(à gauche).* Dans celui de 1962 *(au centre),* la couleur dorée est encore plus accentuée. Le Suduiraut 1924, quant à lui, a une tonalité caramélisée.

La dégustation-analyse d'un vin

Analyser un vin pour en évaluer toutes les qualités suppose que l'on fasse intervenir la vue, l'odorat et le goût. En vous inspirant des conseils illustrés ici et en décomposant chaque sensation, vous n'en découvrirez que mieux les attraits du vin goûté.

Il importe de choisir le verre adéquat: celui-ci doit se rétrécir à l'ouverture afin que le bouquet se concentre dans l'espace situé au-dessus de la surface du vin *(page 46)*. En outre, veillez à ce qu'il soit étincelant, lavé et essuyé avec minutie, et qu'il ne sente pas, par exemple, le renfermé, s'il a séjourné dans un placard, ni le détergent d'un torchon mal rincé.

Prenez soin de ne remplir le verre qu'au tiers de sa hauteur: le bouquet s'épanouira dans l'espace ainsi préservé. Sachez toutefois que, si vous versez trop peu de vin dans le verre, il ne pourra pas dévoiler toutes ses nuances aromatiques.

Pour procéder à l'analyse systématique d'un vin, commencez toujours par bien examiner sa couleur, ou robe *(opération 1)*. Toutes les couleurs du spectre peuvent apparaître dans les vins, depuis la teinte bleutée qui rend un vin rouge jeune violacé jusqu'aux tonalités orangées auxquelles doivent un vin blanc sa couleur de miel doré et les vins rouges vieux leur teinte tuilée. D'après la robe, vous pouvez également deviner l'âge d'un vin *(pages 32 et 33)*.

Ensuite, faites tourner le vin dans le verre, humez-le et goûtez-le. Avec la langue, promenez-en une gorgée dans votre bouche *(opération 6)*, en la guidant vers toutes les zones sensorielles du goût, notamment la voûte du palais et l'envers de la langue. Les papilles gustatives sensibles aux quatre saveurs de base sont réparties en divers points de la langue: le sucré à la pointe, l'acidité sur les bords supérieurs, le salé sur les côtés et l'amertume au fond. Ces quatre sensations, associées aux arômes et à d'autres stimuli: par exemple, l'impression râpeuse imputable au tanin, l'onctuosité veloutée caractérisant la glycérine, le picotement propre au gaz carbonique et la sensation d'échauffement produite par l'alcool, créent le goût, ou la «bouche», du vin.

1 Examiner la robe du vin. Versez du vin dans un verre transparent, ici un verre à dégustation classique, jusqu'au tiers de sa hauteur. Tenez-le par le pied pour ne pas obscurcir le liquide avec la main ni le réchauffer, et inclinez-le pour voir la couleur du vin, en l'observant à contre-jour ou devant une nappe blanche. Examinez la robe pour en définir la teinte, l'éclat et l'intensité.

4 Goûter le vin. Portez le verre à vos lèvres et prenez une gorgée de vin. Vous devez en prendre assez pour recouvrir votre langue, tout en gardant de la place pour aspirer de l'air. Vous y parviendrez avec de la pratique.

5 Aspirer en bouche. Inclinez la tête en avant, puis, lèvres en cul de poule et langue bien droite, aspirez pour que l'air traverse le vin. Expirez par le nez, de sorte que saveurs et arômes soient répartis sur tout votre palais.

2 **Faire tourner le vin.** Imprimez au verre un mouvement giratoire. Ainsi, il respire davantage et ses arômes se libèrent. Vous percevez mieux l'arôme frais d'un vin jeune, ou toutes les substances volatiles qui composent le bouquet d'un vin vieux.

3 **Humer le vin.** Portez le verre jusqu'à votre nez et sentez le vin, avec des inspirations courtes et séparées. De cette façon, vous découvrirez les arômes successifs de fruits et de fleurs d'un vin jeune, ou les senteurs plus complexes d'un vin vieux.

6 **Rouler la gorgée.** Lèvres closes, détendez la langue et, avec un mouvement de mastication, faites en sorte que le vin effleure toute la cavité buccale. Après en avoir apprécié le goût, avalez-le ou crachez-le.

7 **Brusquer le vin.** Si un vin jeune ne dévoile pas son bouquet spontanément, secouez le verre d'un geste brusque. Cela permet parfois de libérer davantage le fruité d'un vin jeune. □

L'art de la dégustation

Dès le premier instant où vous goûtez un vin, vous percevez des sensations distinctes quant à son arôme, son goût et son bouquet *(page 34)*. Toutefois, il s'agit là d'impressions fugaces, que même un œnologue a parfois de la peine à garder en mémoire.

En les notant, il vous sera plus facile de vous remémorer isolément le vin dégusté, et vous disposerez ainsi désormais d'un guide pour acheter tel ou tel vin et en apprécier l'évolution.

Votre carnet de dégustation peut se présenter sous la forme qui vous convient: un cahier, par exemple, comme celui illustré page de droite, un classeur avec des feuillets volants ou un fichier. L'essentiel est qu'il soit rédigé de façon claire et rigoureuse, en termes faciles à comprendre lorsque vous le consulterez. Pour vous aider à définir les qualités propres d'un vin, reportez-vous au glossaire de la page 24, qui réunit les termes usuels en la matière.

Pour chaque vin, commencez toujours par mentionner le nom, le millésime et la date de dégustation; vous pouvez aussi indiquer le lieu et les circonstances. Ensuite, vous décrirez l'aspect du vin d'après la couleur de sa robe qui pourra vous révéler son âge *(pages 30 à 33)*. Enfin, vous noterez vos impressions concernant son arôme et son goût, ainsi que les plats avec lesquels, selon vous, il se marierait bien.

Des observations portant sur le degré de maturité du vin vous aideront à déterminer s'il vaut mieux le boire immédiatement, ou bien s'il convient d'attendre qu'il s'affine.

Quelques conseils pratiques

Une séance de dégustation est l'occasion de comparer différents vins. Il est intéressant de choisir un thème à cette dégustation, afin que chacun puisse enrichir ses connaissances sur tel ou tel vin.

Vous pouvez, par exemple, offrir des vins d'un même vignoble, mais de millésimes différents, en commençant par le plus jeune et en terminant par le plus vieux. Une autre possibilité consiste à proposer des vins du même millésime et de qualité voisine, mais produits par plusieurs vignobles d'une même région. On pourra aussi comparer des vins de différents cépages d'un même vignoble, comme Riesling, Muscat ou autres cépages en Alsace.

Plus rarement, chez les vignerons eux-mêmes, on peut comparer des vins issus d'un cépage donné, dont la récolte et la vinification ont été faites séparément, et dont l'assemblage avec d'autres assure la personnalité et la définition d'un vin d'appellation. Ainsi peut-on comprendre le caractère que tel cépage apporte isolément et en association avec tel autre, pour définir l'harmonie que l'adaptation au sol et au climat, la tradition, «l'usage loyal et constant», consacrent dans un grand vin d'appellation.

On envisagera par ailleurs de comparer des vins issus d'un cépage donné, d'âge et de qualité sensiblement identiques, à condition qu'ils ne proviennent pas de pays aux climats différents, car la dégustation en serait faussée.

Quel que soit le thème choisi, il convient d'observer certaines règles générales. En dehors de la dégustation des vins à table, où vins blancs et rouges peuvent alterner, une dégustation isolera la gamme des vins blancs de celle des vins rouges. Dans les deux cas, vous commencerez par les plus simples pour terminer par les plus complexes et les plus bouquetés, et passerez des plus jeunes aux plus vieux.

Au moment de la dégustation, vérifiez que vous disposez d'un nombre de verres à vin suffisant. Si vous servez des vins rouges et blancs, changez-les ou rincez-les à l'eau ou avec quelques gouttes du vin à déguster quand vous passez des uns aux autres. Prévoyez des bouteilles vides avec un entonnoir afin que les dégustateurs y vident leur reste de vin. Des seaux ou des caisses en bois remplis de sciure, ou d'autres crachoirs, sont utiles pour cracher le vin après l'avoir goûté.

Un bon éclairage est essentiel pour que l'on puisse voir nettement la couleur du vin. Préférez la lumière du jour; toutefois, si vous devez employer un éclairage artificiel, évitez les lampes fluorescentes, qui faussent la teinte du liquide. Habillez les tables de nappes blanches, la robe et l'éclat du vin n'en ressortiront que mieux. Enfin, une atmosphère calme sera plus propice à la concentration; pour ne pas gâcher l'arôme du vin, dissuadez vos invités de fumer et de porter du parfum.

De plus, entre la dégustation de chaque vin, il faut pouvoir se «remettre le palais à zéro», comme disent les dégustateurs: proposez un peu de pain dans des assiettes, ainsi que des biscuits secs non sucrés, qui sont les seuls aliments présentés lors d'une dégustation professionnelle.

Éventuellement, offrez des amuse-gueule simples, en évitant les saveurs qui masqueraient le goût du vin: des gougères, par exemple, ces choux légers à pâte à peine fromagée que l'on sert en Bourgogne. Proscrivez la matière grasse des fromages, les plus neutres et doux soient-ils, qui risqueraient de bloquer les papilles gustatives. Servez aussi des pichets d'eau.

Débouchez et, si besoin est, décantez, tous les vins à l'avance *(page 44)*. Servez-les à la bonne température pour en exhaler le parfum et le bouquet *(page 45)*, en les gardant au frais, dans des seaux d'eau rafraîchie de quelques glaçons.

Les bouchons portent parfois le nom du vignoble et le millésime. Si vous avez décanté le vin, vous pouvez placer la bouteille à côté de la carafe et attacher le bouchon au col de cette dernière avec un élastique ou une chaînette à bouchon.

Pour aider les dégustateurs, remettez-leur une brève note explicative dans laquelle vous mentionnerez le thème de la dégustation, la région de production et les détails concernant l'origine et le millésime des vins sélectionnés. Laissez de la place sur la feuille: vos invités y noteront leurs remarques, dont ils pourront se servir pour leur carnet.

Un précieux aide-mémoire

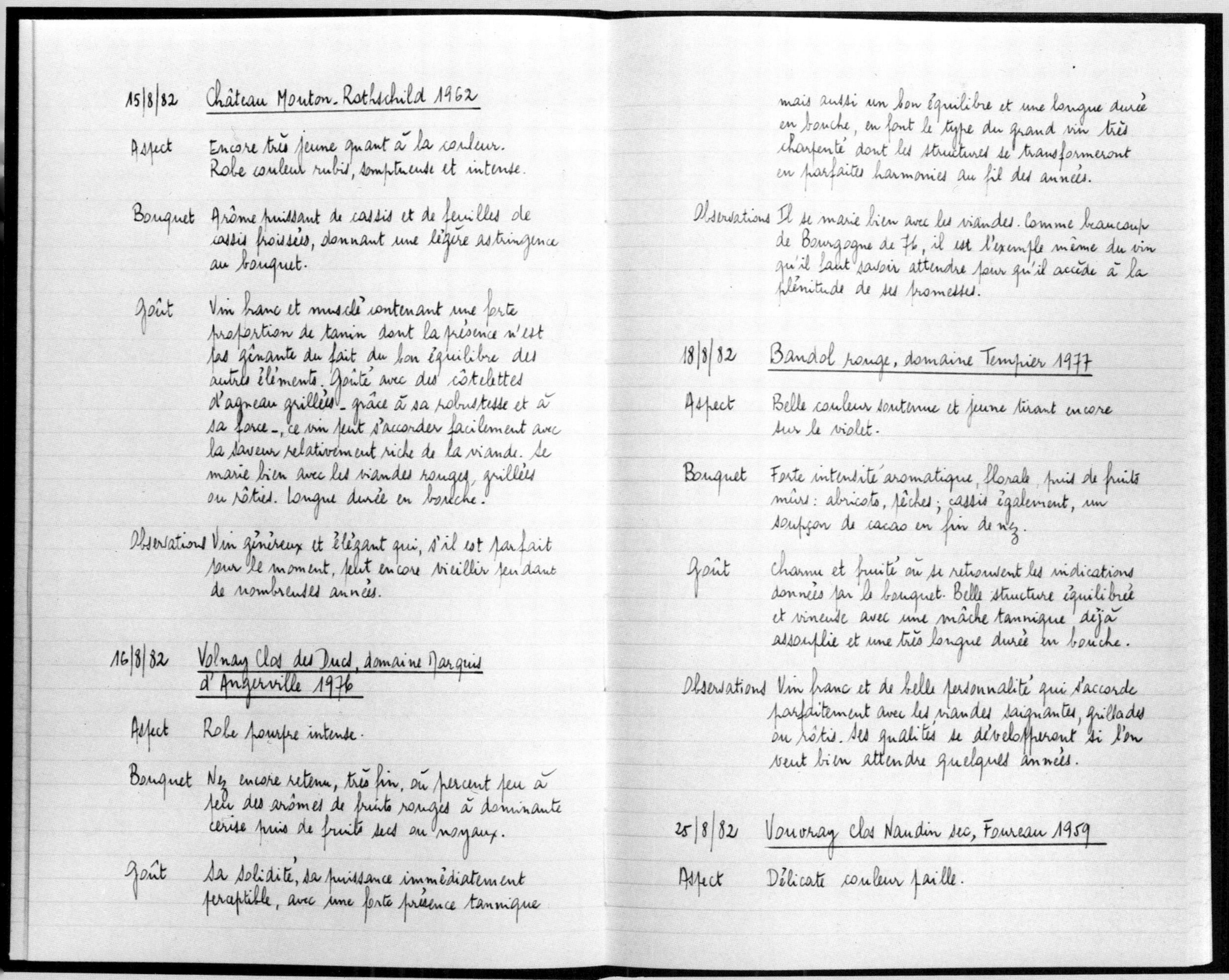

15|8|82 **Château Mouton-Rothschild 1962**

Aspect : Encore très jeune quant à la couleur. Robe couleur rubis, somptueuse et intense.

Bouquet : Arôme puissant de cassis et de feuilles de cassis froissées, donnant une légère astringence au bouquet.

Goût : Vin franc et musclé contenant une forte proportion de tanin dont la présence n'est pas gênante du fait du bon équilibre des autres éléments. Goûté avec des côtelettes d'agneau grillées - grâce à sa robustesse et à sa force -, ce vin peut s'accorder facilement avec la saveur relativement riche de la viande. Se marie bien avec les viandes rouges, grillées ou rôties. Longue durée en bouche.

Observations : Vin généreux et élégant qui, s'il est parfait pour le moment, peut encore vieillir pendant de nombreuses années.

16|8|82 **Volnay Clos des Ducs, domaine Marquis d'Angerville 1976**

Aspect : Robe pourpre intense.

Bouquet : Nez encore retenu, très fin, où percent peu à peu des arômes de fruits rouges à dominante cerise puis de fruits secs en noyaux.

Goût : Sa solidité, sa puissance immédiatement perceptible, avec une forte présence tannique mais aussi un bon équilibre et une longue durée en bouche, en font le type du grand vin très charpenté dont les structures se transformeront en parfaites harmonies au fil des années.

Observations : Il se marie bien avec les viandes. Comme beaucoup de Bourgogne de 76, il est l'exemple même du vin qu'il faut savoir attendre pour qu'il accède à la plénitude de ses promesses.

18|8|82 **Bandol rouge, domaine Tempier 1977**

Aspect : Belle couleur soutenue et jeune tirant encore sur le violet.

Bouquet : Forte intensité aromatique, florale, puis de fruits mûrs : abricots, pêches ; cassis également, un soupçon de cacao en fin de nez.

Goût : Charme et fruité où se retrouvent les indications données par le bouquet. Belle structure équilibrée et vineuse avec une mâche tannique déjà assouplie et une très longue durée en bouche.

Observations : Vin franc et de belle personnalité qui s'accorde parfaitement avec les viandes saignantes, grillées ou rôties. Ses qualités se développeront si l'on veut bien attendre quelques années.

25|8|82 **Vouvray Clos Naudin sec, Foreau 1959**

Aspect : Délicate couleur paille.

Déguster et consigner ses impressions. Les vins répertoriés dans le carnet ci-dessus constituent un guide que vous pourrez consulter ultérieurement. En premier lieu, indiquez l'appellation et la date de dégustation. Vous décrirez ensuite l'aspect du vin, son bouquet et son goût, puis vous ajouterez des observations générales sur la façon dont le vin évoluera en vieillissant.

Comment conserver le vin

Si vous achetez du vin pour le boire dans les semaines qui suivent, conservez-le tout simplement à l'abri de la chaleur et de la lumière. Le vin que vous ne garderez pas au-delà d'un an peut fort bien être rangé dans un endroit relativement frais et sombre : un débarras non chauffé, par exemple, ou un placard conviennent, à condition qu'il n'y côtoie pas de tuyauteries chaudes.

Lorsqu'il s'agit de conserver des vins fins à long terme, entre cinq et vingt ans, voire davantage, un bon cellier où le vin évolue à son rythme, à l'abri des effets nocifs de la chaleur, de la lumière et des vibrations, est indispensable. Une bonne cave doit avoir une température fraîche, constante, et être raisonnablement humide et aérée.

De telles conditions se trouvent réunies dans les celliers de construction traditionnelle ; à défaut, on peut créer un environnement de ce type à l'aide de climatiseurs et d'humidificateurs. Dans les deux cas, la température optimale se situe entre 10 et 14°C. En deçà, la maturation du vin se fait plus lentement, celui-ci n'étant pas altéré pour autant ; soumis à des températures plus élevées, le vin vieillit prématurément sans s'affiner. Dans la mesure du possible, la température doit être constante : même dans une bonne cave, elle varie avec les saisons, mais sachez que ce sont les écarts brusques qui abîment le vin.

Une certaine humidité empêche les bouchons de se dessécher, et donc l'air d'entrer, ce qui oxyderait le vin. C'est aussi pour cette raison que les bouteilles sont gardées couchées et non pas debout. Une cave pourvue d'un sol en terre battue possède une humidité naturelle ; s'il est pavé ou cimenté, couvrez-le de sable ou de gravier et arrosez-le de temps en temps avec de l'eau. Sont également primordiales une bonne aération et une atmosphère « pure » : des odeurs fortes, voire simplement une odeur de renfermé, risquent d'imprégner les bouchons et de contaminer le vin.

En règle absolue, on couche les bouteilles que l'on conserve un certain temps ; les bouchons restant en contact avec le vin, ils respirent sans se rétracter. Les cavistes logent leurs vins dans des alvéoles en béton (ci-contre). Si vous vous êtes constitué une petite cave, choisissez plutôt des casiers (en haut, à droite). L'humidité détériore les étiquettes : marquez les bouteilles destinées au vieillissement (en haut, à gauche).

Contre l'humidité

Peindre une marque. Après un long séjour dans une cave humide, les étiquettes des bouteilles se détériorent. Pour identifier vos vins, marquez chaque bouteille avec de la peinture à l'huile diluée dans de la térébenthine. Inscrivez en abrégé l'année et l'appellation : ici, par exemple, Château Lanessan 1959 devient LAN 59.

Dans votre cave

Ranger dans des casiers. Les vins achetés par petites quantités peuvent être couchés dans des casiers. Les casiers en métal (ci-dessus) s'imposent dans une cave humide ; ceux en bois, convenant dans une cuisine, s'abîment vite à l'humidité. Vérifiez leur stabilité : mettez-les de niveau et fixez-les au mur.

Chez un caviste

Coucher les bouteilles. Les cavistes couchent les bouteilles dans des alvéoles, classées par vin et par millésime. Si chaque alvéole renferme plusieurs années, ou plusieurs vins, des claies séparent les rangées afin que l'on puisse sortir facilement les bouteilles du dessous. Chaque alvéole porte une étiquette.

Le miracle des millésimes

La qualité du vin produit par un vignoble au cours d'une année dépend non seulement des méthodes de viticulture et de vinification, que l'on peut contrôler (*pages 8 à 17*), mais aussi des conditions climatiques, imprévisibles. Les viticulteurs, surtout dans les régions tempérées, sont à la merci des phénomènes naturels. Un hiver rigoureux peut détruire des vignobles entiers; des gelées de printemps risquent de tuer les jeunes pousses fragiles. Pendant la saison où les raisins mûrissent, trop de soleil et pas assez de pluie, ou l'inverse, nuit à la croissance des grains et à la qualité du vin.

Malgré ces aléas, certaines années, les conditions de récolte se révèlent si favorables que les vins portant ces millésimes parviennent au sommet de leur qualité. Les plus grands millésimes antérieurs à 1945 (*ci-contre*) sont entrés dans la mythologie œnologique; les millésimes récents ont été regroupés sur le tableau séparé qui figure par ailleurs dans cet ouvrage.

Tous les vins cités ici ont fait la preuve de leur exceptionnelle longévité. Outre ces vins, l'Essence de Tokay légendaire, vin liquoreux hongrois, que l'on ne fait plus de nos jours, a la réputation de se garder presque indéfiniment. La vie du Madère est aussi remarquablement longue.

Le plus grand millésime, depuis que l'on conserve le vin dans des bouteilles bouchées, remonte à 1811, année de la Grande Comète, qui fut particulièrement spectaculaire en Europe à l'époque des vendanges. Pour les vins de Bordeaux, les grands millésimes successifs — 1864-1865, 1874-1875 et 1899-1900 — infirment la théorie selon laquelle un grand millésime est toujours suivi par une année moyenne car les vignes sont épuisées. Les vendanges exceptionnellement abondantes de 1874-1875 et de 1899-1900 prouvent également qu'une belle récolte peut produire un grand vin.

Pour le vin blanc, le plus grand millésime est 1921. Il a donné des vins liquoreux très concentrés, qui sont toujours en parfait état. Certains millésimes n'ont révélé leur caractère sublime qu'avec le temps. Les Bordeaux rouges de 1870 et de 1928, rudes et fermés dans leur jeunesse, se sont assouplis grâce à un long vieillissement. Au début des années vingt, les crus de 1870 furent reconnus les plus grands de tous les temps; vers 1960, ceux de 1928 commençaient à atteindre une maturité si parfaite qu'on les proclama les meilleurs de ce siècle.

Les grands millésimes du passé

Année	PORTO	ALLEMAGNE	BOURGOGNE ROUGES	SAUTERNES	BORDEAUX ROUGES
1811	★★★	★★★	★★★	★★★	★★★
1815	★★				★★
1834	★★				
1844					★★
1847	★★★			★★★	
1851	★★				
1858				★★	★★★
1863	★★★				
1864			★	★★	★★★
1865		★★	★★	★★	★★★
1868	★★				
1869				★	★★
1870	★★★		★		★★★
1874				★★	★★★
1875			★	★★	★★★
1878	★★			★★	★★
1884	★★				
1893		★★			★
1896	★★				★
1899				★	★★
1900	★★	★★		★★★	★★★
1904	★		★	★★	
1906			★★	★	★
1908	★★				
1911	★	★★	★★		
1912	★★				
1915			★★		
1919			★★		
1920	★			★	★
1921		★★★		★★★	★
1923			★★		
1927	★★★				
1928			★★★	★★	★★★
1929		★★	★★	★★★	★★★
1931	★★★				
1933			★		
1934	★	★	★	★★	★
1937		★★	★★	★★★	

L'âge d'or des millésimes. Les millésimes légendaires antérieurs à 1945 sont indiqués à droite. Les vins mentionnés ici, d'une rare longévité, ont été particulièrement sublimes.

★ Grands millésimes
★★ Très grands millésimes
★★★ Les plus grands millésimes recensés

2
Le service du vin
Le plaisir des sens

La perspective de boire ce Champagne est déjà un plaisir. Pour raffiner la présentation, on a mis le vin à rafraîchir dans un seau à glace. Ensuite, on a débouché lentement la bouteille afin qu'il ne jaillisse pas. Dans la flûte où l'on a servi le Champagne, la multitude de bulles très fines qui apparaissent est la marque de sa qualité.

Dans certaines circonstances, le service du vin doit être une cérémonie: carafe, seau à glace et verres étincelants anticipent le plaisir de la première gorgée. Il ne s'agit pas, dans ce cas, d'observer purement et simplement un rituel; rafraîchir un vin comme il se doit, le déboucher avec art, décanter tel autre au bon moment et choisir le verre qui convient sont autant de facteurs qui contribuent à révéler le vin.

A l'aide d'un bon tire-bouchon, vous déboucherez sans peine la plupart des vins, mais maniez avec délicatesse les vieux vins rouges, à cause du dépôt qu'ils peuvent contenir, et décantez-les *(page 44)*. Même pour un vin rouge encore jeune, dépourvu de dépôt, cette opération constitue un bon moyen d'en exhaler les arômes. Quant au vin rouge fait, il s'épanouit et dévoile la richesse de son bouquet. Le moment opportun pour décanter un vin — à la dernière minute ou plusieurs heures auparavant — dépendra de sa nature et de votre expérience. Parfois néfaste pour certaines vieilles bouteilles, l'action de l'air peut se révéler salutaire pour d'autres. C'est là l'origine des traditions régionales: en Bourgogne, on décante rarement les vins vieux alors qu'on le fait presque toujours dans le Bordelais. Dans le doute, décantez votre vin peu de temps avant de servir: il vaut mieux attendre qu'il s'ouvre dans le verre plutôt que de constater qu'il a commencé à passer.

Un vin révèle mieux son caractère s'il est servi à la bonne température, variable selon le produit, son stade d'évolution et la température ambiante *(page 45)*. Le Champagne et les blancs secs sont excellents rafraîchis. Le vin rouge est très sensible aux écarts de température. Une température de dégustation inférieure à celle préconisée pourrait en tuer le bouquet. Deux degrés de trop risquent de déséquilibrer le même vin, dans lequel l'alcool prédominera alors sur les autres éléments.

Tenez compte aussi de la température ambiante: par une chaude journée ou dans une pièce chauffée, rafraîchissez davantage le vin dans un seau d'eau maintenue fraîche. La théorie selon laquelle un vin rouge se boit chambré, valable au siècle dernier où les salles à manger étaient fraîches, ne tient plus de nos jours. Avec le chauffage central, on doit généralement rafraîchir les vins rouges pour en faire éclore les qualités. N'oubliez pas qu'un vin un peu trop frais se réchauffe vite dans le verre; l'inverse ne se vérifie jamais.

Comme un vrai sommelier

Vous déboucherez tous les vins avec soin, à l'aide d'un tire-bouchon de qualité qui effectuera cette opération proprement et sans à-coups. Si les vins jeunes ne requièrent pas de précautions particulières, les vins rouges vieux, en revanche, doivent être maniés avec délicatesse car un dépôt tannique peut s'être déposé au fond de la bouteille. Débouchez aussi le Champagne et les autres vins mousseux avec doigté: le bouchon ne sautera pas en laissant jaillir le vin.

Tous les tire-bouchons présentés ci-dessous permettent d'ôter doucement les bouchons, sans remuer le vin. Choisissez un modèle à vis régulière et lisse, détail particulièrement important pour les vieux bouchons, susceptibles de s'effriter. Un tire-bouchon à vis coupante ou présentant des aspérités risque de déchiqueter le bouchon. Avec le modèle à lamelles, vous ne percez pas les bouchons en les enlevant.

Afin de ne pas troubler un vin rouge vieux contenant du dépôt, vous le déboucherez avec beaucoup de précautions. La veille ou l'avant-veille, sortez délicatement la bouteille du casier et mettez-la debout: le dépôt rassemblé sur le flanc de la bouteille glissera lentement au fond. Ensuite, maniez-la avec soin, en la maintenant immobile pour la déboucher (ci-contre).

Si vous ne laissez pas le vin reposer debout à l'avance, sortez très doucement la bouteille de son casier, sans la remuer, en la maintenant horizontale, et couchez-la dans un panier (encadré page de droite).

Ne procédez jamais hâtivement pour dégager le muselet d'une bouteille de Champagne ou de vin mousseux: sous l'effet de la pression, le bouchon peut être expulsé violemment au moment où vous le libérerez du muselet. Ce risque sera réduit si le vin est servi bien rafraîchi (page 45) mais, même dans ce cas, débouchez-le prudemment (encadré ci-dessous, à droite).

1 **Décapsuler la bouteille.** Posez-la sur une surface plane. Avec un petit couteau ou la lame rétractable d'un tire-bouchon de sommelier (ci-dessus), découpez la capsule sous le renflement du goulot. Retirez-la afin que le vin n'entre pas en contact avec le métal lorsque vous le verserez dans le verre.

Choisir un bon tire-bouchon

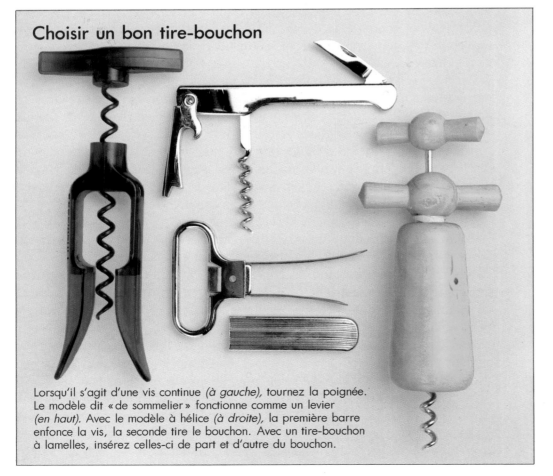

Lorsqu'il s'agit d'une vis continue (à gauche), tournez la poignée. Le modèle dit «de sommelier» fonctionne comme un levier (en haut). Avec le modèle à hélice (à droite), la première barre enfonce la vis, la seconde tire le bouchon. Avec un tire-bouchon à lamelles, insérez celles-ci de part et d'autre du bouchon.

Déboucher le Champagne

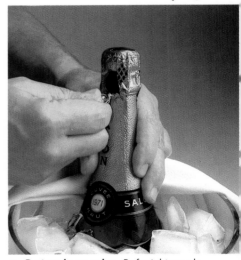

1 **Retirer le muselet.** Rafraîchissez le Champagne pour qu'il soit à la bonne température (page 45). Détortillez les fils du muselet (ci-dessus), en maintenant le bouchon de l'autre main. Pour plus de précaution, n'ôtez pas votre main avant d'avoir fini de détordre les fils. Retirez le muselet et l'habillage.

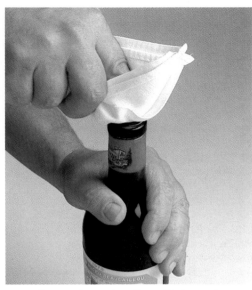

2 **Enfoncer le tire-bouchon.** Pour éliminer toute trace de poussière ou de moisi, essuyez le goulot et son bord, ainsi que le dessus du bouchon, avec un linge propre. Dégagez la vis du tire-bouchon, enfoncez-la au centre du bouchon et tournez-la doucement jusqu'à ce qu'elle soit à bout de course.

3 **Tirer le bouchon.** Abaissez le petit levier, immobilisez-le contre le bord du goulot et maintenez bien le tout avec la main. Soulevez le grand levier. Si le bouchon est très long, ôtez le petit levier, entourez le bouchon et le goulot avec la main et tirez doucement.

4 **Essuyer le goulot.** Pour éliminer, si besoin est, toute adhérence au goulot ou les fragments de bouchon collés à l'intérieur, essuyez-en le bord interne et externe avec le linge. Le vin peut alors être décanté *(page 44)* ou bien servi directement de la bouteille. □

2 **Extraire le bouchon.** En le tenant bien d'une main, faites tourner lentement la bouteille de l'autre *(ci-dessus)*. Lorsque vous sentez le bouchon venir, retenez-le afin qu'il ne saute pas. Après l'avoir enlevé, essuyez le goulot et versez doucement le Champagne.

Déboucher une bouteille couchée dans un panier

1 **Retirer le bouchon.** En tenant la bouteille horizontale, étiquette sur le dessus, couchez-la dans un panier garni d'un linge ; pour ne pas répandre le vin, ici un Bourgogne, surélevez l'avant du panier à l'aide d'une assiette retournée. Ouvrez la bouteille *(opérations 1 à 3, ci-dessus)*, sans la remuer.

2 **Verser le vin.** Essuyez le pourtour du goulot *(opération 4, ci-dessus)*. En glissant la main sous la poignée, tenez bien la bouteille et le panier. Versez le vin en filet régulier dans chaque verre, ou dans une carafe, en veillant à ne pas changer la bouteille de position.

Du bon usage de la décantation

Loin d'être une coutume consacrée par l'usage, la décantation se révèle parfois bénéfique. En effet, s'il existe du dépôt au fond d'une bouteille, on transvase le vin dans une carafe pour le séparer de ce résidu. Le vin entre ainsi en contact avec l'air et son bouquet s'épanouit davantage. Précisons qu'il s'agit là du seul moyen efficace de laisser respirer un vin en l'oxygénant. Dans une bouteille débouchée, l'air n'effleure qu'une surface infime de liquide, celle qui se trouve dans le goulot. La décantation, en revanche, aère le contenu tout entier.

Seule la nature du vin vous dictera s'il est bon de le décanter, et à quel moment il faut le faire. En règle générale, pour qu'un vin rouge encore jeune déploie son arôme, en laissant deviner le goût du fruit, on doit le décanter peu de temps avant le service *(encadré ci-contre, en haut à gauche)*. Quant aux vins plus âgés, ils demandent davantage de temps pour s'épanouir, mais risquent par ailleurs de souffrir d'un séjour prolongé à l'air libre. Votre expérience vous permettra ici de savoir si tel vin gagne à être décanté quelques heures au préalable. Certains vieux vins s'ouvrent au bout de 2 à 3 heures, alors que d'autres commencent à perdre leur bouquet. Dans le doute, mieux vaut décanter un vin à la dernière minute.

Parmi les vins que l'on décante figurent les vins rouges vieux et le Porto millésimé. Toutefois, on le fait rarement — ou alors au dernier moment — pour les vieux Bourgogne, susceptibles de s'oxyder à l'air: on les sert de préférence dans un panier.

Si vous devez décanter un vin rouge vieux, mettez la bouteille debout un ou deux jours auparavant, afin que le dépôt tombe au fond; sinon, couchez le vin dans un panier pour le verser. Lors de la décantation, placez la flamme d'une bougie, ou toute autre petite source lumineuse, sous le col de la bouteille, dans l'axe de votre regard, de façon à voir apparaître le dépôt *(encadré ci-contre, en bas)*.

On décante toujours le vieux Porto millésimé: un épais dépôt se forme dans la bouteille, et il est parfois impossible de retirer le bouchon sans l'abîmer. Aussi, avant de le déboucher, laissez-le debout pendant plusieurs jours. Ensuite, décantez-le en le filtrant à travers une mousseline, qui retiendra le dépôt incrusté et les éventuels fragments de bouchon effrité *(encadré ci-contre, en haut à droite)*.

Pour épanouir le bouquet

Décanter un vin rouge jeune. Débouchez la bouteille de vin *(page 42)*, ici un Beaujolais. Tenez la carafe d'une main et transvasez-y rapidement le vin, afin qu'il jaillisse et respire comme s'il était tiré du tonneau *(ci-dessus)*.

Un geste essentiel

Décanter du vieux Porto. Insérez un entonnoir dans le col d'une carafe et garnissez-le de plusieurs épaisseurs de mousseline bien essorée. Versez-y le vin, ici un Porto de 1924, pour retenir le dépôt incrusté et les éventuels fragments de bouchon. Dès qu'un dépôt fin apparaît, cessez de verser.

A la lueur d'une bougie

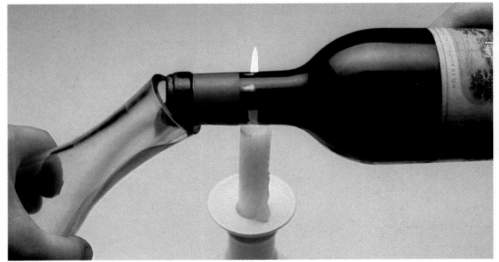

Décanter un vin rouge vieux. En plaçant le bord renflé du goulot dans le col de la carafe, versez lentement le vin, ici un vieux Bordeaux. Lorsqu'il coule en filet régulier, placez le goulot au-dessus de la flamme d'une bougie et versez plus rapidement, en inclinant ensemble la bouteille et la carafe, sans changer l'angle qu'elles forment. Dès que la première trace de dépôt apparaît dans le goulot de la bouteille, cessez de verser.

Les températures

A chaque vin correspond une température idéale de dégustation, qui contribue à en épanouir l'arôme et le bouquet. Pour percevoir une sensation de fraîcheur, servez toujours un vin à une température inférieure de un ou deux degrés au moins à celle de la pièce. Reportez-vous au tableau ci-contre pour savoir à quelle température il convient de servir tel ou tel vin *(page 26)*, tout en sachant qu'il y a une marge d'appréciation de plaisir subjectif.

Comme le froid atténue l'acidité, les vins blancs vifs et légers se boivent plus frais que les blancs plus nuancés. De même, rafraîchissez davantage les vins rouges jeunes et fruités que les vins rouges plus vieux et plus tanniques. Un vin rouge charpenté mais jeune, servi à la température de la cave, n'en paraît que plus fruité ; toutefois, pour exhaler son bouquet, le même vin fait supporte une température plus élevée. Sachez aussi que dès que l'on verse un vin dans un verre, il prend deux degrés.

Au sortir d'une cave fraîche, apportez directement les vins rouges sur la table ; à défaut, rafraîchissez-les dans un seau d'eau froide *(ci-dessous)*. Rafraîchissez les vins blancs et le Champagne.

Tableau des températures de consommation

15-16°C	**Grands vins rouges complexes du Bordelais**
	Vins de liqueur : Porto millésimé, vieux Madère, vieux Xérès
14-16°C	**Grands vins rouges complexes de Bourgogne**
	Vins rouges fins et bouquetés
14°C	**Vins rouges robustes, charpentés et généreux**
	Vins de liqueur : Marsala, Porto jeune, Madère, Xérès
10-12°C	**Bons vins rouges, loyaux et simples**
	Vins rouges légers, non tanniques, à boire jeunes et frais
	Grands vins blancs secs
8-10°C	**Vins blancs sec et légers**
	Vins blancs très parfumés, mi-secs
	Vins blancs moelleux, secs et ronds
	Vins blancs vigoureux et charpentés
6-8°C	**Vins blancs liquoreux**
	Champagne

Vin rouge

Rafraîchir un vin rouge. Remplissez un seau à glace d'eau froide ; ajoutez une ou deux poignées de glaçons. Mettez-y une bouteille débouchée de vin rouge, ici un Beaujolais. Pour que la température reste constante, ajoutez des glaçons au fur et à mesure qu'ils fondent. Si le vin est assez frais, sortez la bouteille du seau.

Vin blanc

Rafraîchir un vin blanc. Mettez des glaçons dans un seau à glace ; placez-y une bouteille de vin blanc, ici du Champagne. Entourez-la bien de glaçons et remplissez le seau d'eau froide presque jusqu'au bord. Laissez pendant 20 minutes environ, en tournant la bouteille de temps en temps pour bien rafraîchir le Champagne.

Servir le Champagne

Verser du Champagne. Si le verre est tiède, mettez-y quelques glaçons, faites-les tourner jusqu'à ce que les parois se couvrent de buée et jetez-les. Vous pouvez aussi mettre les verres au congélateur. Débouchez la bouteille *(page 42)*. Versez le Champagne en inclinant le verre *(ci-dessus)*.

Un éventail de verres

Quelques règles dictées par le bon sens le plus élémentaire permettent de reconnaître un bon verre à vin. Tous les verres illustrés ici sont en verre incolore non taillé, afin que chacun puisse contempler la robe du vin. En outre, lorsque l'on fait tourner le vin pour révéler toutes les subtilités du bouquet *(page 35)*, on peut tenir le verre par le pied,

sans que la main ne réchauffe le liquide.

Le verre à vin idéal se rétrécit légèrement en haut pour que le bouquet du vin se concentre dans l'espace qui sépare le liquide du bord. Toutefois, les verres droits numérotés 3, 7 et 11, admirés pour la pureté de leur ligne, peuvent convenir.

Ici, on a versé du vin rouge dans les

verres numérotés de 1 à 7 et du blanc dans ceux numérotés de 8 à 13. Si la plupart peuvent servir indifféremment pour l'un et pour l'autre, certains, par leur forme, sont traditionnellement associés à une région ou à un vin précis. Le verre n° 1, autrefois utilisé pour les vins blancs de Bourgogne, s'emploie désormais pour le vin rouge; par tradition, on réserve les verres n° 2 et n° 4 aux Bourgogne rouges, et le n° 10 aux vins blancs d'Alsace et de Moselle. Les verres n° 6 et n° 8, parfaits pour les vins courants, sont trop petits pour qu'on y apprécie des

grands crus plus complexes. Pour ces vins, préférez un verre aux flancs larges comme les n°s 1 ou 4. Les verres, remplis à moins de la moitié, doivent contenir 10 cl de vin environ, que l'on fera ainsi tourner sans le répandre; ceux de grande contenance se remplissent au huitième de la hauteur.

Pour le Champagne (n°s 14 à 16), optez pour des flûtes ou des verres tulipes, qui laissent entrevoir les milliers de bulles effervescentes. Le bouquet d'un Champagne se dégageant des bulles qui crèvent en surface, on ne fait pas tourner ce vin et on peut donc davantage remplir le verre.

Les vins riches et concentrés, se dégustent dans de plus petits verres (n°s 17 à 19).

Pour un vin de liqueur, qui est assez franc d'arôme, vous pouvez choisir un verre à bord droit, par exemple n°s 18 ou 19. En revanche, offrez un Porto ou un Madère millésimé, qui ont un bouquet plus nuancé, dans le verre n° 17, rétréci à l'ouverture.

3
Le vin dans un menu
Bousculer les idées reçues

Une seule considération apparaît souvent en filigrane dans la composition d'un menu, «du vin blanc avec le poisson, du rouge avec la viande». Certes, pour penser les repas quotidiens, choisir des vins agréables, simples et désaltérants ou encore accompagner des mets relevés dont la saveur soutenue gomme la sensibilité du palais face à un bon vin, cette formule, bien qu'inutilement restrictive, convient parfaitement.

Dans ce chapitre, vous apprendrez à structurer un menu de tout autre façon, en l'ordonnant à partir des vins et non des plats. Il s'agit, en premier lieu, d'harmoniser les vins entre eux, en tenant compte, naturellement, des aliments. Les menus ont été conçus par Richard Olney, conseiller principal de la collection *Cuisiner mieux*, qui en a aussi rédigé le commentaire. Chaque menu propose un thème distinct, depuis l'alliance du vin robuste et du mets rustique *(page 52)* jusqu'au dîner raffiné réunissant sept services, soutenus par une succession-dégustation de sept vins *(page 60)*. Outre la description des mets, le texte mentionne des variantes. Les vins, ainsi que ceux susceptibles de les remplacer, sont présentés dans la légende des photos.

Les vins doivent se compléter, s'affirmant les uns par rapport aux autres, sans que l'un d'eux pâtisse de la comparaison. Si vous changez un seul vin, vous devrez également changer ceux qui l'encadrent. Plusieurs possibilités s'offrent à vous, mais veillez scrupuleusement à ne pas juxtaposer des vins de même cépage provenant de diverses régions du monde: un rival insolent risquerait d'éclipser la profondeur et la subtilité de nuances d'un grand cru.

Respectez quelques principes pour le choix des plats. Les saveurs complexes exigent des vins simples; les vins complexes exigent des saveurs simples: plus le vin est fin, plus la nourriture doit être simple. Dans ces menus, le vin le plus noble n'escorte pas le plat principal. Il apparaît avec le fromage. Une salade le précède, destinée à rafraîchir le palais. Toutefois, l'association vinaigrette et vin fin étant un sacrilège, mieux vaut encore servir de l'eau avec la salade. Sachez aussi que le sucré accentue l'acidité d'un vin sec tandis qu'un mets aigrelet l'affaiblit. En revanche, un vin jeune, au fruité rugueux, se marie volontiers avec les aliments sucrés et salés. Un charme inattendu peut émaner d'un vin légèrement acidulé, bu avec un plat à la vinaigrette. Enfin, offrez un dessert moins doux que le vin qui l'accompagne.

n Graves jeune attend le hors-d'œuvre d'un enu arrosé exclusivement de vin rouge. On rt le vin avant que chaque plat n'arrive sur table: les convives le goûteront d'abord ul, puis le dégusteront avec la nourriture.

Vin et fromage : mariage ou affrontement?

On dit que des affinités particulières unissent le fromage, le vin et le pain, parce que tous trois sont des produits fermentés. Cette interprétation relève, certes, davantage de la poésie que de la réalité. Il est certain que beaucoup ne sauraient concevoir de vrai repas sans fromage. D'autres, au contraire, refusent de lui accorder une place dans le menu, prétextant que sa saveur agressive nuit à l'appréciation du vin.

En Angleterre, la maxime chère aux négociants en vin, «Achetez sur du pain, vendez sur du fromage», semble corroborer le second point de vue. Elle signifie ceci: le client qui goûte un vin grignote un peu de pain pour se remettre la bouche à zéro et garder les papilles pures afin de mieux analyser le vin; or, s'il goûte le même vin avec du fromage, celui-ci en éclipsera les défauts et il le jugera meilleur qu'il n'est.

Toutefois, il y a de nombreux fromages, et aussi de nombreux vins. Parlant d'un fromage, on en évoque parfois le «bouquet» et on lui attribue bien des adjectifs réservés au vin. Ne dit-on pas qu'il est fort, corsé, fait, fruité, délicat, herbacé, franc de goût, moelleux ou fleuri? Son odeur varie de la douceur parfumée des frais pâturages aux nuances piquantes nées de la fermentation. Aussi surprenant que cela puisse paraître, l'exhalaison la plus rebutante annonce parfois la saveur la plus raffinée et subtile, sans mentionner la multitude de consistances voluptueuses que l'on ne trouve pas toujours parmi les autres aliments.

Les vins, pour leur part, peuvent être amples, puissants, charpentés et denses, ou bien pointus ou souples, nerveux ou ronds, fruités, gouleyants, simples et rustiques. Certains vins vieux fins et fragiles risquent, il est vrai, de s'effacer devant tel fromage, mais les autres, pour la plupart, accompagnent fort bien un plateau de fromages, surtout s'il est judicieusement composé pour ne pas offenser le vin.

Quatre mariages traditionnels sont illustrés ci-contre, chaque vin étant assorti d'un fromage précis. Ci-dessous et page de droite en bas, deux plateaux de fromages escortent deux vins rouges fins, de cachet différent.

Un usage bordelais

Roquefort et Sauternes. Dans le Bordelais, il est d'usage de servir le roquefort avec du Sauternes. Savoir si ces deux colosses se mettent en valeur ou se tiennent tête constitue un sujet de discorde traditionnel. Que vous tranchiez ou non, les goûter ensemble est une expérience enrichissante.

L'affrontement de deux caractères

Fromages forts et vin robuste. Ici, un puissant Barolo du Piémont accompagne un camembert (au centre) et, dans le sens des aiguilles d'une montre, un pont-l'évêque, un livarot, un fromage de chèvre fait, du parmesan frais, du gorgonzola, du vieux cheddar et du maroilles. Seul un vin puissant peut affronter la saveur pénétrante, grasse et riche de la plupart des fromages persillés, ou «bleus», ou les exhalaisons entêtantes d'un maroilles ou d'un livarot. Bons compagnons du vin, le pont-l'évêque, le camembert, le parmesan frais et le cheddar gêneraient peut-être un Bordeaux ou un Bourgogne vieux. Un Châteauneuf-du-Pape ou un Gigondas figurent parmi les vins rouges susceptibles d'affirmer leur caractère face à des fromages forts.

Un mariage alsacien

Munster et Gewurztraminer. Il s'agit là d'un mariage alsacien. Sous le bouquet franc et dominateur du munster se cache une pâte crémeuse et fondante, à la saveur douce, qui s'allie merveilleusement bien avec le Gewurztraminer, épicé et fleuri.

Sec sur sec

Chèvre et Sancerre. Le Sancerre, nerveux, au goût de pierre à fusil, se boit jeune, lorsque son fruit est vert et tendre, souvent accompagné de fromages de chèvre locaux, ici mi-secs. Parfois, ces fromages sont si secs que l'on doit les écaler avec un couteau.

Assouplir un Porto

Stilton et Porto. Bu avec du Stilton, un Porto millésimé jeune — ici, un Taylor 1977 —, affichant la crudité de sa jeunesse, peut s'assouplir de façon notable. L'habitude déplaisante qui consiste en Angleterre à verser du Porto dans un Stilton évidé a pour effet de tuer aussi bien le vin que le fromage.

Douceur et finesse

Fromages doux et vin fin. On a décanté à l'avance un Graves épanoui afin de le déguster avec un assortiment de fromages doux et délicatement parfumés: dans le sens des aiguilles d'une montre, en partant de la gauche, du reblochon, du cheshire, du saint-nectaire, du taleggio, du gruyère et des fromages de chèvre frais. Parmi les autres fromages doux auxquels ce vin sied, figurent le brie, le saint-marcellin, le cantal jeune, la tomme de Savoie, la fontina et le stracchino. La nature de ces fromages permet de les servir avec tout vin rouge convenable ou, de façon moins conventionnelle, avec certains blancs robustes mais fins, tels le Château-Chalon ou le Vino Santo sec italien.

Des vins frais et fruités pour des mets robustes

Lorsqu'un braisé constitue le plat de résistance d'un menu, mieux vaut en contrebalancer la saveur robuste avec un vin rouge jeune et vigoureux. Ici, par exemple, un Zinfandel accompagne le navarin.

En entrée, pour devancer le fruité exubérant du Zinfandel, il est préférable de boire un vin blanc simple, frais et sec, ici un Soave. Le mets proposé doit avoir un goût franc, acidulé, propre à flatter le vin. Ici, après avoir fait brièvement mariner des filets de hareng dans du jus de citron, jaune ou vert, on les a égouttés, puis, pour les servir, on les a agrémentés d'huile d'olive, de sel, de poivre et de fines herbes. Des bouquets fendus en deux ou des tranches de saumon, apprêtés de façon identique, peuvent également précéder la viande.

La saveur intense de baies sauvages perçue dans le Zinfandel se retrouve dans le Bandol, vin très bouqueté de caractère similaire quoique empreint d'une plus grande finesse, dégusté avec le fromage. Pour clore ce menu simple sans vin de dessert, un dessert riche, ici des poires Belle Hélène, convient parfaitement.

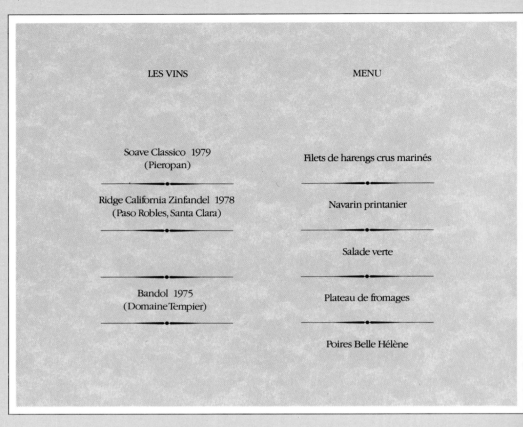

LES VINS	MENU
Soave Classico 1979 (Pieropan)	Filets de harengs crus marinés
Ridge California Zinfandel 1978 (Paso Robles, Santa Clara)	Navarin printanier
	Salade verte
Bandol 1975 (Domaine Tempier)	Plateau de fromages
	Poires Belle Hélène

1 Soave. Ce vin blanc sec italien, de Vénétie, rafraîchissant et rond, peut céder la place à un blanc vif et léger comme un Dorin ou un Fendant suisses, un Crépy de Savoie ou un Sauvignon de Californie, d'Afrique du Sud ou encore d'Australie. Avec ce menu, tous ces vins feront un excellent apéritif.

2 Zinfandel. Le cépage californien Zinfandel produit un vin robuste et fruité. Pour le remplacer, choisissez entre un Cahors, un Cornas des Côtes du Rhône, un Dolcetto ou un Nebbiolo du Piémont, ou encore un Shiraz, soit d'Afrique du Sud, soit d'Australie.

3 Bandol. La structure solide et la fermeté fruitée de ce vin rouge du Midi lui permettent de succéder au Zinfandel. Un Châteauneuf-du-Pape ou un Barolo du Piémont conviendraient également, et s'accorderaient aussi avec le vin choisi pour remplacer le Zinfandel. □

A mets simple vin simple

Ce menu associe des vins simples à des mets simples. La salade se compose de restes de viande ou de poisson et de légumes. Elle sera meilleure si vous utilisez de l'huile d'olive et du vinaigre de premier choix, en petite quantité cependant ; une pointe d'ail, des fines herbes et quelques feuilles de salade verte donneront de la présence à cette entrée. Un vin blanc vigoureux, qui doit ses qualités davantage à sa force de caractère qu'à sa finesse, s'accommode mieux de la vinaigrette que la plupart des vins rouges. Des asperges ou des artichauts à la vinaigrette, ou du melon et du jambon cru, font aussi d'excellentes entrées.

Pour le second plat, on arrose les pâtes fraîches avec le jus du veau braisé. Ici, un Chianti les accompagne, ainsi que la viande, mais vous pouvez offrir avec les pâtes un vin plus léger, également issu d'un cépage italien traditionnel, un Dolcetto ou un Barbera, par exemple, et réserver le Chianti au jarret de veau. Du bœuf, de l'agneau, du porc ou du gibier braisés peuvent le remplacer, précédés, selon le goût, d'une polenta ou d'un risotto. Servis ensemble, un Barbaresco, du fromage, des fruits tels que pommes ou poires et des noix clôturent ce repas.

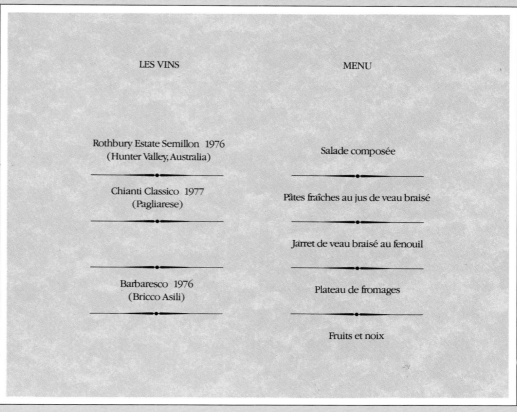

LES VINS | MENU

Rothbury Estate Semillon 1976
(Hunter Valley, Australia)

Salade composée

Chianti Classico 1977
(Pagliarese)

Pâtes fraîches au jus de veau braisé

Jarret de veau braisé au fenouil

Barbaresco 1976
(Bricco Asili)

Plateau de fromages

Fruits et noix

1 Sémillon. Principal cépage donnant les Bordeaux blancs, le Sémillon, lorsqu'il pousse en Australie, dans la vallée du Hunter, produit un vin au goût de terroir plus accentué. Remplacez-le par un Bellet de la région niçoise ou un Crozes-Hermitage, par un Vernaccia di San Gimignano, de Toscane, ou un Frascati, du Latium.

2 Chianti. Originaire de Toscane, le Chianti est un de ces bons vins rouges italiens, très à l'aise en compagnie d'autres rouges classiques du même pays. Un Nebbiolo ou un Grignolino, du Piémont, peuvent précéder le Barbaresco ou encore un Palette, près d'Aix-en-Provence.

3 Barbaresco. C'est l'un des vins du Piémont les plus distingués. Après un Chianti, vous pouvez le remplacer par le Nebbiolo ou le Grignolino, ou bien par un Barolo du Piémont ou un Brunello di Montalcino de Toscane. Après un Palette, un Châteauneuf-du-Pape serait bienvenu. □

Un choix de vins pour un menu type

Pour arroser un menu de ce type, vous pouvez offrir n'importe quelle sélection de vins blancs ou rouges, en respectant toutefois un certain équilibre. Ici, le repas commence par une salade de queues d'écrevisses à l'aneth *(recette page 167)*, que vous pouvez aussi préparer avec des crevettes grises, des bouquets ou du homard. La présence d'aneth dans la salade impose une restriction: cette herbe, parfaite avec les écrevisses, contrarie souvent le vin. Seul un vin solide, rustique, comme le Crozes-Hermitage servi ici, lui convient. Si vous agrémentez les crustacés de fines herbes, buvez alors un blanc sec plus nuancé.

En second plat, remplacez à votre gré les pintadeaux grillés par du gibier à plume, du bœuf ou des côtelettes grillés, tous enclins à voisiner avec un vin rouge, qu'il s'agisse d'un primeur frais, d'un vénérable grand cru ou du Médoc jeune choisi ici.

Un Château Figeac accompagne le fromage. Des fraises ou des pêches émincées, noyées dans le dernier verre de ce vin, permettent de ne pas en oublier la vigueur ni la complexité; elles soulignent le fruité d'un vin jeune et donnent un sursaut de vitalité à un vin très vieux.

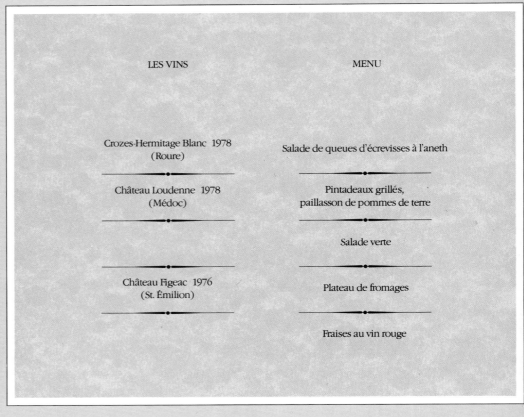

LES VINS	MENU
Crozes-Hermitage Blanc 1978 (Roure)	Salade de queues d'écrevisses à l'aneth
Château Loudenne 1978 (Médoc)	Pintadeaux grillés, paillasson de pommes de terre
	Salade verte
Château Figeac 1976 (St. Émilion)	Plateau de fromages
	Fraises au vin rouge

1 Crozes-Hermitage. Les coteaux à Crozes-Hermitage, au nord de la vallée du Rhône, produisent des vins puissants et vigoureux, capables d'affronter les saveurs agressives. Les Riesling d'Alsace plutôt secs, ou un Chenin blanc comme le Vouvray, au fruité prononcé, se marieraient également bien avec les crustacés à l'aneth servis en entrée.

2 Médoc. Le caractère léger et typé de ce cru bourgeois, le Château Loudenne, se retrouve avec plus de densité dans le Château Figeac qui suit. Un Saint-Émilion jeune peut le remplacer. Si vous préférez deux autres vins rouges, choisissez-les bien caractérisés: un Rully ou un Givry du Chalonnais, ou un Cornas de la vallée du Rhône.

3 Saint-Émilion. Le Château Figeac, premier grand cru classé de Saint-Émilion, renferme une forte proportion de Cabernet-Sauvignon. Un cru classé du Médoc peut le remplacer si le Château Loudenne figure au menu. Selon le vin servi à sa place, terminez par un Corton ou un Hermitage. □

Concilier la force d'un mets et la puissance d'un vin

Si vous composez votre menu à partir d'un plat riche, fait de gibier braisé, vous pourrez servir une succession harmonieuse de vins pleins et puissants. Le lièvre farci proposé ici s'offusquerait d'une entrée compliquée: tout en éveillant le palais, les soufflés au fromage nappés de crème fraîche, appelés «petites suissesses» *(recette page 169)*, font ressortir les tonalités fraîches et spontanées du Chevalier-Montrachet. Une fricassée de morilles ou une terrine de poisson peuvent tenir ce rôle avec le même brio.

La farce du lièvre, truffée et liée au sang, la chair relevée et le jus de braisage forment un tout très aromatique qui s'accommode d'un vin capiteux. Les rouges corsés du nord des Côtes du Rhône conviennent ici, tel le Côte-Rôtie, dont le bouquet rappelle souvent le goût du gibier. Peuvent également figurer au menu un civet de lapin de garenne, ou une bécasse rôtie à la sauce au foie gras. Un Hermitage de la même région accompagne le plateau de fromages.

Un sorbet, léger et rafraîchissant, couronne ce riche repas. Sinon, songez à des fruits frais et à un Sauternes.

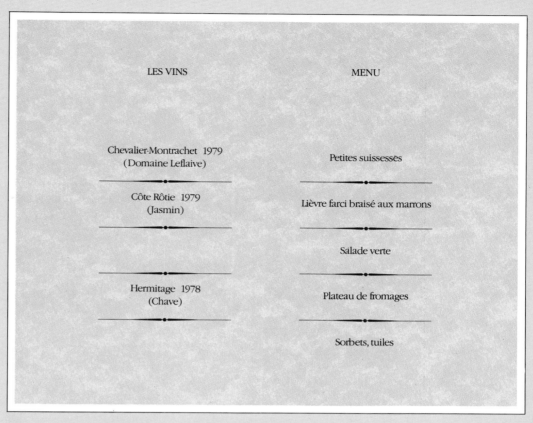

LES VINS	MENU
Chevalier-Montrachet 1979 (Domaine Leflaive)	Petites suissesses
Côte Rôtie 1979 (Jasmin)	Lièvre farci braisé aux marrons
	Salade verte
Hermitage 1978 (Chave)	Plateau de fromages
	Sorbets, tuiles

1 Chevalier-Montrachet. Beaucoup voient en cette appellation de la Côte de Beaune la plus haute expression du Bourgogne blanc. Ce vin peut céder la place à un autre cru de Chardonnay comme le Chablis ou à un cépage Pinot blanc tel un Morey-Saint-Denis ou un Nuits-Saint-Georges.

2 Côte-Rôtie. Un Côte-Rôtie ou un Hermitage s'allient difficilement à d'autres vins, leur puissance estompant les nuances d'un Bordeaux ou d'un Bourgogne, leur finesse éclipsant d'autres vins pleins. Si vous servez un Hermitage, faites-le précéder d'un Cornas; sinon, remplacez le Côte-Rôtie par un Châteauneuf-du-Pape.

3 Hermitage. Ce vin est à base de Syrah, comme le Côte-Rôtie, qui comporte 8 à 10% de Viognier. L'un et l'autre gagnent à vieillir et, s'il s'agit d'une grande année, se gardent plusieurs décennies. Si un Châteauneuf-du-Pape remplace le Côte-Rôtie, seule une vieille bouteille de la même appellation sera à la hauteur en fin de repas. □

Vins rouges et fruits : un mariage réussi

Le plat principal aux pruneaux constitue la pierre angulaire de ce menu, mais n'oubliez pas que leur saveur sucrée risque de contrarier bon nombre de vins. Loin de redouter cette compagnie, le Chinon choisi ici, à la fraîcheur fruitée, souvent framboisée et légèrement astringente, complète la note douce des pruneaux qui agrémentent la savoureuse sauce du lapin. Ce même vin escorte avec autant de succès des cailles au raisin, un canard aux cerises, du porc aux abricots ou encore du boudin servi avec des reinettes sautées au beurre.

La calme élégance du Savennières proposé en début de repas tranche de façon plaisante avec le Chinon, vigoureux et bien charpenté. Le bouquet du Pomerol qui vient ensuite rappelle celui du Chinon, quoique plus intense et plus achevé.

Pour accompagner le vin blanc, un gratin ou un soufflé de légumes légers à souhait sont des plus appréciés en entrée. Ici, il s'agit d'un gratin de courgettes râpées, mélangées avec des bettes, du riz, un oignon revenu, une persillade à l'ail, des œufs et du parmesan. Pour clore ce menu, choisissez un dessert léger, comme les figues fraîches au coulis de framboises offertes ici.

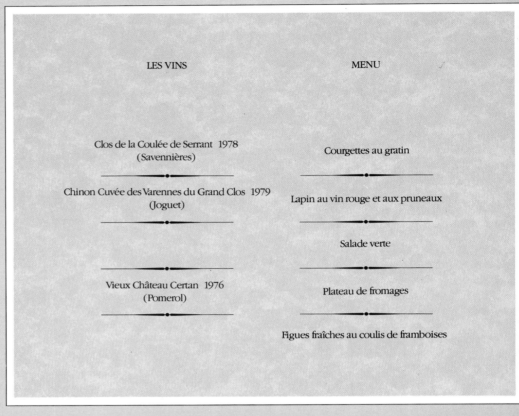

LES VINS	MENU
	Courgettes au gratin
Clos de la Coulée de Serrant 1978 (Savennières)	
	Lapin au vin rouge et aux pruneaux
Chinon Cuvée des Varennes du Grand Clos 1979 (Joguet)	
	Salade verte
Vieux Château Certan 1976 (Pomerol)	
	Plateau de fromages
	Figues fraîches au coulis de framboises

1 Savennières. La Coulée de Serrant, de l'Anjou, est un vin nerveux et sec issu du cépage Chenin blanc, aussi appelé Pineau de la Loire. Vous pouvez le remplacer par un Vouvray sec de Touraine, un Graves blanc ou, parmi les vins non européens, un Chenin blanc de Californie ou d'Afrique du Sud.

2 Chinon. Le Chinon est vinifié à partir du cépage Cabernet franc. Un Bourgueil, provenant de la même région et du même cépage, convient aussi ou, pourquoi pas, un Château-Chalon, vin jaune du Jura capable de rivaliser avec bien des rouges et qui, comme le Chinon, ne craint pas d'affronter une saveur sucrée ou salée.

3 Pomerol. Les cépages Merlot et Cabernet donnent, dans la région de Pomerol, des vins souples, plus prompts à dévoiler leur bouquet que les Médoc et les Graves. Un Saint-Émilion peut succéder au Chinon ou au Bourgueil. Rien n'interdit un Château-Chalon avec le fromage ; sinon, offrez un Médoc ou une Côte-de-Nuits. □

Vin rouge et poisson : un menu peu orthodoxe

Ce menu propose des vins rouges avec deux plats de poisson. En entrée, un Saumur-Champigny léger, frais et fruité, accompagne des brochettes de lotte et de coquilles Saint-Jacques marinées dans du jus de citron, de l'huile d'olive, de la ciboule et des fines herbes hachées. Pour ouvrir ce repas, vous pourriez fort bien les remplacer par des gambas ou des rougets de roche grillés, ou encore une friture de supions.

Pour le plat principal, au goût ferme et rustique, préférez un vin lui aussi ferme et rustique : la persillade aillée qui parfume la morue incite à choisir un solide vin rouge, tel le Rioja offert ici. Au sauté de morue (*recette page 167*) peuvent se substituer d'autres mets préparés avec ce poisson (sauf ceux agrémentés d'une sauce tomate ou à la crème fraîche).

Le menu rompt également avec la tradition sur un autre point. Le Porto apparaît habituellement en apéritif ou en fin de repas et non à table, sauf en Angleterre, avec du stilton. Ici, on le sert avec des fromages forts, qui tueraient le bouquet de bien des vins. Au dessert, on offre des figues pochées au thym. Des poires ou des pêches au vin rouge conviendraient également.

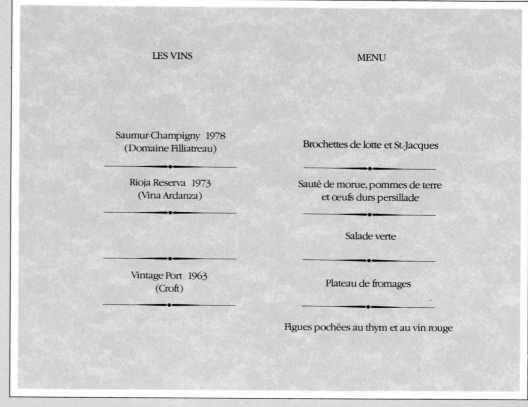

LES VINS	MENU
Saumur-Champigny 1978 (Domaine Filliatreau)	Brochettes de lotte et St-Jacques
Rioja Reserva 1973 (Vina Ardanza)	Sauté de morue, pommes de terre et œufs durs persillade
	Salade verte
Vintage Port 1963 (Croft)	Plateau de fromages
	Figues pochées au thym et au vin rouge

Saumur-Champigny. Ce joli vin d'Anjou est issu du cépage Cabernet franc. Sont aussi bienvenus dans ce contexte un Pinot nero ou un Merlot du Nord-Est de l'Italie, un Beaujolais, n'importe quel rouge portant la mention « primeur » ou encore, d'une façon plus traditionnelle, un vin blanc sec.

2 **Rioja.** Un lent vieillissement dans des fûts en bois confère à ce vin espagnol une suavité très appréciée. Certains y déplorent la disparition d'une fraîcheur fruitée. Les vins italiens portant la mention *riserva*, du Piémont ou de Toscane, offrent des qualités analogues. Un Mercurey de deux ou trois ans d'âge apporterait une note plus fraîche.

3 **Porto.** Le Porto millésimé, produit dans la vallée du Douro, au Portugal, doit généralement s'affiner quinze ans en bouteilles pour que sa puissance s'apaise ; il continue à évoluer pendant des dizaines d'années. Un Banyuls, un vieux Madère, soit millésimé, soit *solera*, un Sauternes ou un Tokay Aszú peuvent le remplacer. □

Une gamme de vins contrastés

Concevoir un menu autour d'une gamme de vins de caractère très différent semble parfois une gageure. En effet, il faut non seulement que le vin soit mis en valeur par le plat, mais aussi que chaque vin affirme pleinement sa personnalité par rapport au précédent, tout en étant à son tour assez discret pour ne pas masquer les qualités du vin qui lui fait suite.

Un vieux Madère constitue un excellent apéritif. Ce vin qui apparaît plus souvent en fin de repas, tout comme, d'ailleurs, le Porto millésimé, éveillera le palais de vos convives et les mettra en appétit. Veillez, cependant, à ce que son bouquet intense n'affaiblisse pas le vin que vous proposerez ensuite. Un consommé double, avec lequel aucun vin ne sera servi, assurera la transition: peu de mets aiguisent l'appétit de façon aussi rafraîchissante. Ici, la plupart des autres potages seraient trop lourds, trop fades ou trop riches; néanmoins, vous pouvez aussi offrir un bouillon clair de poisson avec une note méditerranéenne discrète.

Pour que le bar grillé soit succulent, assurez-vous de sa fraîcheur lors de l'achat et servez-le cuit à point, agrémenté d'une huile d'olive d'excellente qualité. Ce poisson accompagne n'importe quel vin blanc fin et sec, sans fausser le goût pour la suite du repas. A votre gré, remplacez-le par des beignets de cervelle d'agneau ou de veau, ou des ris de veau ou des coquilles Saint-Jacques grillés, préalablement saupoudrés de chapelure et arrosés d'huile d'olive.

Le vigoureux Saint-Émilion dégusté avec le plat de viande, un fricandeau de veau à l'ancienne *(recette page 168)*, s'accommode bien de la sauce concentrée qui l'accompagne. En outre, il supporte la présence de l'oseille, dont le goût sûret compense la richesse de la sauce. Le fricandeau peut céder la place à n'importe quel ragoût ou braisé, à condition que la sauce ne soit pas trop tomatée; d'autres plats conviennent également: de la langue d'agneau, des oreilles ou des pieds de porc braisés, de l'épaule d'agneau farcie et braisée, du

bœuf mode ou du coq au vin, par exemple.

Ici, un Pinot noir californien escorte le plateau de fromages. Hormis leur couleur, les deux vins rouges ont certes peu de traits communs. Toutefois, ni la vigueur, le fruit frais et la mâche du Saint-Émilion, ni le caractère de ce Pinot noir jeune ne pâtissent de cette association gastronomique.

Les pêches, pelées, coupées en quartiers et additionnées d'un peu de sucre, ont macéré brièvement dans le vin de dessert. Ce vin, tel l'Auslese allemand choisi ici, doit posséder une certaine nervosité. La pourriture noble lui confère une saveur douce-amère distincte, qui se marie parfaitement avec les pêches, aussi bien lors de la macération que dans le verre, lorsqu'il les accompagne à table. Vous pouvez apprêter une macédoine de fruits frais de la même façon *(page 74)*. Si vous préférez boire le vin avec un autre dessert, servez un soufflé aux pistaches et au lait d'amandes, ou bien une pâtisserie aux pommes, légèrement moins sucrée que le vin.

1 Madère. Le Malmsey (Malvoisie), l'un des quatre cépages caractéristiques du Madère, produit un vin ferme, séveux et dense. Ici, il s'agit d'un *solera*, Madère composé de vins vieux, portant la date de son composant le plus vénérable. Il peut fort bien céder la place à un Xérès Fino ou Amontillado.

2 Condrieu. Ce vin blanc sec, dans lequel on décèle un parfum de pêches, de miel et d'amandes fraîches, est issu du cépage Viognier, cultivé sur la rive droite septentrionale du Rhône. Un Bourgogne peut le remplacer, tel un Auxey-Duresses de la Côte de Beaune.

3 Saint-Émilion. Le Château Monbousquet est un vin bien charpenté, quoique rond et suffisamment souple pour être bu jeune, lorsqu'il possède encore tout son fruité. Si vous remplacez aussi le vin suivant, substituez-lui un Bourgogne jeune, au goût de terroir, comme un Fixin ou un Nuits-Saint-Georges.

LES VINS	MENU
Solera Malmsey 1853 (Tarquino T. da Camara Lomelino)	
•———————•	•———————•
	Consommé double
•———————•	•———————•
Condrieu Château du Rozay 1980	Bar grillé
Château Monbousquet 1975 (St. Émilion)	Fricandeau de veau à l'oseille
•———————•	•———————•
	Salade verte
•———————•	•———————•
Chalone Vineyard Pinot Noir 1978 (Monterey, California)	Plateau de fromages
•———————•	•———————•
Wachenheimer Mandelgarten Scheurebe Auslese 1976 (Rheinpfalz, Dr. Bürklin-Wolf)	Pêches au vin
•———————•	•———————•

4 **Pinot noir.** Produit en Californie, sur l'une des rares parcelles de sol calcaire, ce vin sombre, intense et plein, peut affronter bien des vins hormis, peut-être, un grand Bourgogne. Après un Fixin ou un Nuits-Saint-Georges, il serait judicieux d'offrir l'un des grands crus de la Côte de Nuits, tels un Richebourg ou un Grands-Échezeaux.

5 **Vin du Rhin.** Nerveux, floral, dentelé avec une pointe d'amertume, ce vin liquoreux du Palatinat allemand peut céder la place à un Gewurztraminer ou à un Riesling d'Alsace de vendange tardive, à un Barsac ou un Loupiac, ou à un vieux Vouvray moelleux d'un grand millésime, par exemple 1959. □

Sept vins pour un repas à sept services

Le menu le plus classique et, en définitive, peut-être le plus satisfaisant est celui que vous arroserez, pour le corps du repas, de vins provenant d'une même région ou de régions limitrophes, en suivant une progression qui va des vins jeunes de millésimes légers aux vins plus évolués et de plus grands millésimes. Ici, nous avons principalement choisi des vins rouges, des Graves et du Médoc. Toutefois, vous pouvez fort bien structurer un menu de ce type en vous limitant au produit d'un seul vignoble: commencez par les vins jeunes, légers, et passez aux millésimes plus anciens et plus fins, toujours de la même appellation.

Le Champagne fait un merveilleux apéritif; ici, un Graves blanc lui succède, puis un vin rouge jeune de Pauillac, suivi à son tour de deux vieux Graves rouges. Le dernier vin servi est un somptueux Médoc, d'un grand millésime, un Château Palmer 1961, de la commune de Margaux. Un vieux Sauternes termine le repas.

Choisissez chaque plat en fonction du vin, afin que celui-ci soit mis en relief. Le saumon fumé, avec sa saveur délicate, est un hors-d'œuvre qui s'accommode de divers vins: outre le Graves dégusté ici, il affectionne aussi bien les vins blancs secs, simples et rafraîchissants qu'un grand Bourgogne blanc ou un Riesling alsacien floral. Un autre poisson fumé ou du caviar seraient également très appréciés en entrée.

Les ris de veau servis en second plat s'accordent volontiers avec de nombreux vins, rouges ou blancs. Ci-contre, nappés du jus de braisage, exhalant le parfum des truffes, ils se marient à la perfection avec le Pauillac: l'arôme de la truffe est l'un de ceux qui s'associent spontanément aux grands vins rouges. Ce mets peut être remplacé par des rognons servis avec une sauce au vin, ou encore par un poisson agrémenté d'une sauce au vin rouge.

L'estouffade printanière (recette page 169) assure la transition entre les ris de veau et l'agneau rôti, tout comme le Graves rouge qui l'accompagne forme le trait d'union reliant le Pauillac jeune et le majestueux Graves, un Château La Mission Haut-Brion, bu avec la viande. Les légumes, un mélange de petits oignons, de gousses d'ail non pelées, de cœurs d'artichaut et de laitue ciselée rehaussé d'un bouquet garni, que l'on a fait étuver au beurre, seront présentés d'abord seuls sur la table, puis serviront de garniture à la viande. Selon le goût, remplacez l'estouffade par un gratin ou un soufflé de légumes, et la viande par un rôti de bœuf ou du gibier à plume, également rôti. La salade verte constitue un interlude avant le plateau de fromages, soutenu par son compagnon, le Château Palmer.

Un Sauternes nerveux escorte le gratin de crêpes aux pommes; il s'agit de tranches de pomme non sucrées, sautées au beurre, enroulées de crêpes saupoudrées de sucre, parsemées de noisettes de beurre et glacées à four chaud. Vous pouvez aussi offrir un dessert aux poires ou aux amandes, ou bien un soufflé sucré, si un soufflé de légumes ne figure pas déjà au menu.

4 **Graves.** Il s'agit d'un cru classé d'un millésime récent. Si un Mercurey le précède, remplacez-le, au besoin, par un Santenay ou un Monthélie de la Côte de Beaune. S'il s'agit d'un Côtes-du-Rhône, un Gigondas, de la même région, peut lui succéder.

5 **Graves.** Le second Graves est un cru classé, d'un millésime épanoui. Pour le remplacer, un Beaune peut succéder au Santenay ou au Monthélie; un Châteauneuf-du-Pape peut suivre son voisin immédiat, le Gigondas.

6 **Margaux.** Ce Troisième Cru du Médoc est un très grand millésime: 1961. Selon le vin qui précède, un Corton, de la Côte de Beaune, ou un Nuits-Saint-Georges peut succéder au cru de Beaune. Un Châteauneuf-du-Pape, plus vieux, peut suivre le précédent.

1 **Champagne.** Le plus réputé des vins mousseux, le Champagne, est généralement vinifié à partir d'un mélange de raisins blancs et rouges, les cépages Chardonnay et Pinot noir. Il peut céder la place à un Graves, plus léger que celui proposé ensuite.

2 **Graves blanc.** Les grands Graves blancs s'affinent pendant de nombreuses années en bouteilles. Pour bien mettre en relief le vin rouge jeune qui vient ensuite, le Graves choisi ici est également jeune. Peuvent le remplacer, un Chablis Premier Cru, un Corton-Charlemagne, un des crus de Meursault, ou encore un Hermitage blanc.

3 **Pauillac.** Ce Château Grand-Puy-Lacoste, un Cinquième Cru jeune, vigoureux, du Médoc, peut céder la place à bien des vins rouges jeunes, à condition qu'ils soient suivis par des rouges plus vieux, de la même région vinicole: un Mercurey ou un Côtes-du-Rhône-Villages, par exemple.

7 **Sauternes.** Sauternes et Barsac forment une enclave dans la partie méridionale des Graves; le millésime 1955 a donné de grands vins comme celui-ci. Parmi les vins susceptibles de le remplacer figurent un Loupiac ou un Sainte-Croix-du-Mont, un Riesling Beerenauslese allemand ou un Gewurztraminer alsacien de vendange tardive. □

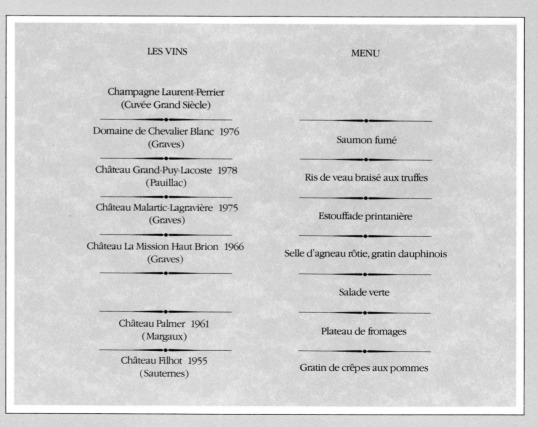

LES VINS	MENU
Champagne Laurent-Perrier (Cuvée Grand Siècle)	
Domaine de Chevalier Blanc 1976 (Graves)	Saumon fumé
Château Grand-Puy-Lacoste 1978 (Pauillac)	Ris de veau braisé aux truffes
Château Malartic-Lagravière 1975 (Graves)	Estouffade printanière
Château La Mission Haut Brion 1966 (Graves)	Selle d'agneau rôtie, gratin dauphinois
	Salade verte
Château Palmer 1961 (Margaux)	Plateau de fromages
Château Filhot 1955 (Sauternes)	Gratin de crêpes aux pommes

Un menu de dégustation

Goûter alternativement, gorgée par gorgée, deux ou plusieurs vins très voisins avec chaque plat d'un menu constitue une façon particulièrement instructive de comparer les nuances subtiles qui distinguent les vins les uns des autres. Pour ordonner un menu de ce type, vous pouvez choisir des vins du même millésime, provenant de vignobles contigus; ici, il s'agit de Chardonnay californiens et de vins rouges de Bourgogne. Une autre possibilité consiste à sélectionner des vins provenant cette fois du même vignoble, mais de millésime différent.

Afin de ne pas fausser votre appréciation des vins, offrez un apéritif dont le caractère tranche avec celui des vins dégustés en début de repas. Ces vins, comme les blancs réunis ici, peuvent être d'une provenance très différente de celle des rouges. Toutefois, pour que les rouges s'harmonisent, ils doivent présenter des traits communs, comme dans le menu page 61.

De même, il faut choisir des mets qui mettent le vin en valeur. Ici, un cervelas de fruits de mer *(recette page 168)*, des cèpes à la bordelaise, puis des perdreaux au chou braisé accompagnent deux Chardonnay californiens et de grands Bourgogne.

Après le plateau de fromages, un blanc-manger servi avec un Tokay termine le repas.

Le cervelas, poché et servi en tranches avec un beurre blanc *(recette page 166)*, se compose d'une mousseline de poisson additionnée de chair de crustacés coupée en dés et de pistaches. Les poissons fins nappés de sauces onctueuses s'allient volontiers aux vins blancs secs, riches et complexes: du turbot, du Saint-Pierre, de la sole ou de la lotte avec un velouté rehaussé de crème fraîche épaisse, par exemple.

Le plat suivant doit stimuler les sens, mais ne pas rassasier le palais. Les cèpes, légers, dotés d'une saveur charnue et ferme, souvent présente dans le bouquet du vin, se marient bien avec le vin rouge. Selon le goût, remplacez-les par des champignons grillés, farcis avec une duxelles, des truffes en feuilleté ou un petit ragoût de truffes.

Pour apprécier les perdreaux, faites-les rôtir de sorte que la chair soit rosée. La saveur du gibier à plume s'accorde à merveille avec le goût de terroir perçu dans le bouquet délicat des Bourgogne; tout comme celle d'une viande rouge grillée ou rôtie. Le blanc-manger peut céder la place à un dessert peu sucré, aux amandes ou aux pommes.

1 **Kabinett de Moselle.** Ce jeune Riesling de la vallée de la Sarre, léger, à peine sec, un peu métallique, floral et délicatement fruité, peut être remplacé par tout vin blanc sec, jeune et rafraîchissant: un frais Riesling d'Alsace, un Crépy de Savoie, un Quincy ou un Reuilly de la vallée du Cher, un Fendant suisse ou un Champagne.

4 **Gevrey-Chambertin; Bonnes-Mares.** Le Clos Saint-Jacques est un Premier Cru de Gevrey-Chambertin, de la Côte de Nuits; le Bonnes Mares est un Grand Cru chevauchant les deux communes de Morey-Saint-Denis et de Chambolle-Musigny. Si vous avez choisi un Pomerol ou un Saint-Émilion pour le plat précédent, offrez ici deux vins plus vieux de cru différent, mais de la même appellation. Avec un Saint-Joseph, prenez un Cornas plus vieux.

5 **Clos de la Roche.** Parmi les vins parfaitement susceptibles de remplacer ce Grand Cru de Morey-Saint-Denis, de la Côte de Nuits, figurent les millésimes solides, épanouis, des Châteaux de grands crus, entre autres un Château La Conseillante ou un Château Pétrus pour succéder au Pomerol, ou un Château Cheval Blanc pour faire suite au Saint-Émilion, ou un Hermitage plus ancien pour suivre le Cornas.

2 **Chardonnay de Sonoma ; Chardonnay de Napa.** Ces deux vins blancs complexes, du même millésime, produits dans le Nord de la Californie à partir du Chardonnay, noble cépage bourguignon, peuvent céder la place à deux millésimes différents d'un blanc sec et complexe — un Graves, un Chablis, un Clos des Mouches de la Côte de Beaune, un Condrieu ou encore un Hermitage.

3 **Volnay ; Pommard.** Le Volnay et le Pommard, climats voisins de la Côte de Beaune, sont réputés davantage pour leur élégance que pour leur puissance. Remplacez-les par deux millésimes récents de vin rouge, afin de pouvoir ensuite offrir des millésimes plus vieux du même vin : un Pomerol ou un Saint-Émilion ou bien un Saint-Joseph des Côtes du Rhône septentrionales.

6 **Tokay aszú.** A la place du Tokay hongrois, liquoreux et très aromatique, servez un Muscat, soit de Corse, soit de Beaumes-de-Venise, un Jurançon, un Sauternes ou encore un Passito, vin produit dans diverses régions d'Italie avec des raisins en partie desséchés, généralement du Muscat (Moscato). □

LES VINS	MENU
Scharzhofberger Riesling Kabinett 1979 (Saar, Egon Müller)	
Château Saint Jean Chardonnay 1977 (Sonoma, California) Joseph Phelps Vineyards Chardonnay 1977 (Napa Valley, California)	Cervelas de fruits de mer aux pistaches, beurre blanc
Volnay Clos des Ducs 1978 (Angerville) Pommard Les Pezerolles 1978 (de Montille)	Cèpes à la bordelaise
Gevrey-Chambertin Clos St. Jacques 1976 (Rousseau) Bonnes-Mares 1976 (de Vogüé)	Perdreaux rôtis au chou braisé
	Salade verte
Clos de la Roche 1967 (Ponsot)	Plateau de fromages
Tokaji Aszu 5 Puttonos 1975	Blanc-manger

4
Le vin dans la cuisine
Une richesse d'arômes

Une rasade de vin rouge jeune vient compléter
une marinade relevée dans laquelle on fera
mariner du bœuf pendant plusieurs heures,
après l'avoir piqué de lardons enrobés de
persillade. Le vin, mélangé aux ingrédients
de la marinade : huile, légumes et aromates,
parfume la chair. La marinade sert ensuite
de liquide de braisage, puis devient une
sauce riche qui accompagnera la viande.

Le vin escorte les aliments à la cuisine aussi naturellement qu'à table. En fait,
il est présent dans chaque domaine de l'art culinaire. Bien avant la cuisson des
ingrédients, il intervient comme aromate dans les marinades *(ci-contre et
page 66)*. Il donne aussi un liquide de pochage ou de braisage parfumé pour le
poisson, les coquillages, la viande, la volaille ou le gibier, et métamorphose en
sauce, après déglaçage, les riches sucs caramélisés qui résultent de la cuisson
d'un mets poêlé ou rôti *(page 69)*. Pour les desserts où il voisine avec les
fruits, il permet de varier les saveurs à l'infini *(pages 74 à 77)*. Enfin, les
gelées miroitantes, les sorbets rafraîchissants et les crèmes aux œufs
onctueuses *(page 78)* lui doivent leur élégance.

Le goût et les qualités du vin employé, qu'il soit fort en tanin ou acide,
léger ou corsé, influent sur le caractère du plat lui-même. S'il n'est ni
nécessaire ni souhaitable de sacrifier un grand cru millésimé à des fins
culinaires, en revanche, il y a toujours lieu de choisir un bon vin de table.
Sachez en effet qu'un vin jugé médiocre pour la table donnera très certainement des résultats médiocres en cuisine.

Certaines recettes classiques et spécialités régionales exigent un vin
précis, dont l'appellation est parfois citée : avec un vin de nature et de qualité
semblables, elles seront souvent aussi bonnes. Dans bien des cas, libre à vous
de substituer tel vin à tel autre. Nul besoin d'observer aveuglément le
précepte selon lequel il faut toujours cuisiner les viandes rouges et le gibier
avec du vin rouge, ou les viandes blanches et le poisson avec du vin blanc.
Certes, la couleur détermine l'aspect de la sauce, mais ce sont la saveur et le
caractère d'un vin qui justifient son emploi dans un plat. Des mélanges
insolites produisent parfois un effet séduisant : par exemple, lorsqu'un vin
blanc moelleux détrône, dans une recette de poisson ou de porc, le traditionnel vin blanc sec, ou lorsqu'un vin rouge fruité entre dans la préparation d'une
sauce brune appelée à accompagner des filets de sole *(page 70)*.

Les principes de base de la cuisine au vin sont illustrés dans les pages
suivantes. A la page 142 débute une anthologie réunissant plus de soixante
recettes originaires de onze pays ; vous y découvrirez également toutes les
possibilités offertes par le vin en gastronomie.

Une marinade parfumée pour du bœuf braisé

Du vin mélangé à des légumes et à des herbes aromatiques se transforme en une marinade parfumée dans laquelle on peut laisser la viande avant de la cuire. La présence d'huile d'olive dans la préparation rend la chair moelleuse et répartit les différentes saveurs. Outre ces deux avantages, la marinade fournit le liquide de cuisson, qui enrichira la sauce d'accompagnement *(ci-contre; recette page 156).*

Les vins rouges rustiques et bien colorés conviennent aux marinades; les vins jeunes et tanniques *(page 29)* donnent quant à eux une sauce foncée, haute en saveur. C'est ainsi que vous choisirez, entre autres, un Côtes-du-Rhône, un Barbera italien ou le Zinfandel californien utilisé ici, au bouquet franc. Les vins blancs s'utilisent aussi de cette façon, mais ne teintent pas la sauce.

L'agneau, le porc, le bœuf et le gibier gagnent à rester quelques heures dans une marinade au vin. Ici, on a d'abord introduit des lardons enrobés de persillade: dans les morceaux de bœuf la graisse enrichit la chair à la cuisson et la rend savoureuse. On a laissé la viande mariner de 5 à 6 heures avant de la sortir du liquide aromatique.

Ensuite, après avoir saisi la viande, on la mouille avec la marinade, allongée de bouillon et de vin, puis on la fait braiser avec des légumes aromatiques dans un récipient clos. La cuisson s'opérant à petit feu dans très peu de liquide, juste ce qu'il faut pour à peine recouvrir la viande, la saveur du braisé n'en est que plus concentrée.

Ici, la garniture se compose de lardons rissolés, que l'on a blanchis au préalable pour supprimer l'excédent de sel, de petits oignons et de champignons de Paris. On cuit ces ingrédients séparément afin qu'ils restent tendres et savoureux. Le liquide de braisage, une fois dépouillé et réduit *(opération 7),* devient une excellente sauce couleur acajou qui complète le plat.

1 **Larder la viande.** Dans un mortier, écrasez de l'ail et du gros sel; ajoutez persil haché, thym, sarriette, marjolaine et origan. Détaillez du gras de porc en lardons et enrobez-les de persillade. Dans un saladier, mettez des oignons et des carottes émincés, du céleri, de l'ail écrasé, du persil, du thym et du laurier. Coupez la viande, ici du jarret de bœuf désossé, en morceaux de 100 g environ. Incisez la chair et lardez-la *(ci-dessus).* Mettez la viande dans le saladier; versez de l'huile d'olive et du vin et mélangez.

5 **Verser la marinade.** Versez un peu de cognac, la marinade et une quantité de bouillon de bœuf ou encore de fond de veau pour couvrir les ingrédients. Avec une cuillère, détachez les sucs de cuisson du fond de la casserole pour les dissoudre dans le liquide. Ajoutez un bouquet garni.

6 **Passer le braisé.** Couvrez et laissez mijoter 2 heures et demie environ, à feu doux ou au four à 150°C. Mettez la viande dans une autre casserole avec la garniture et tenez au chaud. Au-dessus d'une petite casserole, versez le liquide dans un tamis fin. Jetez carottes et bouquet. Tamisez les oignons

2 **Égoutter la viande.** Couvrez le saladier et laissez mariner de 5 à 6 heures. Afin que le bœuf marine uniformément, retournez-le de temps en temps. Versez la marinade dans une passoire posée sur un saladier. Mettez la viande sur un linge. Jetez les légumes et les herbes aromatiques ; réservez la marinade.

3 **Préparer la garniture.** Coupez du lard maigre en lardons et faites-les blanchir 3 minutes. Rincez-les à l'eau froide et égouttez-les. Faites-les dorer à l'huile ; égouttez-les au-dessus d'un saladier. Remettez l'huile dans la poêle, faites-y dorer de petits oignons et ensuite, à feu vif, des champignons.

4 **Faire dorer la viande.** Dans la même graisse, faites blondir 30 minutes, à feu moyen, une carotte et un oignon coupés en morceaux ; réservez-les. Faites dorer la viande uniformément 30 minutes. Ajoutez les légumes. Saupoudrez de farine et retournez la viande jusqu'à ce que la farine dore.

7 **Terminer le braisé.** Placez la casserole à moitié sur le feu et laissez frémir le liquide jusqu'à ce qu'il épaississe légèrement. Pour le dépouiller, retirez la peau qui se forme du côté le moins exposé à la chaleur. Versez la sauce sur la viande et la garniture. Laissez frémir de 15 à 30 minutes. □

Le déglaçage au vin

Si l'on ajoute un peu de vin aux sucs cara-mélisés déposés au fond d'une poêle dans laquelle on a fait sauter ou rôtir une viande, on obtient très rapidement une sauce parfu-mée. En effet, après avoir retiré la viande et la graisse, il suffit de verser le vin dans la poêle encore chaude et de remuer le tout à feu vif, en décollant les sucs caramélisés avec une cuillère en bois pour qu'ils se mêlent au liquide: c'est ce que l'on appelle le déglaçage culinaire.

Bon nombre de vins peuvent servir à déglacer un mets. Les vins rouges, qui donnent des sauces noires, s'utilisent, en règle générale, avec le bœuf, l'agneau et le gibier. Les vins jeunes corsés, à la robe foncée tels qu'un Côtes-du-Rhône ou un Chinon, un Barolo ou un Barbaresco ita-liens, ou encore un Zinfandel californien, conviennent particulièrement bien.

Avec les vins blancs, on prépare des sauces pâles et ambrées, parfaites avec le veau et le porc. Tout vin blanc sec et jeune se prête au déglaçage: un Bourgogne aligoté comme un Muscadet de la vallée de la Loire. On peut aussi choisir un vin issu du cépage Sauvignon, comme un Graves blanc sec, un Sancerre ou un Pouilly fumé de la vallée de la Loire. Si vous voulez marier la saveur douceâtre du porc à un vin doux, prenez un Loupiac ou un Sainte-Croix-du-Mont.

Ci-contre, en haut, on fait revenir dans très peu de matière grasse des tranches de porc prises dans le filet mignon, morceau fin qui cuit rapidement. Après avoir retiré la viande, on déglace le jus avec un peu de vin, en raclant bien le fond et les parois de la poêle, à feu vif, afin de détacher les sucs caramélisés. Ensuite, on fait réduire le vin, toujours à feu vif, pour obtenir la sauce.

On procède de la même façon pour la sauce servie avec le rôti de veau préparé ci-contre, en bas. Pour donner un surcroît de saveur à la viande, on la frotte avec une marinade composée de vin, d'herbes aroma-tiques et d'huile d'olive, puis on la laisse mariner plusieurs heures. Ici, on l'a égale-ment enveloppée dans de la crépine de porc salée afin de l'enrichir pendant qu'elle rôtit. Vers la fin de la cuisson, on l'arrose à plusieurs reprises avec la marinade pour la glacer. Le jus de cuisson, déglacé avec du vin, se transforme en une sauce onctueuse dont on nappera la viande.

Filet mignon de porc sauté

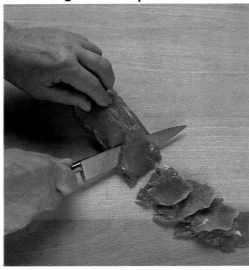

1 **Émincer la viande.** Dégraissez du filet mignon de porc. Détaillez-le en tranches de 1 cm d'épaisseur environ ; ici, on coupe la viande en biais *(ci-dessus)* de façon que les tranches de viande soient plus grandes. Farinez les tranches.

2 **Faire revenir la viande.** Dans une poêle assez grande pour contenir les tranches côte à côte, faites fondre du beurre jusqu'à ce qu'il mousse. Ajoutez les tranches *(ci-dessus)*. Salez, poivrez et laissez-les cuire, à feu vif, 3 minutes environ de chaque côté, jusqu'à ce qu'elles soient légèrement dorées.

Rôti de veau mariné

1 **Verser du vin.** Faites dessaler de la crépine dans de l'eau tiède. Étalez-la dans un plat et couvrez-la de vin, ici un Bourgogne jeune. Mettez le rôti, ici 2 kg de quasi de veau, dans un plat. Parsemez-le de thym, sarriette, marjolaine et origan, et arrosez-le d'huile d'olive. Versez 1 cm de vin.

2 **Éponger la crépine.** Frottez le rôti pour faire pénétrer la marinade. A couvert, laissez-le mariner de 3 à 4 heures à température ambiante, en le retournant de temps en temps. Épongez la crépine. Sortez le rôti et essuyez-le. Mettez-le, enveloppé de crépine, dans un plat à four. Réservez les marinades.

3 **Déglacer la poêle.** Transférez les tranches de viande sur un plat de service chauffé. Versez une grande rasade de vin, ici du Muscadet, dans la poêle *(ci-dessus, à gauche)*, portez à ébullition et raclez bien les parois et le fond de la poêle avec une spatule ou bien une cuillère en bois pour décoller les sucs caramélisés et les dissoudre dans le vin *(ci-dessus, à droite)*.

4 **Napper la viande de sauce.** Laissez la poêle sur le feu de 1 à 2 minutes, jusqu'à ce que le vin ait réduit. Selon le goût, vous pouvez ajouter une garniture aux tranches de viande : ici des rondelles de pomme enduites de beurre et grillées. Nappez la viande de sauce *(ci-dessus)* et servez. ☐

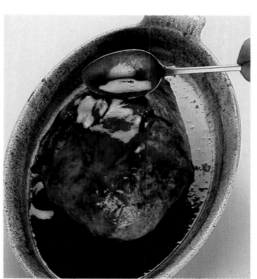

3 **Rôtir la viande.** Mettez-la au four préchauffé à 230°C (8 au thermostat). Au bout de 10 minutes, baissez la température à 180°C (4 au thermostat). Au bout de 45 minutes, dégraissez le jus et arrosez la viande avec le liquide qui reste. Laissez cuire 10 minutes et ajoutez un peu de la marinade réservée.

4 **Arroser le rôti.** Décollez les sucs de cuisson au fond du plat. Remettez au four et réglez la température sur 230°C (8 au thermostat). Faites rôtir 20 minutes encore, en arrosant fréquemment avec la marinade. Dès qu'il n'y en a plus, versez du vin. Sortez la viande et gardez-la au chaud, sur un plat chauffé.

5 **Servir le rôti.** Ajoutez du vin au jus du plat et faites bouillir le liquide, à feu vif, jusqu'à ce qu'il épaississe légèrement, en remuant pour détacher les sucs caramélisés. Mettez la sauce dans une saucière. Découpez le rôti et nappez chaque portion de sauce. Ici, on le sert avec des épinards. ☐

Filets de sole au vin rouge

Le vin constitue un merveilleux complément pour les plats de poisson car il présente le double avantage de fournir le liquide de cuisson et la sauce d'accompagnement. S'il n'est pas courant d'associer le vin rouge et le poisson, on a rompu avec la tradition dans la préparation ci-contre, où la couleur de la sauce au vin rouge tranche avec les filets de sole pochés *(recette page 147)*. Il s'agit ici d'un Côtes-du-Ventoux jeune, vin assez riche en tanin, qui a du corps et une robe colorée. Parmi les autres vins rouges qui s'accordent bien avec le poisson, mentionnons les Côtes-du-Rhône, les vins de Loire et tous les vins rouges jeunes qui ne sont pas destinés à un long vieillissement.

Si vous préférez un vin blanc, n'importe quel vin sec et nerveux sied admirablement: un vin de la Loire comme un Pouilly fumé, un Sancerre ou un Muscadet, par exemple, ou encore un Graves blanc. Vous pouvez aussi essayer un Bourgogne blanc simple. Pour les recettes de poisson à cuisiner avec un vin blanc doux, choisissez un Bordeaux, Sainte-Croix-du-Mont ou Loupiac, ou un vin moelleux de la vallée de la Loire, Vouvray ou Quarts-de-chaume. Ci-contre, le vin entre d'abord dans la préparation du fumet de poisson, bouillon fait avec des parures de poisson, des herbes et des légumes aromatiques, de l'eau et du vin. Ce fumet à la saveur concentrée (additionné de vin pour que le poisson soit recouvert pendant le pochage) imprègne les filets de sole. Après avoir couvert hermétiquement la casserole, on porte le liquide à ébullition sur feu modéré puis on éteint le feu en laissant la casserole dessus. Comme les filets pochent tout doucement, ils restent intacts et moelleux et absorbent la saveur du fumet.

Enfin, on fait réduire le liquide de pochage par ébullition, puis on le lie avec des morceaux de beurre, opération qu'il faut effectuer à feu très doux afin que le beurre, en fondant dans le liquide, ne devienne pas huileux: on obtient une sauce fine et veloutée que l'on sert avec les filets.

1 Préparer le fumet. Dans une casserole, mettez des têtes et arêtes de poisson hachées, des oignons et des carottes émincés, de l'ail non pelé, du fenouil, du persil, du laurier et du thym. Parez des filets de sole, en enlevant la chair foncée. Pour qu'ils restent blancs, mettez-les dans de l'eau glacée. Ajoutez les parures et une bouteille de vin.

2 Écumer le liquide. Salez et versez un volume suffisant d'eau froide pour couvrir à peine les ingrédients. Placez la casserole, sans couvrir, à feu doux. Dès que le liquide est sur le point de bouillir, au bout de 15 minutes environ, prenez une cuillère à dégraisser pour retirer l'écume qui se forme à la surface.

6 Verser du vin. Ajoutez-en assez pour mouiller les filets à hauteur *(ci-dessus)*. Pour qu'ils ne se dessèchent pas, couvrez-les d'une feuille de papier sulfurisé beurré et du couvercle. Faites cuire à feu moyen, en soulevant le papier de temps en temps. Éteignez dès que le liquide bout et laissez pocher de 8 à 10 minutes à couvert.

7 Égoutter les filets. Posez une grille sur un plateau. Ôtez le couvercle et le papier des filets et, avec une écumoire, transférez-les délicatement sur la grille *(ci-dessus)*. Couvrez-les à nouveau de papier pour qu'ils restent blancs et laissez-les s'égoutter pendant que vous préparez la sauce.

3 **Passer le fumet.** Couvrez à moitié, baissez le feu et laissez frémir 30 minutes. Posez sur un saladier une passoire garnie de mousseline humide. Passez le fumet, jetez les parures, les légumes et les herbes. Reservez le fumet dans la casserole et faites-le bouillir jusqu'à ce qu'il réduise des 2/3. Écumez et laissez refroidir.

4 **Inciser et plier les filets.** Épongez-les entre deux linges. Afin qu'ils ne se déforment pas à la cuisson, faites six incisions obliques environ sur chaque filet de sole, en fendant la membrane externe. Salez-les, poivrez-les et enduisez-les de beurre ramolli. Pliez-les en deux *(ci-dessus)* et disposez-les dans une sauteuse bien beurrée.

5 **Ajouter le fumet.** Vérifiez qu'il est froid ; si besoin est, faites-le refroidir plus vite en le remuant au-dessus d'un saladier d'eau glacée. Versez le fumet refroidi sur les filets qui se trouvent dans la sauteuse *(ci-dessus)*.

8 **Monter la sauce au beurre.** Passez le liquide de cuisson au-dessus d'une casserole ; ajoutez celui qui s'est égoutté. Portez à ébullition, faites réduire afin d'obtenir une sauce sirupeuse. Réglez à feu très doux et mettez sur un diffuseur de chaleur. Ajoutez des morceaux de beurre en fouettant.

9 **Servir les filets.** Dès que tout le beurre est incorporé, la sauce est prête. Dressez les filets sur un plat de service chauffé. Nappez-les de quelques cuillerées de sauce et présentez celle qui reste à part, dans une saucière chauffée *(ci-dessus)*. Servez aussitôt. □

Un court-bouillon et une sauce pour des moules

Le vin blanc sec, qui complète merveilleusement la saveur fraîche et salée des coquillages, fournit un excellent liquide de cuisson pour les moules et autres bivalves que l'on fait ouvrir à la vapeur *(ci-contre)*. On peut remplacer le Muscadet utilisé ici par l'un des vins mentionnés à la page 68, obtenus à partir du cépage Sauvignon, ou par un Verdicchio ou un Soave italiens.

Commencez par nettoyer les moules *(opération 1)*. Jetez celles dont la coquille est cassée ou reste ouverte lorsque vous la frappez d'un coup sec: ces mollusques sont probablement morts. Faites tremper les autres dans de l'eau froide salée de façon qu'elles rejettent le sable et toutes les impuretés qu'elles contiennent.

Il faut très peu de vin pour faire ouvrir des moules à la vapeur, celles-ci rendant du jus à la cuisson. Pour relever davantage la saveur des coquillages tout en parfumant le court-bouillon, ajoutez des herbes et des légumes aromatiques. Les moules s'ouvrent et cuisent en quelques minutes.

Vous pouvez servir les moules avec le liquide de cuisson, que vous aurez fait ou non réduire par ébullition. Toutefois, s'il est très salé, ne le faites pas réduire. Au cas où il en resterait, allongez-le d'eau pour confectionner un bouillon ou une soupe.

Selon le goût, enrichissez le court-bouillon de morceaux de beurre *(page 71)* ou encore, comme ici, de jaunes d'œufs additionnés de crème fraîche *(recette page 148)*, pour éliminer, si nécessaire, le goût salé du jus de cuisson. A feu doux, les jaunes épaissiront légèrement, rendant ainsi la sauce plus consistante.

1 **Nettoyer les moules.** Mettez des moules fraîches dans un saladier d'eau froide salée. Nettoyez-les une par une: ôtez le byssus et grattez la coquille avec un petit couteau. Transférez-les dans un saladier d'eau fraîche salée. Après avoir trempé 30 minutes, elles rejetteront le sable et les impuretés.

2 **Verser le vin.** Égouttez les moules et mettez-les dans un fait-tout avec des aromates, ici céleri, laurier, persil haché, ail et thym. Versez une rasade de vin blanc, couvrez et placez à feu vif. En secouant le fait-tout, laissez cuire les moules de 3 à 5 minutes environ, jusqu'à ce qu'elles s'ouvrent.

5 **Préparer la sauce.** Mettez des jaunes d'œufs et de la crème fraîche épaisse dans une terrine et fouettez pour les mélanger. Versez de 2 à 3 louches de court-bouillon *(ci-dessus)* et continuez à fouetter la préparation jusqu'à ce qu'elle soit homogène.

6 **Ajouter la sauce.** Versez le mélange jaunes d'œufs-crème fraîche sur les moules *(ci-dessus)* et répartissez-le de façon uniforme, afin que chaque moule baigne dans la sauce.

3 **Égoutter les moules.** Mettez-les dans une passoire garnie de mousseline et posée sur un grand saladier afin de recueillir le liquide. Goûtez-le : s'il n'est pas salé, faites-le réduire pour en concentrer la saveur. S'il est trop salé, ne l'utilisez pas entièrement pour la sauce et ne le faites pas réduire.

4 **Détacher les coquilles.** Dès que les moules sont assez froides pour que vous puissiez les toucher, écartez les coquilles avec les doigts, en séparant complètement les deux moitiés *(ci-dessus)*. Jetez les demi-coquilles vides. Mettez les moules sur plusieurs couches dans une grande casserole.

7 **Terminer le plat.** Inclinez lentement la casserole d'un côté puis de l'autre sur feu moyen *(ci-dessus)*, jusqu'à ce que la sauce épaississe en prenant la consistance d'une crème ; comptez 10 minutes environ. Elle ne doit pas bouillir, sinon les jaunes coaguleraient. Répartissez les moules dans des assiettes creuses et servez aussitôt *(ci-contre)*. □

De la vigne au verger

Les parfums naturels du vin et des fruits se complètent particulièrement bien. Pour apprécier au mieux cette harmonie de saveurs, il suffit de verser du vin sur des fruits frais, que l'on sucrera ou non, et les servir au dessert. Dans certains cas, le mariage fruits et vin est si parfait qu'il leur a valu de figurer parmi les grands classiques de la gastronomie. Chacun, certes, variera les ingrédients à volonté.

Vous pouvez, par exemple, arroser une macédoine de fruits avec du vin blanc: ci-contre, on a versé un vin blanc sec de Franconie sur un mélange coloré de fraises, de prunes et de melon. D'autres vins blancs secs conviennent aussi: ceux faits à partir des cépages Sauvignon blanc et Riesling, ainsi que les Muscat d'Alsace. Si vous préférez un vin plus moelleux, essayez un Bordeaux de Loupiac, Cérons ou Sainte-Croix-du-Mont, ou un Gewurztraminer.

Tous les vins rouges s'accordent avec les fruits, surtout les vins frais et fruités à boire jeunes: Beaujolais primeur, Côtes-du-Rhône jeune, vin de la vallée de la Loire (Saumur-Champigny, Chinon ou Bourgueil) ou Bardolino italien, par exemple.

La saison des fraises sera l'occasion de découvrir ces heureux mélanges. Des fraises, ajoutées au dernier verre de vin, finiront un repas de façon très réussie. Dans le Bordelais, selon une vieille coutume, on les arrose d'un vieux Bordeaux sur le déclin (encadré ci-contre). Quand on écrase légèrement les fruits, le jus qui s'en écoule ravive momentanément le vin.

Le goût de pêche souvent décelé dans le bouquet des grands vins liquoreux du Sauternais (page 16) rend leur association avec ce fruit tout à fait naturelle. Au Sauternes utilisé ici (encadré page de droite), on peut substituer un vin allemand liquoreux, ou bien un vin rouge, qui accentue davantage la saveur des pêches.

Pour que les fruits gardent leur fraîcheur et leur couleur, préparez-les au dernier moment, avant de verser le vin. Les pêches en quartiers ou une salade de fruits sont meilleures si elles macèrent de 1 à 2 heures dans le vin avant d'être servies. La quantité de sucre à ajouter est affaire de goût, mais si vous sucrez trop, vous risquez de masquer la saveur du vin.

1 **Préparer les fruits.** Plongez des fraises dans de l'eau froide et, les doigts écartés, transférez-les dans une passoire pour qu'elles s'égouttent. Équeutez-les et coupez-les en deux au-dessus d'une grande coupe. Avec un petit couteau, pelez des prunes mûres; ouvrez chaque fruit en deux pour retirer le noyau (ci-dessus) et mettez-les dans la coupe.

2 **Prélever des boules de melon.** Coupez un melon mûr en deux. Avec les doigts ou une cuillère, retirez les graines et la pulpe fibreuse qui les entoure. Avec une cuillère à melon ou une cuillère à café, prélevez la chair du melon et ajoutez-la aux autres fruits.

Une vieille coutume

Mélanger des fraises et du vin. Rincez des fraises (opération 1, ci-dessus), égouttez-les et équeutez-les. Mettez-les dans des verres à vin et versez du vin rouge, ici un vieux Bordeaux. Veillez à ne pas verser le dépôt; au besoin, décantez-le (page 44). Présentez une coupelle de sucre avec les fraises.

3 **Sucrer les fruits.** Saupoudrez-les de sucre *(ci-dessus)*. Afin de bien le répartir, remuez délicatement les fruits avec les doigts, en prenant soin de ne pas écraser les fraises.

4 **Verser du vin.** Ajoutez du vin blanc bien frais au contenu de la coupe. Vous pouvez servir le dessert aussitôt, ou le laisser au frais de 1 à 2 heures, afin que les saveurs se mêlent.

5 **Servir les fruits.** Présentez-les dans des coupes individuelles, en veillant à mettre un assortiment de fruits dans chacune d'elles *(ci-dessus)*. Selon le goût, accompagnez-les de biscuits. □

Lorsque le bouquet du vin rappelle le goût des fruits

Couper des pêches. Plongez des pêches mûres dans de l'eau bouillante et, avec une écumoire, mettez-les dans de l'eau froide pour arrêter la cuisson. Pelez-les. Détaillez-les en quartiers. Saupoudrez-les de sucre et arrosez-les de vin, ici un Sauternes. Laissez macérer pendant 2 heures avant de servir.

Les fruits pochés

Lorsque l'on fait pocher des fruits dans du vin avec du sucre, un échange de saveurs s'opère entre les ingrédients. Le sucre fond dans le vin, dont l'acidité empêche les fruits de s'écraser à la cuisson. Après le pochage, le liquide sucré peut devenir un sirop brillant *(ci-contre ; recette page 162)*. Vous pouvez utiliser un vin rouge ou blanc. Parmi les rouges, préférez les vins relativement jeunes, fruités, qui ont une belle couleur foncée, comme un Côtes-du-Rhône jeune, un Graves ou un Cahors.

Si vous penchez pour un vin blanc, choisissez un Sauternes ou un vin d'Alsace ou du Rhin de bonne qualité, caractérisés par une belle couleur blonde et un imperceptible parfum de pêche.

Le pochage s'applique aux fruits frais ou secs. Ici, on a utilisé des pêches mais les poires se prêtent aussi fort bien à cette préparation : dans les deux cas, prenez des fruits un peu fermes, non arrivés à maturité. Parmi les fruits secs, on compte les figues et les abricots qu'il faut faire tremper auparavant ; le vin rouge convient mieux aux premières, le vin blanc aux seconds.

1 **Peler les pêches.** Plongez-les dans de l'eau bouillante. Au bout de quelques secondes, mettez-les dans un saladier d'eau froide. Égouttez-les. Avec un petit couteau, pelez-les *(ci-dessus)*. Pour qu'elles ne noircissent pas, plongez-les dans du jus de citron avant de les mettre dans un grand saladier.

2 **Sucrer les pêches.** Saupoudrez-les de sucre et laissez-les reposer une heure pour qu'elles l'absorbent. Mettez-les dans une bassine avec le jus qu'elles ont rendu. Une bassine en cuivre non étamé préserve la couleur des fruits ; à défaut, prenez un récipient en inox ou en émail, mais jamais en aluminium.

3 **Verser le vin.** Ajoutez du sucre aux pêches. Selon le goût, parfumez avec un fragment de macis ou deux clous de girofle ; ici, on a utilisé un morceau de cannelle. Versez du vin, ici un Graves rouge jeune, sur les pêches. Couvrez la bassine, placez-la à feu doux et laissez frémir 30 minutes jusqu'à ce qu'elles soient tendres.

4 **Réduire le liquide de pochage.** Ôtez la cannelle. Avec une écumoire, transférez les pêches dans un saladier. Pour que le liquide de pochage réduise, faites-le bouillir à petits bouillons réguliers. Dès qu'il est épais et sirupeux, éloignez la bassine de la chaleur.

5 **Servir les fruits.** Avec une cuillère, répartissez le sirop sur les pêches et laissez-les refroidir avant de servir. Présentez-les avec des biscuits ou des tranches de brioche au sucre. □

Des sorbets rafraîchissants et acidulés

Les glaces à l'eau, ou sorbets, mélanges congelés à base de sirop de sucre parfumé avec une purée ou du jus de fruit, peuvent aussi être additionnés de vin. Il peut s'agir d'un vin mousseux ou non, doux ou sec. Les vins blancs seront mélangés à une purée de pêches, d'abricots ou de melon, tandis que les rouges rehausseront une purée de fraises ou de framboises. Du Champagne, ou un autre vin mousseux, confère à un sorbet une fraîcheur vivifiante ; on a parfumé celui présenté ci-contre *(recette page 163)* avec du jus de citron et du Vouvray mousseux, vin blanc élaboré selon la méthode champenoise.

Commencez toujours par confectionner un sirop de sucre. Laissez-le refroidir complètement avant de l'ajouter aux ingrédients du sorbet qui, ainsi, prendra plus vite. Pendant que le sirop refroidit, préparez les fruits ou le jus de fruits. Afin de tirer profit des qualités d'un vin mousseux, utilisez-le bien frais *(page 45)* et débouchez la bouteille au dernier moment. Dès que le sorbet est pris, fouettez-le bien afin de briser les gros cristaux de glace et de lui donner une consistance mousseuse.

1 **Extraire le parfum d'un citron.** Faites un sirop de sucre et laissez-le refroidir. Rincez des citrons à l'eau froide et épongez-les. Pour extraire le parfum du zeste, frottez des morceaux de sucre contre l'écorce des citrons. Mettez les sucres aromatisés dans un saladier. Pressez les citrons et filtrez le jus.

2 **Verser du vin.** Débouchez une bouteille de vin mousseux bien frais *(page 42)* et versez-le dans le saladier contenant le jus de citron et les sucres fondus. Ajoutez immédiatement le sirop de sucre refroidi et remuez le tout afin de bien mélanger les ingrédients.

3 **Congeler le sorbet.** Transférez la préparation dans des bacs à glaçons. Mettez-les dans le congélateur ou dans le compartiment à glace du réfrigérateur. Au bout de 30 minutes, sortez-les et remuez le sorbet avec une fourchette, en ramenant vers le centre la masse solidifiée contre les parois.

4 **Fouetter le sorbet.** Remettez les bacs dans le congélateur de 3 à 4 heures, en remuant le sorbet toutes les heures. Dès qu'il est congelé et assez ferme pour ne pas s'affaisser uniformément, transférez-le dans un saladier. Fouettez-le légèrement pour qu'il ait une consistance mousseuse.

5 **Servir le sorbet.** Vous pouvez le laisser au congélateur 2 heures maximum ; au-delà, le vin perd son effervescence. Lorsque vous le sortirez, raclez-le ou remuez-le pour l'aérer et lui redonner sa consistance mousseuse. Servez-le dans des coupes avec des biscuits à la cuillère ou des tuiles aux amandes. ☐

Un entremets velouté

Du vin incorporé sur le feu à des jaunes d'œufs sucrés donne une crème plus ou moins épaisse et mousseuse, le sabayon, qui fleure bon le vin. Pour la version italienne de ce dessert, ou *zabaione*, on a utilisé un vin de liqueur sicilien, le Marsala *(ci-contre ; recette page 164)*. Du Xérès, du Madère ou un vin blanc moelleux ou sec peuvent le remplacer. Pour compléter la saveur riche d'un vin de liqueur, ajoutez un peu de cannelle ou de citron ; en revanche, n'épicez pas un sabayon fait avec un vin blanc fin.

La cuisson doit toujours se faire au bain-marie : le mélange, exposé à une chaleur douce et uniforme, épaissit sans coaguler. Comme on le fouette constamment, on emprisonne des bulles d'air dans les jaunes, ce qui allège la crème et l'aère.

La consistance d'une crème au vin dépend du temps de cuisson. Dès qu'elle a un peu épaissi, servez-la comme une sauce, chaude ou froide. Un sabayon au vin blanc accompagne à merveille les poudings soufflés, les gâteaux au chocolat et les pêches ou les poires pochées. Si l'on prolonge la cuisson, on obtient une mousse épaisse, à consommer chaude ou, comme ici, froide, enrichie de crème fouettée.

1 **Verser le vin.** Mettez du sucre, ici du sucre vanillé, et des jaunes d'œufs dans une grande poêle ou une terrine résistant à la chaleur. Ajoutez un zeste de citron râpé et un soupçon de cannelle en poudre. Versez le Marsala.

2 **Fouetter sur le feu.** Placez un support dans une grande casserole. Ajoutez de l'eau jusqu'à mi-hauteur et faites-la chauffer jusqu'à ce qu'elle frémisse. Posez la poêle sur le support. A feu doux, fouettez le mélange, en veillant à ce que l'eau ne bouille pas.

3 **Épaissir la crème.** Continuez à fouetter le mélange à feu doux 10 minutes, jusqu'à ce que la crème prenne du volume en devenant pâle et épaisse. Dès qu'elle a la consistance désirée, éloignez la poêle du feu ; continuez à fouetter une minute environ.

4 **Incorporer la crème fraîche.** Laissez le *zabaglione* refroidir. Fouettez de la crème fraîche épaisse jusqu'à ce qu'elle forme des crêtes molles. Incorporez-la au *zabaglione,* en fouettant jusqu'à ce que la masse soit parfaitement homogène.

5 **Servir le « zabaglione ».** Après avoir incorporé la crème fraîche, vous pouvez servir le dessert. Avec une louche, répartissez-le dans des coupes individuelles *(ci-dessus).* Servez-le seul ou accompagné de biscuits. □

Atlas-glossaire

Une constellation de grands vins. Les crus montrés ici comptent parmi les plus réputés du monde, reflétant la plus haute maîtrise dans l'art de faire du vin. Ils présentent un choix de premiers crus de Bordeaux, de grands crus de Bourgogne, un noble Trockenbeerenauslese allemand et un rare Tokay aszù Eszencia de Hongrie.

Une vie entière ne suffirait pas à goûter tous les vins qui existent au monde. Depuis les frais et humides coteaux du Rhin jusqu'aux brûlants vignobles du cap de Bonne-Espérance, des milliers de cépages portent les grappes dont on fait le vin. Beaucoup de vins ne quittent jamais leur terroir et sont consommés sur place par les gens du pays et par quelques touristes, qui reviennent chez eux en chantant les louanges de crus ignorés. Mais, à mesure que se développe l'appréciation du vin, les productions locales circulent de plus en plus à travers le monde par l'intermédiaire des négociants. Aux vins universellement connus de France et d'Allemagne, le commerce d'exportation adjoint désormais des produits relativement nouveaux, venus de Californie, du Chili, d'Australie, de Yougoslavie, pour ne citer que ceux-là. Ce choix étourdissant suffirait à lui seul à vous tourner la tête.

Pour connaître les vins, rien de tel que de les déguster. Les pages qui suivent vous aideront à comprendre ce que vous buvez. Cette partie du livre s'ouvre sur dix pages de cartes. A la carte mondiale des vins *(page 80)* succèdent les cartes des grandes régions vinicoles non européennes: l'Australie méridionale, la Californie, le cap de Bonne-Espérance en Afrique du Sud. Les cartes des principaux pays vinicoles d'Europe commencent page 82 avec l'Italie, l'Espagne, le Portugal, l'Allemagne. A la France, en raison du nombre de ses provinces vinicoles, de la richesse et de la célébrité de ses crus, sont consacrées six pages de cartes: une carte générale permet de localiser les plus importantes régions productrices, et des cartes détaillées de ces mêmes régions situent de façon plus précise les emplacements des appellations les plus réputées.

Tout vin est marqué non seulement par sa provenance, mais aussi par son cépage d'origine. Les cépages illustrés aux pages 18 à 21 donnent naissance à la plupart des grands vins, mais plus d'une centaine d'autres cépages notoires disséminés de par le monde se trouvent répertoriés aux pages 138 à 140.

Vient ensuite un Atlas-glossaire définissant quelques termes fréquemment utilisés en œnologie, et où sont surtout présentés les pays producteurs de vins dignes d'intérêt. La plupart des crus sont classés sous le nom de leur pays d'origine — le Rioja, par exemple, sous la rubrique « Espagne ». Font exception, principalement, la France et l'Allemagne, étant donné l'importance et la complexité de leur production. Pour ces pays, l'Atlas-glossaire comporte, outre un aperçu de leurs méthodes de vinification, des rubriques spéciales détaillées, consacrées aux grandes régions vinicoles, telles que le Bordelais ou la Moselle.

La meilleure utilisation de cet Atlas-glossaire est liée à la consultation de l'index général du livre, car il se peut qu'un terme, un vin ou une région n'y figurant pas à leur place alphabétique soient étudiés ou définis ailleurs.

Les vignobles à travers le monde

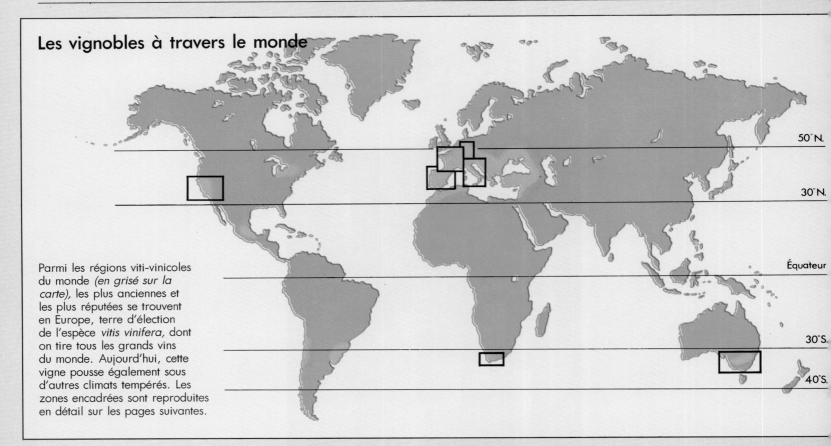

Parmi les régions viti-vinicoles du monde *(en grisé sur la carte),* les plus anciennes et les plus réputées se trouvent en Europe, terre d'élection de l'espèce *vitis vinifera,* dont on tire tous les grands vins du monde. Aujourd'hui, cette vigne pousse également sous d'autres climats tempérés. Les zones encadrées sont reproduites en détail sur les pages suivantes.

50° N.

30° N.

Équateur

30° S.

40° S.

La vigne en Californie

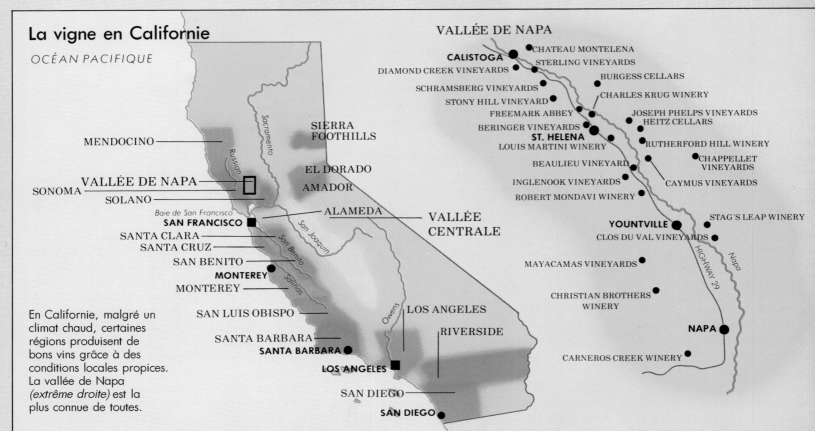

OCÉAN PACIFIQUE

MENDOCINO

SONOMA

VALLÉE DE NAPA

SOLANO

Baie de San Francisco

SAN FRANCISCO

SANTA CLARA

SANTA CRUZ

SAN BENITO

MONTEREY

MONTEREY

SAN LUIS OBISPO

SANTA BARBARA

SANTA BARBARA

LOS ANGELES

SAN DIEGO

SAN DIEGO

SIERRA FOOTHILLS

EL DORADO

AMADOR

ALAMEDA

VALLÉE CENTRALE

LOS ANGELES

RIVERSIDE

Sacramento

Russian

San Joaquin

San Benito

Salinas

Owens

En Californie, malgré un climat chaud, certaines régions produisent de bons vins grâce à des conditions locales propices. La vallée de Napa *(extrême droite)* est la plus connue de toutes.

VALLÉE DE NAPA

CALISTOGA

CHATEAU MONTELENA

STERLING VINEYARDS

DIAMOND CREEK VINEYARDS

BURGESS CELLARS

SCHRAMSBERG VINEYARDS

CHARLES KRUG WINERY

STONY HILL VINEYARD

JOSEPH PHELPS VINEYARDS

FREEMARK ABBEY

HEITZ CELLARS

BERINGER VINEYARDS

ST. HELENA

RUTHERFORD HILL WINERY

LOUIS MARTINI WINERY

CHAPPELLET VINEYARDS

BEAULIEU VINEYARD

INGLENOOK VINEYARDS

CAYMUS VINEYARDS

ROBERT MONDAVI WINERY

STAG'S LEAP WINERY

YOUNTVILLE

CLOS DU VAL VINEYARDS

MAYACAMAS VINEYARDS

HIGHWAY 29

Napa

CHRISTIAN BROTHERS WINERY

NAPA

CARNEROS CREEK WINERY

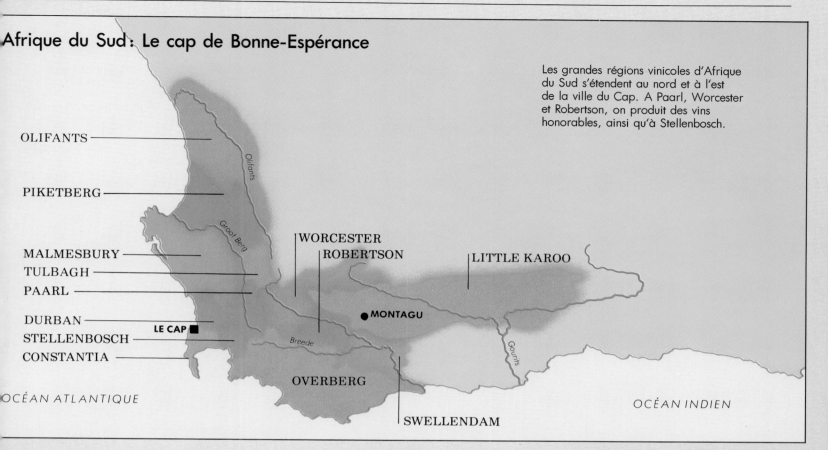

Afrique du Sud : Le cap de Bonne-Espérance

Les grandes régions vinicoles d'Afrique du Sud s'étendent au nord et à l'est de la ville du Cap. A Paarl, Worcester et Robertson, on produit des vins honorables, ainsi qu'à Stellenbosch.

OLIFANTS

PIKETBERG

Olifants

Groot Berg

MALMESBURY
TULBAGH
PAARL

DURBAN
STELLENBOSCH
CONSTANTIA

LE CAP

WORCESTER
ROBERTSON

LITTLE KAROO

MONTAGU

Breede

Gourits

OVERBERG

SWELLENDAM

OCÉAN ATLANTIQUE

OCÉAN INDIEN

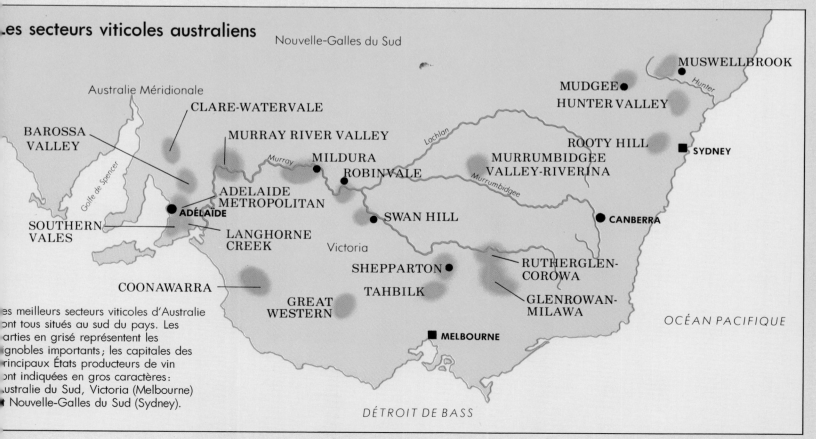

Les secteurs viticoles australiens

Nouvelle-Galles du Sud

Australie Méridionale

CLARE-WATERVALE

MUSWELLBROOK

MUDGEE
HUNTER VALLEY

Hunter

BAROSSA
VALLEY

MURRAY RIVER VALLEY

Lachlan

ROOTY HILL

MILDURA
ROBINVALE

Murray

SWAN HILL

MURRUMBIDGEE
VALLEY-RIVERINA

SYDNEY

Golfe de Spencer

ADELAIDE
METROPOLITAN

Murrumbidgee

ADÉLAÏDE

CANBERRA

SOUTHERN
VALES

LANGHORNE
CREEK

Victoria

SHEPPARTON

RUTHERGLEN-
COROWA

COONAWARRA

TAHBILK

GREAT
WESTERN

GLENROWAN-
MILAWA

OCÉAN PACIFIQUE

MELBOURNE

Les meilleurs secteurs viticoles d'Australie sont tous situés au sud du pays. Les parties en grisé représentent les vignobles importants ; les capitales des principaux États producteurs de vin sont indiquées en gros caractères : Australie du Sud, Victoria (Melbourne) et Nouvelle-Galles du Sud (Sydney).

DÉTROIT DE BASS

81

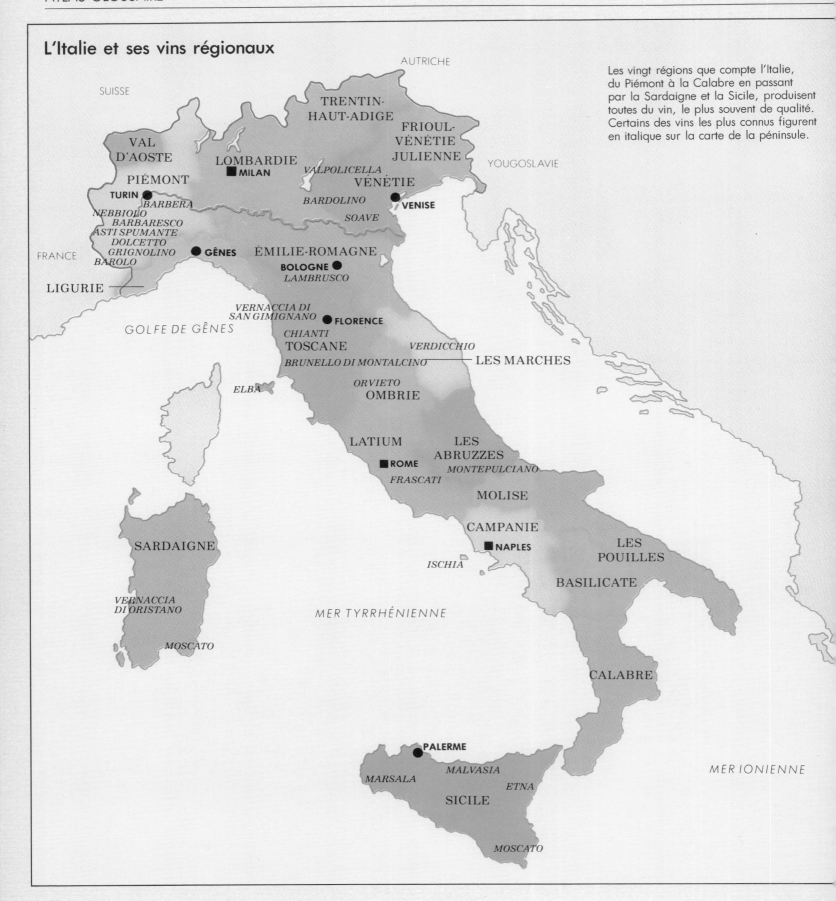

L'Italie et ses vins régionaux

Les vingt régions que compte l'Italie, du Piémont à la Calabre en passant par la Sardaigne et la Sicile, produisent toutes du vin, le plus souvent de qualité. Certains des vins les plus connus figurent en italique sur la carte de la péninsule.

AUTRICHE

SUISSE

TRENTIN-HAUT-ADIGE

FRIOUL-VÉNÉTIE JULIENNE

VAL D'AOSTE

LOMBARDIE

■ MILAN

VALPOLICELLA

VÉNÉTIE

YOUGOSLAVIE

PIÉMONT

TURIN ●

BARBERA

BARDOLINO

● VENISE

NEBBIOLO
BARBARESCO
ASTI SPUMANTE
DOLCETTO
GRIGNOLINO
BAROLO

FRANCE

● GÊNES

ÉMILIE-ROMAGNE

SOAVE

BOLOGNE ●

LAMBRUSCO

LIGURIE

VERNACCIA DI SAN GIMIGNANO

● FLORENCE

GOLFE DE GÊNES

CHIANTI

TOSCANE

VERDICCHIO

LES MARCHES

BRUNELLO DI MONTALCINO

ELBA

ORVIETO

OMBRIE

LATIUM

LES ABRUZZES

■ ROME

MONTEPULCIANO

FRASCATI

MOLISE

SARDAIGNE

CAMPANIE

LES POUILLES

■ NAPLES

ISCHIA

BASILICATE

VERNACCIA DI ORISTANO

MER TYRRHÉNIENNE

MOSCATO

CALABRE

MER IONIENNE

● PALERME

MALVASIA

MARSALA

ETNA

SICILE

MOSCATO

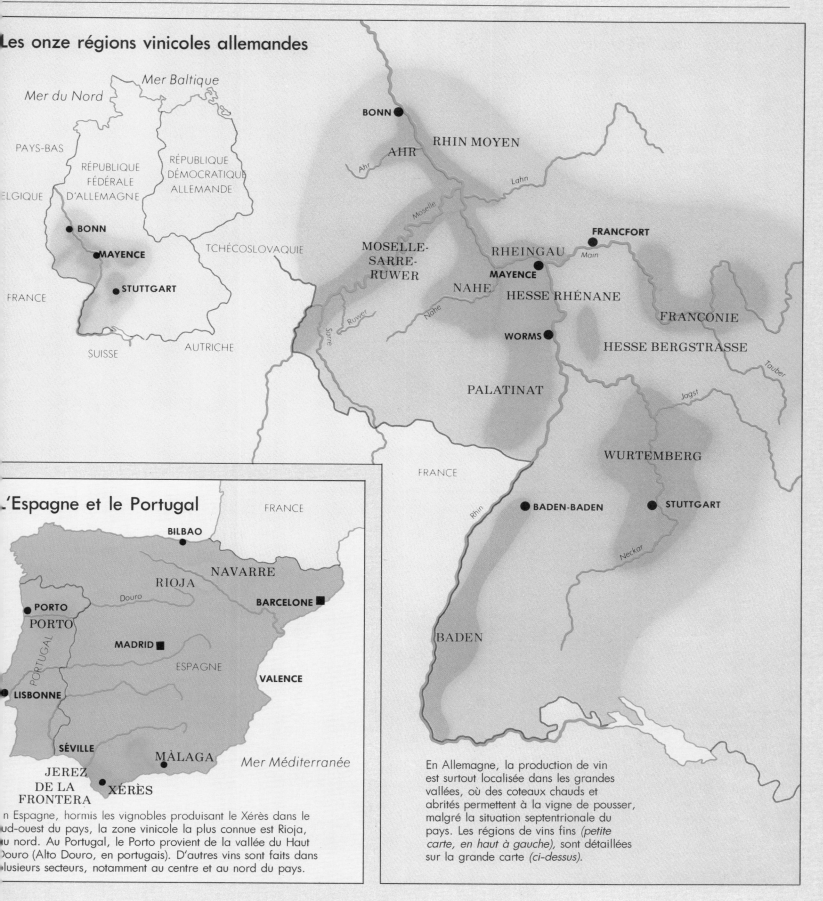

Les onze régions vinicoles allemandes

Mer du Nord

Mer Baltique

PAYS-BAS

RÉPUBLIQUE FÉDÉRALE D'ALLEMAGNE

RÉPUBLIQUE DÉMOCRATIQUE ALLEMANDE

BELGIQUE

● BONN

● MAYENCE

TCHÉCOSLOVAQUIE

FRANCE

● STUTTGART

SUISSE

AUTRICHE

BONN ●

AHR

RHIN MOYEN

Ahr

Lahn

Moselle

MOSELLE-SARRE-RUWER

RHEINGAU

FRANCFORT ●

Main

MAYENCE ●

NAHE

HESSE RHÉNANE

Ruwer

Nahe

FRANCONIE

Sarre

WORMS ●

HESSE BERGSTRASSE

Tauber

PALATINAT

Jagst

WURTEMBERG

FRANCE

Rhin

BADEN-BADEN ●

● STUTTGART

Neckar

BADEN

L'Espagne et le Portugal

FRANCE

BILBAO ●

NAVARRE

RIOJA

Douro

BARCELONE ■

PORTO ●

PORTO

MADRID ■

PORTUGAL

ESPAGNE

VALENCE

LISBONNE ●

SÉVILLE ●

MÀLAGA ●

Mer Méditerranée

JEREZ DE LA FRONTERA

XÉRÈS ●

En Espagne, hormis les vignobles produisant le Xérès dans le sud-ouest du pays, la zone vinicole la plus connue est Rioja, au nord. Au Portugal, le Porto provient de la vallée du Haut Douro (Alto Douro, en portugais). D'autres vins sont faits dans plusieurs secteurs, notamment au centre et au nord du pays.

En Allemagne, la production de vin est surtout localisée dans les grandes vallées, où des coteaux chauds et abrités permettent à la vigne de pousser, malgré la situation septentrionale du pays. Les régions de vins fins *(petite carte, en haut à gauche),* sont détaillées sur la grande carte *(ci-dessus).*

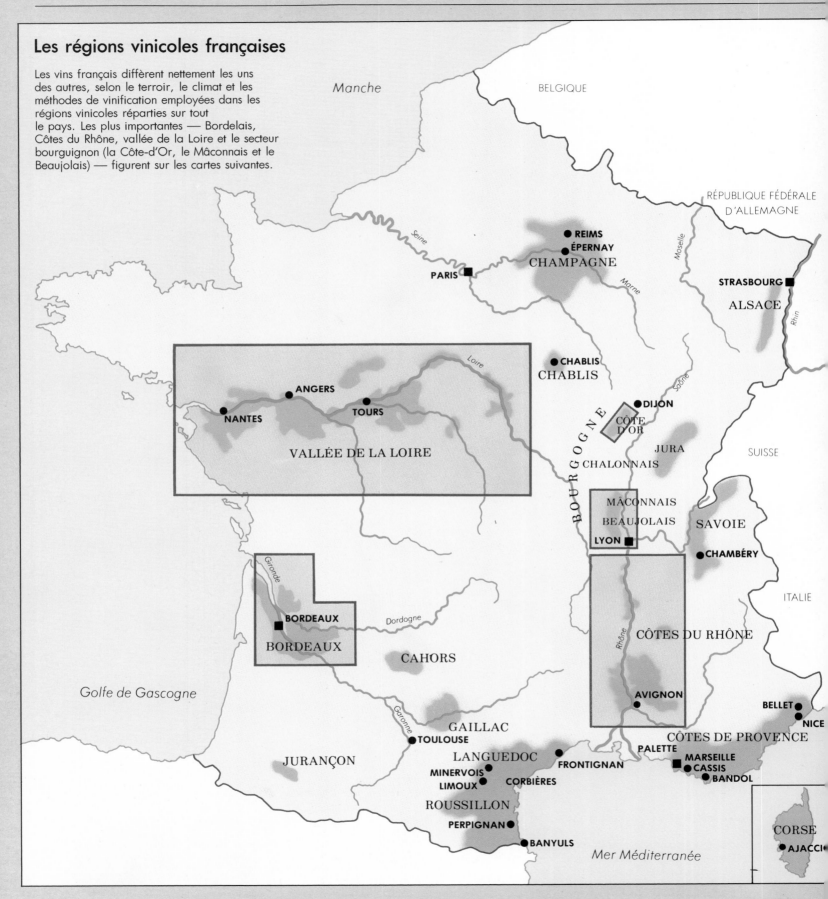

Les régions vinicoles françaises

Les vins français diffèrent nettement les uns des autres, selon le terroir, le climat et les méthodes de vinification employées dans les régions vinicoles réparties sur tout le pays. Les plus importantes — Bordelais, Côtes du Rhône, vallée de la Loire et le secteur bourguignon (la Côte-d'Or, le Mâconnais et le Beaujolais) — figurent sur les cartes suivantes.

Toutefois, le vin est un produit bien trop subtil pour qu'on le restreigne à un simple système de notation: utilisez plutôt ce tableau comme un guide général. Un vigneron consciencieux, en sélectionnant ses raisins avec soin, peut obtenir un excellent vin lors des années les plus médiocres; lors des années exceptionnelles, un accident pendant la vinification peut risquer de compromettre la qualité d'un grand cru. En fait, un vin d'un excellent millésime, noté 19, sera dans l'absolu «meilleur» que celui d'une année normale, noté 13 ou 14. Le millésime jugé inférieur est plus léger, mais peut se boire plus tôt et être parfait à son niveau; le vin de la grande année demande un peu plus de temps pour s'épanouir.

La réputation d'un millésime se répercute sur le prix du vin. Un cru renommé, d'une grande année, coûte très cher. En revanche, des vins de vignobles célèbres, produits lors d'une année dite médiocre, se vendent souvent à un prix abordable. De qualité élevée, ils sont moins complexes, mais se boivent bien avant les autres.

'62	'63	'64	'65	'66	'67	'68	'69	'70	'71	'72	'73	'74	'75	'76	'77	'78	'79	'80	'81	'82	'83	'84	'85
17	10	16	8	18	14	8	12	18	17	10	14	13	19	16	13	18	16	15					
18		12		14	18			13	16	16	9	11	8	16	18	12	15	14	15				
15	10	17	8	16	15	8	18	15	17	16	14	14	8	17	13	18	16	12	14				
18	16	17	8	18	17	10	18	16	18	16	17	12	16	17	12	18	17	14	15				
14	13	14	13	17	16	12	15	16	17	18	16	14	14	18	12	19	18	17	12				
16	14	17	12	17	19	14	18	16	17	12	14	13	12	17	16	19	17	17	17				
15		17		14	13		16	14	16	12	15	12	15	18	15	18	16	15	16				
14		17		16	16		16	15	18	8	15	11	15	19	13	15	16	14	15				
17	13	19	17	16	18	17	19	19	17	15	17	18	13	16	17	18	17	17					
16		17		17			18	16	18		17		17										
14	12	17	11	14	16	13	17	12	16	14	14		14										
	18			16	15			17					16		18								
12	12	17		16	16		16	14	19	7	13	9	16	18	9	9	15	8					
	19	17			18		17		18		17		18	18									
15	14	18	14	8	16	14	15	17	19	8	14	18	14	15	12	19	18						
16	8	17	12	14	17	14	15	19	17	8	14	14	18	12	15	17	18						
17	12	18	10	15	12	17	14	17	10	8	16	15	16	16	8	17	16	15					
													16	17	16	17	17	17	18				
					17	16	18	14	12	15	17	16	16	16	17	16	17						

Liste des vins les plus connus

La liste ci-dessous regroupe, par ordre alphabétique, environ 250 vins parmi les plus importants du monde. Pour chacun sont mentionnés l'appellation, le lieu d'origine et la couleur; une ou plusieurs lettres précisent le caractère du produit. La signification des lettres — de A à N — est donnée dans l'encadré à droite. Seuls les vins portant les lettres, G, H, I, M ou N s'épanouiront en vieillissant, évoluant en finesse et en complexité au fil des ans. Sur la table des millésimes reproduite au verso, vous trouverez une appréciation relative des vins provenant des grandes régions du monde, depuis 1945.

Ahr: Allemagne, blanc, **B/I**
Aloxe-Corton: Bourgogne, rouge, **M**
Alto-Adige: Italie du Nord, rouge et blanc, **A/E/J/K**
Arbois: Jura, rouge et blanc, **A/D/E/J/K**
Auslese: Allemagne, blanc, **B/I**
Auxey-Duresses: Bourgogne, rouge et blanc, **F/G/J/M**

Baden: Allemagne, rouge et blanc, **B/E/I/J**
Bandol; Provence, rouge, blanc et rosé, **E/F/M**
Barbaresco: Italie du Nord, rouge, **L/M**
Barbera: Italie du Nord, rouge, **J/K**
Bardolino: Italie du Nord, rouge, **J**
Barolo: Italie du Nord, rouge, **L/M**
Barsac: Bordeaux, blanc, **G/H/I**
Bâtard-Montrachet: Bourgogne, blanc, **H**
Beaujolais: Bourgogne, rouge et blanc, **A/J**
Beaujolais-Villages: Bourgogne, rouge, **J**
Beaune: Bourgogne, rouge et blanc, **G/J/M**
Beerenauslese: Allemagne, blanc, **G/H/I**
Bellet: Provence, rouge, blanc et rosé, **E/F/J/K**
Bienvenues-Bâtard-Montrachet: Bourgogne, blanc, **H**
Blagny: Bourgogne, rouge, **J/M**
Blanc Fumé de Pouilly: vallée de la Loire, blanc, **A/G**
Blayais (ou Blaye): Bordeaux blanc, **A/D/J/K**
Boca: Italia du Nord, rouge, **L**
Bonnes-Mares: Bourgogne, rouge, **N**
Bonnezeaux: vallée de la Loire, blanc, **C/G/I**
Bordeaux (Bordeaux supérieur): Bordeaux, rouge, blanc et rosé, **A/C/J/K**
Bordeaux-Côtes-de-Francs: Bordeaux, rouge et blanc, **A/C/J/K**
Bordeaux-Côtes-de-Castillon: Bordeaux, rouge, **J/K**
Bourgeais (Bourg): Bordeaux, rouge et blanc, **A/C/J/K**
Bourgogne: Bourgogne, rouge, blanc et rosé, **A/F/J/K**

Bourgogne aligoté: Bourgogne, blanc, **A**
Bourgogne passe-tout-grains: Bourgogne, rouge et rosé, **J/K**
Bourgueil: vallée de la Loire, rouge, **J/K/M**
Bramaterra: Italie du Nord, rouge, **L**
Brouilly: Bourgogne, rouge, **J**
Brunello di Montalcino: Italie centrale, rouge, **L/M**

Cabernet-Sauvignon: Californie, rouge, **K/L/M**
Cabernet-Sauvignon: Italie du Nord, rouge, **K/L/M**
Carema: Italie du Nord, rouge, **K/L**
Carmignano: Italie centrale, rouge, **K/L**
Cassis: Provence, rouge, blanc et rosé, **E/F/J/K**
Cérons: Bordeaux, blanc, **C/I**
Chablis: Bourgogne, blanc, **A/F/G**
Chambertin; Chambertin-Clos de Bèze: Bourgogne, rouge, **N**
Chambolle-Musigny: Bourgogne, rouge, **M**
Champagne: Champagne, blanc et rosé, **A/F/G**
Chapelle-Chambertin: Bourgogne, rouge, **N**
Chardonnay: Californie, blanc, **F/G**
Charmes-Chambertin: bourgogne, rouge, **N**
Chassagne-Montrachet: Bourgogne, rouge, et blanc, **G/J/M**
Château-Chalon: Jura, blanc, **F/H**
Chassagne-Montrachet: Bourgogne, rouge, et blanc, **G/J/M**
Château-Chalon: Jura, blanc, **F/H**
Château-Grillet: Côtes du Rhône, blanc, **G**
Châteauneuf-du-Pape: Côtes du Rhône, rouge et blanc, **F/L/M**
Chénas: Bourgogne, rouge, **J**
Chenin blanc: Californie, blanc, **A/C/D**
Chevalier-Montrachet: Bourgogne, blanc, **H**
Chianti; Chianti classico: Italie centrale, rouge, **K/L**
Chinon: vallée de la Loire, rouge, **J/M**
Chiroubles: Bourgogne, rouge, **J**
Chorey-lès-Beaune: Bourgogne, rouge, **J/K/M**
Clos Blanc de Vougeot: Bourgogne, blanc, **G**
Clos des Lambrays: Bourgogne, rouge, **N**
Clos de la Roche: Bourgogne, rouge, **N**
Clos Saint-Denis: Bourgogne, rouge, **N**
Clos de Tart: Bourgogne, rouge, **N**
Clos de Vougeot: Bourgogne, rouge, **N**
Colli Bolognese: Italie centrale, rouge et blanc, **A/D/J/K**
Colli Orientale: Italie du Nord, rouge et blanc, **A/E/J**
Collio: Italie du Nord, rouge et blanc, **A/E/J**
Condrieu: Côtes du Rhône, blanc, **F/G**
Cornas: Côtes du Rhône, rouge, **L/M**
Cortese: Italie du Nord, blanc, **A**
Corton: Bourgogne, rouge, **M/N**
Corton-Charlemagne: Bourgogne, blanc, **H**
Côte-de-Beaune-Villages: Bourgogne, rouge, **J/M**
Côte-de-Brouilly: Bourgogne, rouge, **J**
Côte-de-Nuits-Villages: Bourgogne, rouge, **M**
Côte-Rôtie: Côtes du Rhône, rouge, **L/M**
Coteaux-d'Aix-en-Provence: Provence, rouge, blanc et rosé, **D/J/K**
Coteaux Champenois: Champagne, rouge et blanc, **A/J**
Coteaux-du-Layon: vallée de la Loire, blanc, **C/G/I**
Côtes-de-Blaye: Bordeaux, blanc, **A/D**
Côtes-de-Bordeaux-Saint-Macaire: Bordeaux, blanc et rosé, **A/C/I/J/K**

Côtes-de-Bourg: Bordeaux, rouge et blanc, **A/J/K**
Côtes-Canon-Fronsac: Bordeaux, rouge, **J/K/M**
Côtes-de-Provence: Provence, rouge, blanc et rosé, **D/E/K**
Côtes-du-Rhône: Côtes du Rhône, rouge et blanc, **D/J/K**
Côtes-du-Rhône-Villages: Côtes du Rhône, rouge, **J/K**
Criots-Bâtard-Montrachet: Bourgogne, blanc, **H**
Crozes-Hermitage: Côtes du Rhône, rouge et blanc, **D/F/K/L**

Dolcetto: Italie du Nord, rouge, **J**
Donnaz: Italie du Nord, rouge, **L**

Échezeaux: Bourgogne, rouge, **N**
Edelzwicker: Alsace, blanc, **A**
Eiswein: Allemagne, blanc, **I**
Enfer d'Arvier: Italie du Nord, rouge, **L**
Entre-deux-Mers: Bordeaux, blanc, **A/C**

Fixin: Bourgogne, rouge, **M**
Fleurie: Bourgogne, rouge, **J**
Franken: Allemagne, blanc, **A/B/F**
Fronsac: Bordeaux rouge **J/K/M/**

Gamay de Touraine: vallée de la Loire, rouge, **J**
Gattinara, Italie du Nord, rouge, **K/L**
Gevrey-Chambertin: Bourgogne, rouge, **M**
Gewurztraminer: Alsace, blanc, **B/I**
Gewurztraminer: Californie, blanc, **B/I**
Gewurztraminer: Italie du Nord, blanc, **B/I**
Ghemme: Italie du Nord, rouge, **K/L**
Gigondas: Côtes du Rhône, rouge, **L**
Givry: Bourgogne, rouge et blanc, **A/F/J/K/M**
Grands-Échezeaux: Bourgogne, rouge, **N**
Grave del Friuli: Italie du Nord, rouge et blanc, **A/E/J**
Graves: Bordeaux, rouge et blanc, **A/G/H/M/N**
Graves supérieures: Bordeaux, blanc, **A/G**
Graves de Vayres: Bordeaux, rouge et blanc, **A/C/D/J/K**
Griotte-Chambertin: Bourgogne, rouge, **N**
Gros-Plant: vallée de la Loire, blanc, **A**

Haut-Médoc: Bordeaux, rouge, **J/K/M**
Hermitage: Côtes du Rhône, rouge et blanc, **F/G/L/M/N**
Hessische Bergstrasse: Allemagne, blanc, **B/I**

Isonzo: Italie du Nord, rouge et blanc, **A/E/J**

Juliénas: Bourgogne, rouge, **J**

Kabinett: Allemagne, blanc, **A/B**

Lalande-de-Pomerol: Bordeaux, rouge, **J/K/M**
La Romanée: Bourgogne, rouge, **N**
La Tâche: Bourgogne, rouge, **N**
Latricières-Chambertin: Bourgogne, rouge, **N**
Lessona: Italie du Nord, rouge, **L**
Lirac: Côtes du Rhône, rouge, blanc et rosé, **D/J/K**
Listrac: Bordeaux, rouge, **M**
Loupiac: Bordeaux, blanc, **C/G/I**
Lugana: Italie du Nord, blanc, **A/E**
Lussac-Saint-Émilion: Bordeaux, rouge, **J/K/M**

Mâcon: Bourgogne, rouge et blanc, **A/D/J/K**

Margaux: Bordeaux, rouge, **M/N**
Mazis-Chambertin: Bourgogne, rouge, **N**
Mazoyères-Chambertin: Bourgogne, rouge, **N**
Médoc: Bordeaux, rouge, **J/K/M**
Menetou-Salon: vallée de la Loire, blanc, **A**
Mercurey: Bourgogne, rouge et blanc,
   A/F/G/J/K/M
Merlot: Californie, rouge, **J/K**
Merlot: Italie du Nord, rouge, **J/K**
Meusault: Bourgogne, blanc, **G/H**
Mittelrhein: Allemagne, blanc, **B/I**
Montagne-Saint-Émilion: Bordeaux, rouge, **K/L/M**
Montagny: Bourgogne, blanc, **A/F**
Monthélie: Bourgogne, rouge, **J/M**
Montrachet: Bourgogne, blanc, **H**
Morey-Saint-Denis: Bourgogne, rouge, **M**
Morgon: Bourgogne, rouge, **J**
Mosel-Saar-Ruwer: Allemagne, blanc, **A/B/G/I**
Moulin-à-Vent: Bourgogne, rouge, **J/L**
Moulis: Bordeaux, rouge, **M**
Müller-Thurgau: Allemagne, blanc, **B/I**
Muscadet: vallée de la Loire, blanc, **A**
Muscat: Alsace, blanc, **A/E**
Muscat-de-Beaumes-de-Venise: Côtes du Rhône,
   `blanc, **I**
Musigny: Bourgogne, rouge, **N**

Nahe: Allemagne, blanc, **B/G/I**
Navarra: Espagne, rouge, blanc et rosé, **D/K**
Nuits-Saint-Georges: Bourgogne, rouge, **M**

Orvieto: Italie centrale, blanc, **A/C/D**

Palette: Provence, rouge, blanc et rosé, **F/K/M**
Pauillac: Bordeaux, rouge, **M/N**
Pernand-Vergelesses: Bourgogne, rouge et blanc,
   A/G/J/M
Petit Chablis; Bourgogne, blanc, **A**
Pinot Bianco: Italie du Nord, blanc, **A/E**
Pinot blanc: Californie, blanc, **A/G**
Pinot blanc: Alsace, blanc, **A/E**
Pinot Grigio: Italie du Nord, blanc, **A/E**
Pinot gris: Alsace, blanc, **A/E**
Pinot Nero: Italie du Nord, rouge, **J**
Pinot noir: Californie, rouge, **L/M**
Pinot noir: Alsace, rouge, **J**
Pomerol: Bordeaux, rouge, **M/N**
Pommard: Bourgogne, rouge, **M**
Porto: Portugal, rouge (Vintage), **I/L/M/N**
Pouilly-Fuissé: Bourgogne, blanc, **A/G**
Pouilly fumé: vallée de la Loire, blanc, **A/G**
Pouilly-Loché: Bourgogne, blanc, **A**
Pouilly-sur-Loire: vallée de la Loire, blanc, **A**
Pouilly-Vinzelles: Bourgogne, blanc, **A**
Premières-Côtes-de-Blaye: Bordeaux rouge **J/K**
Premières-Côtes-de-Bordeaux: Bordeaux rouge et
   blanc, **C/I/J/K**
Puisseguin-Saint-Émilion: Bordeaux, rouge, **K/L/M**
Puligny-Montrachet: Bourgogne, blanc, **G/H**

Quarts-de-Chaume: vallée de la Loire, blanc,
   C/G/I
Quincy: vallée de la Loire, blanc, **A**

Recioto Amarone: Italie du Nord, rouge, **L**
Recioto di Soave: Italie du Nord, blanc, **I**
Reuilly: vallée de la Loire, blanc, **A**
Rheingau: Allemagne, blanc, **B/G/I**

Rheinhessen: Allemagne, blanc, **B/G/I**
Rheinpfalz: Allemagne, blanc, **B/G/I**
Richebourg: Bourgogne, rouge, **N**
Riesling: Alsace, blanc, **A/B/G**
Riesling: Californie, blanc, **A/B/E**
Riesling: Allemagne, blanc, **A/B/G/H/I**
Riesling: Italie du Nord, blanc, **A/E**
Rioja: Espagne, rouge et blanc, **A/D/K/L/M**
Romanée-Conti: Bourgogne, rouge, **N**
Romanée-Saint-Vivant: Bourgogne, rouge, **N**
Ruchottes-Chambertin: Bourgogne, rouge, **N**
Rully; Bourgogne, rouge et blanc, **A/F/J/K**

Saint-Amour: Bourgogne, rouge, **J**
Saint-Aubin: Bourgogne, rouge et blanc,
   A/F/G/J/K/M
Saint-Émilion: Bordeaux, rouge, **L/M/N**
Saint-Estèphe: Bordeaux, rouge, **M/N**
Saint-Georges-Saint-Émilion: Bordeaux, rouge,
   K/L/M
Saint-Joseph: Côtes du Rhône, rouge et blanc,
   F/G/L/M
Saint-Julien: Bordeaux, rouge, **M/N**
Saint-Nicolas-de-Bourgueil: vallée de la Loire,
   rouge, **J/K/M**
Saint-Peray: Côtes du Rhône, blanc, **A/F**
Saint-Romain: Bourgogne, rouge et blanc,
   A/G/J/M
Saint-Véran: Bourgogne, blanc, **A**
Sainte-Croix-du-Mont: Bordeaux, blanc, **C/I**
Sainte-Foy-Bordeaux: Bordeaux, rouge et blanc,
   A/C/I/J/K
Sancerre: vallée de la Loire, blanc, **A**
Sangiovese: Italie centrale, rouge, **K**
Santa-Maddalena: Italie du Nord, rouge, **K**
Santenay: Bourgogne, rouge, **J/K/M**
Sassicaia: Italie centrale, rouge, **M**
Saumur-Champigny: vallée de la Loire, rouge, **J**
Sauternes: Bordeaux, blanc, **H/I**
Sauvignon blanc: Californie, blanc, **A**
Sauvignon blanc: Italie du Nord, blanc, **A**
Sauvignon blanc: vallée de la Loire, blanc, **A**
Savennières: vallée de la Loire, blanc, **E/G**
Savigny-lès-Beaune: Bourgogne, rouge, **J/M**
Scheurebe: Allemagne, blanc, **B/I**
Sfurzat: Italie du Nord, rouge, **L**
Sizzano: Italie du Nord, rouge, **L**
Soave: Italie du Nord, blanc, **A/E**
Spanna: Italie du Nord, rouge, **K/L**
Spätlese: Allemagne, blanc, **B/C/I**
Sylvaner: Alsace, blanc, **A**
Sylvaner: Allemagne, blanc, **A/B/C/**
Syrah: Californie, rouge, **L**

Tavel: Côtes du Rhône, rosé, **E/J**
Teroldego-Rotaliano: Italie du Nord, rouge, **K/L/M**
Tocai: Italie du Nord, blanc, **A/E**
Tokaji (Tokay): Hongrie, blanc, **F/G/I**
Trockenbeerenauslese: Allemagne, blanc, **G/H/I**

Valpolicella (Valpolicella Superiore): Italie du
   Nord, rouge, **J**
Valtellina (Valtellina Superiore): Italie du Nord,
   rouge, **K/L**
Vega-Sicilia: Espagne, rouge, **L/M**
Verdicchio: Italie centrale, blanc, **A**
Vernaccia di San Gimignano; Italie centrale,
   blanc, **E/F**
Vin jaune: Jura, blanc, **F/G**

Vino Nobile di Montepulciano: Italie centrale,
   rouge, **L/M**
Vin de paille: Jura, blanc, **F/G/I**
Volnay: Bourgogne, rouge, **M**
Vosne-Romanée: Bourgogne, rouge, **M**
Vougeot: Bourgogne, rouge, **M**
Vouvray: vallée de la Loire, blanc, **A/C/E/F/G/H/I**
Württemberg: Allemagne, rouge, blanc, **B/E/I/J**

Zinfandel: Californie, rouge, **J/K/L**

Caractéristiques des vins

A   Vins blancs légers, nerveux,
     rafraîchissants

B   Vins blancs très parfumés, légèrement
     moelleux

C   Vins blancs moelleux

D   Vins blancs secs, charpentés et rustiques

E   Vins blancs ronds et souples

F   Vins blancs robustes et vigoureux

G   Vins blancs fins et complexes

H   Grands vins blancs charpentés,
     complexes et nuancés

I   Vins blancs liquoreux

J   Vins rouges légers, peu tanniques,
     à boire jeunes et frais

K   Bons vins rouges honnêtes et plaisants

L   Vins rouges robustes, vigoureux
     et charpentés

M   Vins rouges fins et complexes

N   Grands vins rouges charpentés,
     complexes et nuancés

Table des millésimes

Choisir un vin peut être aussi déroutant que passionnant. Sur le nombre prodigieux de vins disponibles, beaucoup n'en connaissent que quelques-uns: cette table vous guidera dans votre choix.

Outre le tableau donné ci-dessous, qui commence en 1945 pour toutes les grandes régions vinicoles, vous trouverez, au verso, une liste de 250 vins environ parmi les plus appréciés du monde, avec quelques indications sur le caractère de chacun.

Un millésime varie en qualité. La note attribuée, aussi élevée soit-elle, ne signifie pas forcément que le vin peut se garder. Certains vins, quelle que soit l'année, sont à boire jeunes: loin de se bonifier avec le temps, ils perdent la fraîcheur et le fruité qui font leur plus grand charme.

Naturellement, un vin simple d'une bonne année est meilleur que celui d'une mauvaise année, mais sa qualité ne dure pas. Hormis pour les années récentes, les notes attribuées pour une région ne s'appliquent pas aux nombreux vins courants, de bonne qualité, que l'on y produit. La table des millésimes concerne surtout les vins qui vieillissent bien, susceptibles d'évoluer en bouteilles.

Tous les ans, dans les pays et les régions cités, le négoce juge la qualité du millésime en le notant de 1 à 20, encore que cette dernière note, qui traduit la perfection, ne soit jamais décernée. Les espaces blancs indiquent les millésimes dont la note est inférieure à 7, peu aptes à se conserver, ceux — comme en Californie avant 1970 — n'ayant donné lieu à aucune notation, ou les années non notées au moment de l'impression de cet ouvrage.

		1945	'46	'47	'48	'49	'50	'51	'52	'53	'54	'55	'56	'57	'58	'59
FRANCE	Bordeaux rouges	19	14	18	17	18	14		16	18	10	17	8	16	14	18
	Bordeaux blancs	19	9	19	16	18	16		15	16		18	10	15	15	18
	Bourgogne rouges	19	12	18	15	19	12		16	17	14	16		16	12	19
	Bourgogne blancs	18	14	17	12	18	14		16	18	11	18		15	8	17
	Côtes-du-Rhône (nord)	19	15	19	17	17	16	8	18	15	14	18	16	18	12	17
	Côtes-du-Rhône (sud)	19	16	19	16	18	17	10	17	15	13	18	14	17	13	18
	Vallée de la Loire	18		19	12	16			14	17		16		15		18
	Alsace	18		17		18				17		15				18
	Provence							13	15	12	13	19	17	16	15	16
	Champagne	18		19		18			16	17		17				18
	Jura	16	13	19	10	17	14	10	16	12	14	14	10	16	11	18
PORTUGAL	Porto	19		17	19		14					18			14	
ALLEMAGNE		19		15	14	18			15	19		12		13	11	18
HONGRIE			18	16	19		18		19		18			18		19
ITALIE	du Nord	19		18					18				8	19		
	centrale			18								18	8	17	18	8
ESPAGNE									18	10	16	17	15	12	16	17
CALIFORNIE	rouge															
	blanc															

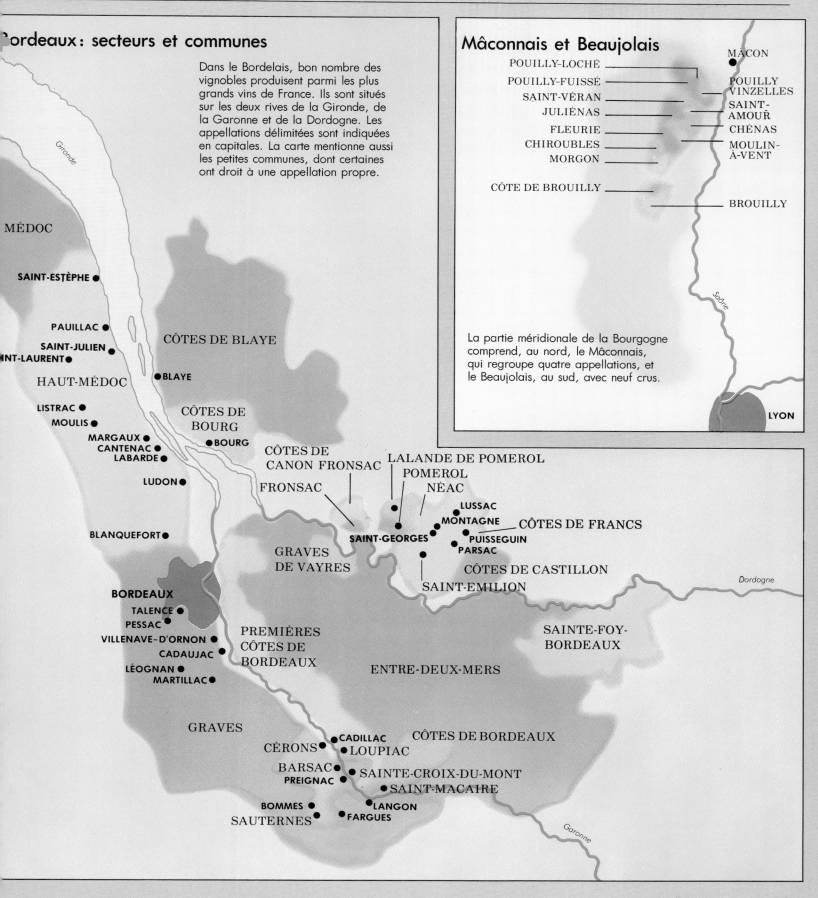

Le Val de Loire

Les vignobles disséminés le long de la Loire et de ses affluents produisent des vins rouges, blancs et rosés. Les noms sur la carte correspondent aux neuf appellations principales *(noms en grandes capitales)* et aux subdivisions régionales qu'elles englobent.

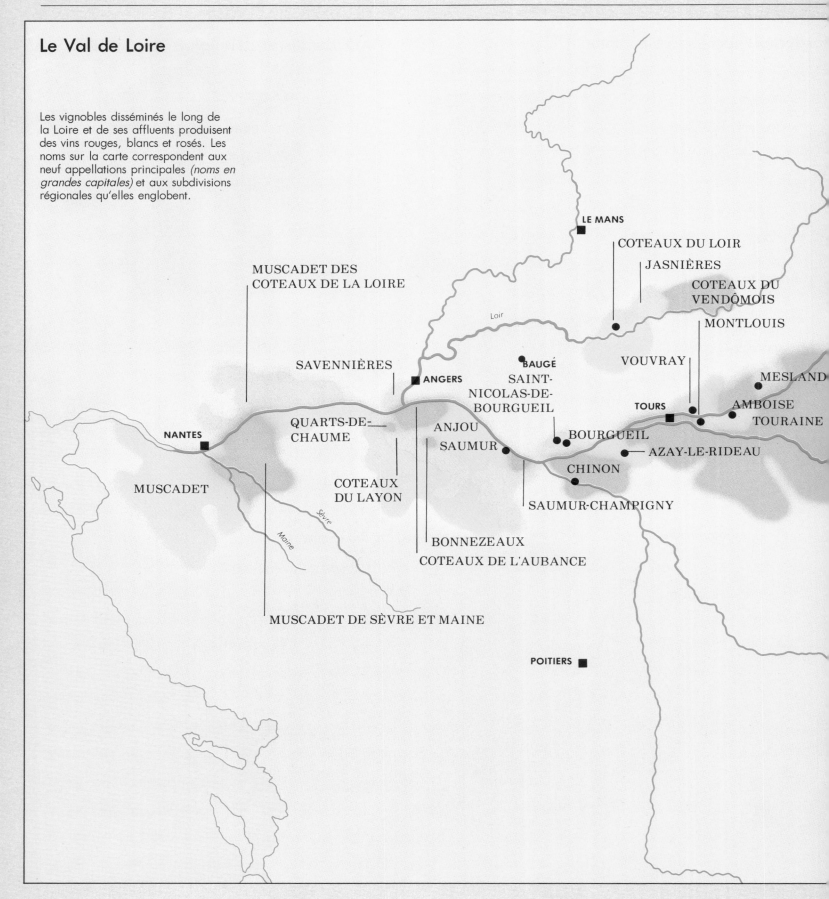

LE MANS

COTEAUX DU LOIR

JASNIÈRES

COTEAUX DU VENDÔMOIS

Loir

MONTLOUIS

MUSCADET DES COTEAUX DE LA LOIRE

SAVENNIÈRES

BAUGÉ

VOUVRAY

MESLAND

ANGERS

SAINT-NICOLAS-DE-BOURGUEIL

TOURS

AMBOISE

TOURAINE

NANTES

QUARTS-DE-CHAUME

ANJOU

SAUMUR

BOURGUEIL

AZAY-LE-RIDEAU

MUSCADET

COTEAUX DU LAYON

CHINON

Sèvre

SAUMUR-CHAMPIGNY

Maine

BONNEZEAUX

COTEAUX DE L'AUBANCE

MUSCADET DE SÈVRE ET MAINE

POITIERS

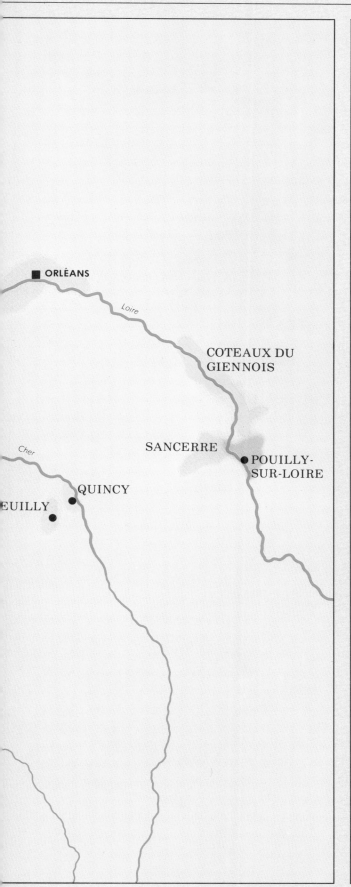

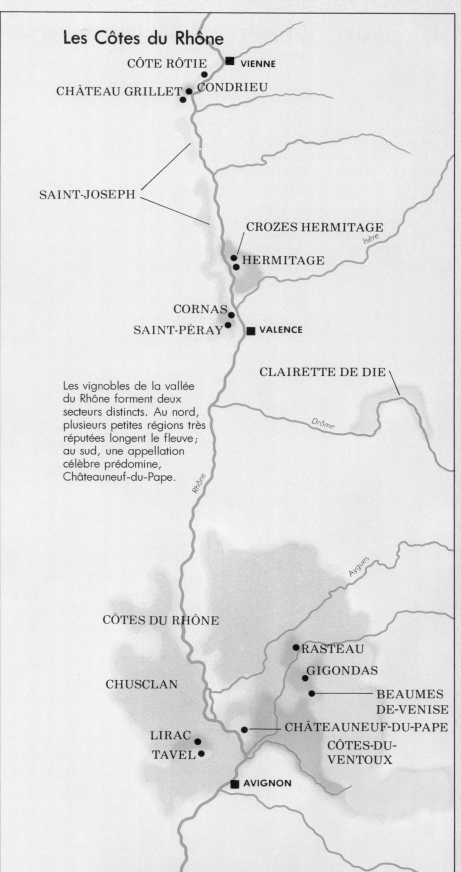

Les Côtes du Rhône

CÔTE RÔTIE ■ VIENNE

CHÂTEAU GRILLET ● CONDRIEU

SAINT-JOSEPH

CROZES HERMITAGE

HERMITAGE

CORNAS

SAINT-PÉRAY ■ VALENCE

CLAIRETTE DE DIE

Isère

Drôme

Les vignobles de la vallée du Rhône forment deux secteurs distincts. Au nord, plusieurs petites régions très réputées longent le fleuve; au sud, une appellation célèbre prédomine, Châteauneuf-du-Pape.

Rhône

Aygues

CÔTES DU RHÔNE

RASTEAU

GIGONDAS

BEAUMES DE-VENISE

CHUSCLAN

CHÂTEAUNEUF-DU-PAPE

LIRAC

TAVEL

CÔTES-DU-VENTOUX

■ AVIGNON

■ ORLÉANS

Loire

COTEAUX DU GIENNOIS

SANCERRE

POUILLY-SUR-LOIRE

Cher

QUINCY

EUILLY

La Côte-d'Or : la Côte de Beaune et la Côte de Nuits

La Bourgogne englobe la Côte-d'Or, dont les célèbres vignobles s'étirent à flanc de colline, du sud-ouest au nord-est du département. La Côte de Beaune couvre la moitié sud ; la Côte de Nuits, la moitié nord (ci-dessous). Sur ces pages, on a divisé la région en trois, du sud (ci-contre) au nord (extrême droite). Les communes sont indiquées en majuscules ; les grands vignobles, en petits caractères (zones en grisé).

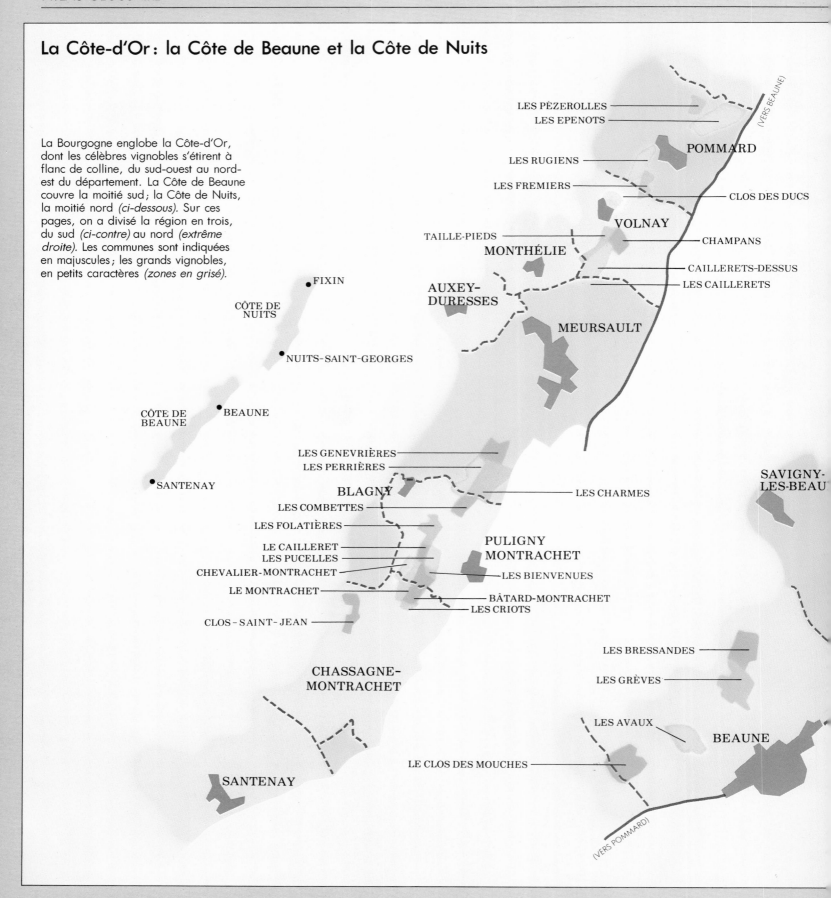

(VERS BEAUNE)

LES PÉZEROLLES

LES EPENOTS

POMMARD

LES RUGIENS

LES FREMIERS

CLOS DES DUCS

VOLNAY

TAILLE-PIEDS

CHAMPANS

MONTHÉLIE

AUXEY-
DURESSES

CAILLERETS-DESSUS

LES CAILLERETS

MEURSAULT

FIXIN

CÔTE DE
NUITS

NUITS-SAINT-GEORGES

CÔTE DE
BEAUNE

BEAUNE

SANTENAY

LES GENEVRIÈRES

LES PERRIÈRES

SAVIGNY-
LES-BEAU

BLAGNY

LES CHARMES

LES COMBETTES

LES FOLATIÈRES

LE CAILLERET

PULIGNY
MONTRACHET

LES PUCELLES

CHEVALIER-MONTRACHET

LES BIENVENUES

LE MONTRACHET

BÂTARD-MONTRACHET

LES CRIOTS

CLOS-SAINT-JEAN

LES BRESSANDES

LES GRÈVES

CHASSAGNE-
MONTRACHET

LES AVAUX

BEAUNE

LE CLOS DES MOUCHES

SANTENAY

(VERS POMMARD)

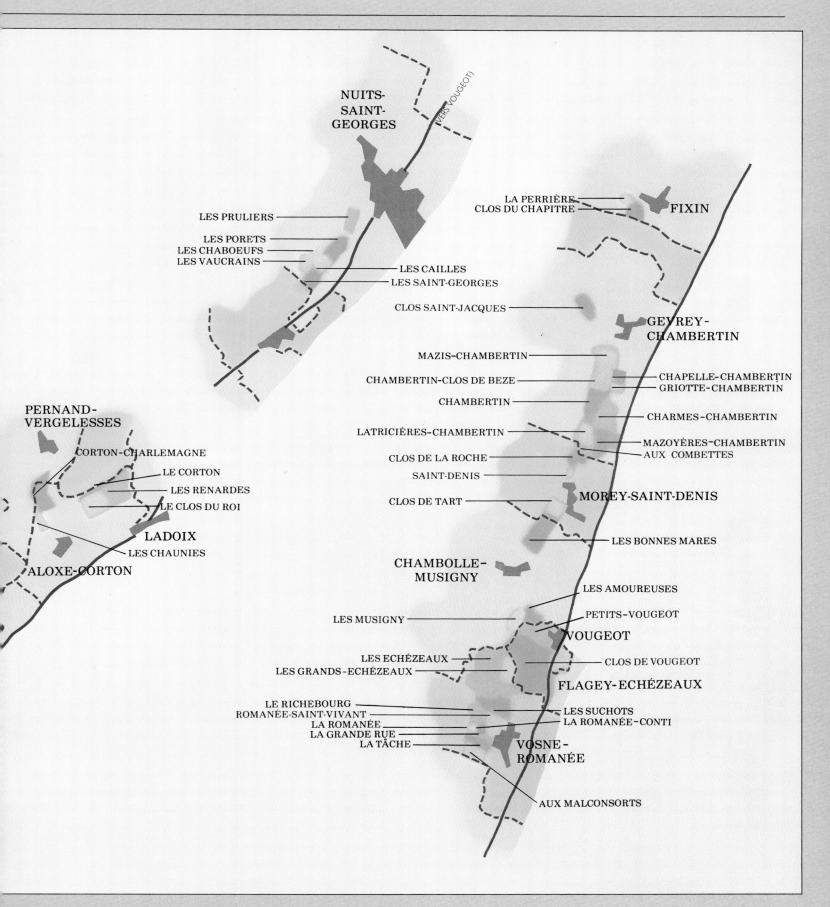

NUITS-
SAINT-
GEORGES

(VERS VOUGEOT)

LA PERRIÈRE
CLOS DU CHAPITRE
FIXIN

LES PRULIERS

LES PORETS
LES CHABOEUFS
LES VAUCRAINS

LES CAILLES
LES SAINT-GEORGES

CLOS SAINT-JACQUES

GEVREY-
CHAMBERTIN

MAZIS-CHAMBERTIN

CHAPELLE-CHAMBERTIN
GRIOTTE-CHAMBERTIN

CHAMBERTIN-CLOS DE BEZE

CHAMBERTIN

CHARMES-CHAMBERTIN

LATRICIÈRES-CHAMBERTIN

MAZOYÈRES-CHAMBERTIN
AUX COMBETTES

CLOS DE LA ROCHE

SAINT-DENIS

PERNAND-
VERGELESSES

CORTON-CHARLEMAGNE

CLOS DE TART

MOREY-SAINT-DENIS

LE CORTON

LES RENARDES

LE CLOS DU ROI

LES BONNES MARES

LADOIX

CHAMBOLLE-
MUSIGNY

LES CHAUNIES

ALOXE-CORTON

LES AMOUREUSES

PETITS-VOUGEOT

LES MUSIGNY

VOUGEOT

LES ECHÉZEAUX

CLOS DE VOUGEOT

LES GRANDS-ECHÉZEAUX

FLAGEY-ECHÉZEAUX

LE RICHEBOURG
ROMANÉE-SAINT-VIVANT
LA ROMANÉE
LA GRANDE RUE
LA TÂCHE

LES SUCHOTS
LA ROMANÉE-CONTI

VOSNE-
ROMANÉE

AUX MALCONSORTS

89

A.C. *Appellation contrôlée.* Voir *Appellations d'origine contrôlée*; voir aussi *Législation du vin*

Afrique du Sud

L'Afrique du Sud est une nouvelle venue parmi les pays producteurs de vins de table. Au XVIIIᵉ siècle, son Constancia, vin de liqueur du Cap, renommé en Europe, rivalisait avec le Porto et le Tokay. Grâce à de modernes méthodes de vinification, il produit des rouges francs et coulants, dont les meilleures réussites sont issues du Cabernet-Sauvignon et du Pinotage — un croisement sud-africain de Pinot noir et de Cinsault. Il produit également quelques agréables vins blancs.

La production vinicole d'Afrique du Sud a beaucoup progressé depuis 1918, date de la fondation de l'Union coopérative des producteurs *(Kooperatieve Wijnbouwers Vereniging, ou KWV)*, qui, plus tard, fut habilitée à contrôler la production et la qualité. Ces contrôles sont devenus de plus en plus rigoureux, surtout depuis l'entrée en vigueur, en 1973, des lois sur les Vins d'origine permettant aux vins du Cap d'être vendus dans les pays de la C.E.E. Le cachet « Vin d'origine » garantit la véracité de l'étiquetage en ce qui concerne l'origine, le type et le millésime du vin.

Les grandes régions viticoles d'Afrique du Sud s'inscrivent à l'intérieur d'un L, dont les branches s'étendent sur 300 km au nord et 400 km à l'est, à partir d'un point proche du Cap *(carte page 81)*. Les meilleurs vins proviennent de la région située juste à l'est de la ville du Cap, aux environs de Stellenbosch, de Paarl, de Worcester et de Robertson, où le climat est un peu plus frais et les pluies plus abondantes qu'ailleurs. Le sol, légèrement granitique, est favorable à la culture des cépages noirs.

Pour les vins courants, les cépages sud-africains traditionnels étant de moindre intérêt, on tend à les remplacer par des cépages nobles : le vrai Riesling remplace un faux Riesling sud-africain et donne maintenant un vin verdâtre, d'un fruité léger, un peu mordant sur la fin. Le Steen, vieux cépage du pays, donne traditionnellement des vins fruités, souvent moelleux, mais aujourd'hui souvent plus légers et secs. Les ampélographes ont reconnu dans le Steen une forme de Chenin blanc; on remplace peu

à peu les anciennes plantations par des lignées européennes du même cépage.

Le cépage connu en Afrique du Sud sous le nom de Raisin vert *(Groendruif)* a été identifié comme du Sémillon; on lui a adjoint, ces dernières années, d'autres cépages blancs tel que le Sauvignon, le Müller-Thurgau, le Sylvaner, le Gewurztraminer et la Clairette. Le Muscat d'Alexandrie, appelé ici Hanepoot, est un des cépages utilisés actuellement pour ces vins muscat au parfum caractéristique, parfois secs, souvent vins de liqueur.

Les deux principaux cépages noirs sont le Cinsault, très productif, qui donne un vin parfois un peu maigre, fréquemment utilisé pour la distillation et les assemblages; et le Pinotage, qui peut donner un excellent vin de caractère bien typé, supérieur dans ce climat particulier aux vins issus des vignes parentes du croisement.

La Syrah appelée ici Shiraz donne des vins denses, fortement colorés. Le Cabernet-Sauvignon réussit bien en Afrique du Sud, où il produit des vins de qualité semblable au Cabernet-Sauvignon d'autres pays chauds, comme l'Australie et la Californie.

Ahr

Cette région productrice de vins du Rhin, la plus petite d'Allemagne après le Hessische Bergstrasse, est située dans la vallée de l'Ahr, qui est un affluent du Rhin *(carte page 83)*. Avec moins de 500 hectares, ses vignobles fournissent seulement 5 % environ de la production nationale.

La vallée de l'Ahr est la région vinicole allemande la plus septentrionale, au climat très froid peu propice à la viticulture. Elle produit néanmoins plus de rouges que de blancs, ce qui est exceptionnel pour le pays. Certains vins rouges réputés en Allemagne sont cependant très peu exportés.

Les cépages Spätburgunder (Pinot noir) et Portugieser donnent les vins rouges; le Riesling et le Müller-Thurgau les blancs. Il n'y a qu'une sous-région *(Bereiche)*, Walporzheim Ahrtal, composée d'une unique section de vignobles *(Grosslage)* qui regroupe plus de 40 vignobles individuels.

Algérie

L'Algérie est l'un des plus gros producteurs de vin du monde. Comme la religion islamique interdit de boire de l'alcool, elle

exporte la plus grande partie de sa production en Union soviétique, en Allemagne et en Afrique occidentale surtout. La viticulture algérienne moderne fut implantée au milieu du XIXᵉ siècle par les colons français qui ont importé leur savoir-faire et une longue tradition de vins de qualité. En 1962 lors de l'indépendance, le départ de nombreux vignerons expérimentés a entraîné une baisse de qualité à laquelle le gouvernement s'efforce depuis de remédier. La plupart du vin est exporté en vrac pour être assemblé — mais il y en a quelques-uns d'excellente qualité.

A l'ouest, l'ancien département d'Oran est la principale région vinicole, avec plus de 70 % des vignobles, regroupant neuf zones classées à l'époque de la colonisation comme productrices de vins V.D.Q.S. *(voir cette appellation)*, label auquel ils n'ont plus droit. A l'est d'Oran, la région d'Alger produit 25 % environ du vin du pays. Plus à l'est encore, Constantine est la région la moins productrice. Les meilleurs vins algériens, toujours rouges, viennent des vignobles d'Oran et d'Alger situés sur les collines et les versants nord de l'Atlas, au sol calcaire mêlé de gravier. Les vignobles des terres plates du littoral au sol riche et alluvial fournissent la majorité des vins rouges et blancs de consommation ordinaire en vrac et d'assemblage.

Les cépages sont les mêmes que ceux du Midi de la France: pour les rouges le Carignan, le Cinsault, le Morastel, le Grenache, l'Alicante-Bouschet et la Syrah; pour les blancs, les cépages sont l'Ugni blanc, la Clairette et le Muscat.

La chaleur du climat engendre des vins pleins et puissants. Les rouges d'Oran sont colorés, alcoolisés, avec une faible acidité. Les vignobles de Mascara, Tlemcen et Haut-Dahra produisent les vins oranais les plus riches et les plus robustes. Les vins algérois des coteaux sont généralement délicats, fruités et parfumés.

Allemagne

Lorsque l'on pense aux vignobles allemands, l'imagination évoque des vallées fluviales, des coteaux couverts de vignes dorées par le soleil d'automne, des négociants amènes, des verres à pied élancé, des bouteilles sveltes et fraîches, des vins floraux, fragrants et élégants. Et cette image reflète bien la réalité: les vignobles allemands s'étendent tout au long de la vallée du Rhin et de ses affluents (Moselle, Main et Neckar); les vignerons sont très affairés mais réellement accueillants. Le paysage est riant et les vins sont élégants.

L'Allemagne n'est pourtant pas par nature un pays vinicole, tels la France, l'Italie et l'Espagne, où le vin est une fête quotidienne. Ici, c'est un nectar peu abondant, durement acquis grâce à l'ingéniosité et au travail de l'homme et à la ténacité de la vigne. La plus grande partie du pays est beaucoup trop septentrionale pour que s'y épanouissent les vignes. On ne fait du vin que dans quelques régions du sud-ouest à production très réduite, qui atteint, en effet, à peine le dixième de celle de la France ou de l'Italie. Beaucoup sont très bons, une infime partie exquis. Les *Spitzenweine* sont de très grands vins, au même titre que les Bourgogne blancs et les Grands Crus de Sauternes.

Près de 90% des vins allemands sont blancs, car les rouges mûrissent mal à des latitudes aussi septentrionales. On connaît peu les vins rouges allemands à l'étranger, bien que certains, tel le *Assmannshäuser Rotwein* de la région du Rheingau et ceux du pays de Bade, jouissent en Allemagne d'une certaine réputation.

Les vignobles allemands se situent à la frontière d'un climat maritime humide, à l'ouest, et à l'est d'un climat continental plus sec, plus frais en hiver et plus chaud en été. Les grands fleuves, notamment le Rhin, influencent la température et les conditions météorologiques, de sorte que règne sur leurs rives un climat quasi maritime. Sans cet effet modérateur des cours d'eau, peu de terres se prêteraient à la viticulture. Un pas de plus au nord, et la vigne ne pousserait plus. Les variations locales — un méandre ensoleillé, une pente à l'abri du vent — peuvent ainsi entraîner des différences importantes. De même, le moindre changement de temps a sur la vigne une influence directe. Les années ne se ressemblent jamais: quand elles sont bonnes, les raisins mûrissent tard et sont riches; quand elles sont médiocres, il faut les cueillir prématurément pour faire du Sekt, le vin mousseux allemand. Ce climat présente cependant quelques avantages: il fait souvent déjà chaud au début de juin, quand la vigne doit

fleurir, et très beau durant l'arrière-saison, qui se prolonge souvent. L'eau des fleuves absorbe et reflète le faible soleil d'automne. Les neiges hivernales sont les bienvenues: elles protègent les racines; les brumes matinales atténuent le froid. Pourtant, la catastrophe est toujours imminente: des gelées printanières — ou des pluies diluviennes au moment des vendanges —, et toute la récolte est perdue!

Ce climat frais présente ainsi des avantages et des inconvénients. Les vignerons allemands en exploitent les avantages en se spécialisant dans des types de vins qui ne pourraient nulle part ailleurs être produits avec succès. Sous cette latitude, les raisins ne mûrissent pas aussi complètement que sous le soleil du Midi de la France. Ils contiennent donc moins de sucre à transformer en alcool et donnent des vins naturellement légers. Pour ne pas compromettre l'équilibre de ces vins, les vignerons allemands ont préféré ériger la légèreté en qualité et interdire la chaptalisation *(pages 12 et 13)* pour les meilleures catégories.

La douceur de l'ensoleillement garantit également une certaine acidité des raisins au moment des vendanges. Cette acidité intrinsèque des bons vins allemands leur confère une certaine fraîcheur. Toutefois, si elle n'est pas compensée par une nette teneur en sucre, elle risque de produire un vin désagréablement aigrelet. Certains vins allemands contiennent encore du sucre à la fin de la fermentation, mais la plupart sont adoucis par addition de jus de raisin frais avant d'être mis en bouteilles.

L'appréciation de la teneur en sucre constitue une des plus délicates tâches du vigneron allemand. De même que l'on exige d'un vin rouge un parfait équilibre quant au fruité, au tanin et à l'acidité, on demande ainsi à un vin du Rhin ou de la Moselle une totale harmonie entre le fruité, l'acidité et la teneur en sucre. La mode étant aux vins plus secs, on a tenté de moins les adoucir en réduisant la quantité de moût, mais les résultats se sont en général révélés décevants. Sans adjonction de sucre pour équilibrer le mélange, les vins peuvent paraître acides et minces.

Toujours à cause du climat, les raisins mûrissent très lentement. Chaque jour de sursis est un défi lancé à la pluie et aux orages, mais cette longue maturation donne

au raisin le temps de développer toutes sortes de saveurs complexes et subtiles, absentes des cépages à maturation précoce. Les Allemands accentuent cette caractéristique en cultivant des cépages d'une riche fragrance, dont le Riesling est le meilleur exemple. En résumé, on peut dire que les vins allemands sont relativement peu alcoolisés, très parfumés, avec une dominante florale très typique.

Les vins les plus agréables sont presque toujours à base de Riesling, cépage qui dans de bonnes conditions produit des vins d'une grande noblesse. Ce petit raisin serré et verdâtre exige un sol aride. Son goût fruité, jamais douceâtre, est équilibré par une bonne acidité. Le quart environ des vignobles allemands est constitué de cépage Riesling. Pourquoi pas davantage? Simplement à cause de ses inconvénients: faible rendement, maturation tardive et sensibilité aux maladies, exacerbée par l'habituelle humidité des automnes allemands. Par ailleurs, il résiste bien aux gelées et peut donc rester assez longtemps sur les vignes pour développer le *botrytis cinerea (page 16)*, qui apporte la pourriture noble essentielle à la production d'un grand vin liquoreux.

Les deux autres principaux cépages blancs sont le Sylvaner et le Müller-Thurgau, qui représentent respectivement 15% et plus de 30% de tous les vignobles. Le Sylvaner se cultive plus facilement que le Riesling, a une maturation plus précoce et un rendement deux fois plus élevé, mais il donne un vin de moindre caractère, qui ne se situe pas dans la même classe.

Le Müller-Thurgau est un croisement de Riesling et de Sylvaner, réussi peu après 1890 par Hermann Müller, Suisse originaire du canton de Thurgovie. Depuis le succès de ce croisement, les œnologues ont beaucoup travaillé sur ce cépage. On le cultive parce qu'il associe les qualités de ses deux parents (bon rendement et maturation précoce) et donne un vin moins ferme qu'un Riesling, mais bien équilibré. Son goût rappelle très légèrement celui du Muscat. On l'utilise de plus en plus en Allemagne.

Parmi les autres cépages plantés en quantité plus restreinte, on peut citer le Rülander (ou Pinot gris) qui aime les sols plus riches et donne des vins plus pleins, à la robe plus foncée; le Gutedel blanc (ou Chasselas), qui produit des vins légers à boire jeunes; le Kerner, croisement de Riesling et de Trollinger rouge; le Scheurebe, croisement de Sylvaner et de Riesling (à ne pas confondre avec le Müller-Thurgau, qui est un croisement de Riesling et de Sylvaner), et le Morio-Muscat, croisement de Sylvaner et de Pinot blanc, qui donne un vin au bouquet de Muscat curieusement prononcé. Pour le Sekt, on cultive un autre cépage blanc peu distingué, l'Elbling. L'encépagement en raisins rouges — Blauer Portugieser, Trollinger et Spätburgunder (ou Pinot noir) — est nettement plus réduit.

Il convient de noter que, sauf dans quelques régions vinicoles restreintes, les Allemands sont avant tout des buveurs de bière. Elle est présente à tous les repas, et il ne saurait être question, comme on le fait en France, d'établir une harmonie entre les mets et les vins. De toute façon, la plupart des vins du Rhin et de la Moselle sont souvent trop légers — ou paradoxalement quelquefois trop riches — pour que l'on puisse les marier à des réussites culinaires. Nombreuses sont cependant les exceptions: ainsi, les vins allemands accompagnent fort bien les omelettes, soufflés au fromage, saucisses épicées, asperges et le jambon, entre autres. Rien ne vaut un vin de Moselle pour arroser un déjeuner léger, ou une fraîche bouteille de vin du Rhin avec du poulet froid. Les Allemands dégustent les vins plus secs de Franconie et du Palatinat avec du porc, de la perdrix ou du faisan: des mariages qui donnent parfois quelques résultats superbes.

Le vin allemand est pourtant davantage une boisson en soi, à déguster tranquillement entre amis les soirs d'été autour d'une table, dans un jardin, devant un panier de fraises ou de pêches. Les grands vins liquoreux se savourent sans accompagnement, méritant qu'on s'y attarde et qu'on en vante les mérites pour le simple plaisir.

Il n'est guère de pays où les types de vins et la manière d'en jouir fassent à ce point l'unanimité des vignerons. N'en concluez pas pour autant qu'il n'y a pas de variété, car elle existe: les différences de qualité, les nuances de goût sont considérables.

La saveur des vins allemands varie en effet d'un vignoble à l'autre, d'une année sur l'autre, voire d'une barrique à l'autre. Nombre de négociants ne traitent pas uniformément les vendanges de l'année, mais chaque tonneau séparément. Les différences de goût les plus profondes se décèlent entre les produits des diverses parties du pays: elles proviennent essentiellement des différences de climat et de sol. De nombreux secteurs viticoles sont pratiquement inconnus hors de leurs propres limites. En fait, aux yeux du monde, les vins allemands se résument à ceux du Rhin et de la Moselle. Certains amateurs reconnaissent les vins du Palatinat et parfois le Stein de Franconie; quelques-uns ont entendu parler des vins plus secs du pays de Bade, mais lorsque l'on aborde les régions de la vallée de l'Ahr, de la Hessische Bergstrasse ou du Mittelrhein, seuls s'y retrouvent les spécialistes locaux.

Pour distinguer les vins de qualité, la législation allemande a divisé les zones productrices en onze régions (carte page 83). Sept de ces régions produisent des vins du Rhin, une du vin de la Moselle et les trois autres des vins de caractère totalement différent. Les quatre principales régions productrices de vins du Rhin sont le Rheingau — à cent coudées au-dessus des autres —, le Rheinhessen, la Nahe et le Rheinpfalz (Palatinat rhénan); les trois autres sont la vallée de l'Ahr, le Mittelrhein et la Hessische Bergstrasse. La région de la Moselle, officiellement appelée Mosel-Saar-Ruwer, englobe désormais aussi les vallées de la Ruwer et de la Sarre. Les trois autres régions productrices de vins de qualité sont la Franconie, le Wurtemberg et le pays de Bade (voir ces mots).

Cette subdivision régionale résulte à la fois de siècles d'expérience de la viticulture et d'une législation récente. La culture de la vigne sur les rives du Rhin a commencé au temps des Romains et s'est poursuivie sans interruption durant toute l'ère chrétienne. Sous l'occupation napoléonienne, les grands domaines médiévaux, appartenant au clergé et à la noblesse, ont été répartis entre les paysans puis, au fil des générations, morcelés en lopins de plus en plus réduits. Bien qu'à un degré moindre, il en a été de même en Bourgogne. En Allemagne, les propriétés d'un huitième d'hectare représentent la règle plus que l'exception. Autrefois, l'Allemagne comptait environ 50 000 vignobles officiellement enregistrés au cadastre; il en reste aujourd'hui près de 3 000, ce qui représente encore un nombre considérable.

Cette diminution spectaculaire est due à la loi vinicole de 1971, qui n'a accordé le droit de conserver leur nom qu'aux vignobles d'au moins 5 hectares. Il a donc fallu regrouper sous la même appellation les parcelles de vignobles voisines de superficie inférieure à cette norme, chaque propriétaire continuant néanmoins à produire son propre vin. Bien que judicieuse, cette mesure a navré les titulaires d'appellations anciennes qui ont sombré dans l'oubli. Seuls un ou deux crus de renommée exceptionnelle ont pu conserver leur identité.

Depuis ce changement, le consommateur ne peut s'y reconnaître sans savoir le nom du viticulteur et celui du vignoble. En effet, un site peut fort bien avoir acquis une excellente réputation grâce aux produits d'un ou deux propriétaires, alors que les vignerons voisins utilisant la même appellation n'ont pas la même compétence.

Entre les onze régions productrices de vins de qualité et les milliers de petits domaines, il existe trois autres subdivisions dont le nom peut figurer sur les étiquettes aux termes des dispositions de la loi de 1971. La plus importante d'entre elles est le Bereich (sous-région). Il y en a 31 en tout. Chaque Bereich se divise en sections de vignobles ou Grosslagen (gross signifie grand et Lage site). Ces crus collectifs comprennent eux-mêmes plusieurs vignobles individuels (Einzellagen). Aujourd'hui, on compte approximativement 130 sections de vignobles, regroupant quelque 2600 vignobles individuels dont les noms sont officiellement enregistrés. L'étiquette des vins d'une région donnée indique toujours également le nom des agglomérations entourant le vignoble. Elle mentionne deux noms: celui de l'agglomération, suivi de celui du Einzellage ou du Grosslage. On appelle un vin produit sur le vignoble individuel Jesuitengarten (qui fait partie du Grosslage Hönigberg, près de l'agglomération vinicole de Winkel) Winkeler Jesuitengarten. Par ailleurs, si certains cépages seulement proviennent de Jesuitengarten et le reste d'autres vignobles du Hönigberg, le vin s'appellera Winkeler Hönigberg. À moins de connaître le nom du Einzellage et du Grosslage, il est donc impossible de savoir au premier coup d'œil si un vin provient d'un seul vignoble ou s'il s'agit d'un assemblage de plusieurs vins.

L'industrie allemande du vin est très

moderne et novatrice. Les spécialistes s'acharnent à accroître le rendement avec le minimum de risques. Peu de pays réglementent de façon aussi stricte le contenu des bouteilles ou en exigent sur les étiquettes une description aussi complète. Cette rigueur ne date pas d'hier: les premières lois allemandes sur le vin remontent à 1879.

La loi actuelle divise les vins en trois catégories qui sont, par ordre croissant de qualité, les *Deutscher Tafelwein* (vins de table), les *Qualitätswein* (vins de qualité) et les *Qualitätswein mit Prädikat* (vins de qualité avec attributs spéciaux).

Les *Deutscher Tafelwein*, bien que souvent convenables, ne sont pas des vins de tête. Ce sont des vins vifs, pas très alcoolisés. Les bons *Tafelwein* doivent posséder un parfum léger et frais, avec une pointe de douceur. Une pointe seulement, car lorsque l'aspect moelleux masque leur acidité ils sont un peu moins bons.

Légalement, les *Deutscher Tafelwein* doivent contenir un minimum d'alcool de 8,5% et se composer d'un cépage cultivé dans une région vinicole déterminée. Sinon, on ne peut les appeler que *Tafelwein*, sans autre précision, ce qui désigne aussi bien les assemblages avec des vins d'un pays de la Communauté économique européenne. Les *Deutscher Tafelwein* peuvent être chaptalisés *(pages 12 et 13)*. Ils ne subissent pas de tests de dégustation mais doivent se conformer à une stricte législation régissant les aliments et les descriptions commerciales.

L'étiquette indique *Deutscher Tafelwein* puis le nom des secteurs d'origine qui ne correspondent pas aux onze régions productrices de vins de qualité, pour ne pas semer la confusion dans l'esprit de l'acheteur, mais qui sont les cinq suivants: Rhin, Moselle, Main, Neckar et Oberrhein. L'Allemagne exporte des vins de table sous les noms de marque comme Goldener Oktober ou Prinz Rupprecht. Pour en maintenir la qualité, on les assemble afin de permettre au consommateur de retrouver, avec la marque, le type de vin qui lui plaît.

Il est intéressant de noter qu'en fait l'Allemagne produit très peu de vins de table. Certaines années, quand les vendanges sont bonnes et que les vins répondent aux critères requis pour les qualités supérieures, les *Tafelwein* ne représentent que 5% de la production totale. Les négociants

préfèrent tenter d'obtenir le meilleur vin possible dans des conditions données et, la législation étant ce qu'elle est, il arrive que le même vin soit classé comme *Deutscher Tafelwein* une année et comme *Qualitätswein mit Prädikat* l'année suivante. De même, si la troisième année est catastrophique, il peut alors très bien être anonymement noyé dans une cuve de Sekt.

La catégorie intermédiaire regroupe les *Qualitätswein* ou, pour leur donner leur nom complet, *Qualitätswein eines bestimmtes Anbaugebiet* (vins de qualité d'une région spécifiée), toujours abrégé en QbA. La «région spécifiée» doit faire partie des onze *Weinanbaugebiet* (régions vinicoles) officielles. Pour mériter le titre de QbA, un vin doit se conformer à la réglementation régionale sur le cépage, l'encépagement, le rendement et le degré d'alcool. La chaptalisation est autorisée dans les limites prescrites pour chaque région.

S'il répond aux normes établies, le vin qui aspire au titre de QbA est soumis à des tests: d'abord à une analyse de laboratoire portant sur des facteurs comme l'alcool, le sucre et l'acidité, et ensuite à une dégustation par un comité de professionnels. Notons que les candidats doivent se représenter chaque année.

A l'issue de ces tests, on note sur 20 la robe, la limpidité, le nez et le bouquet. Pour être admis au rang de QbA, un vin doit obtenir une moyenne de 11. S'il est en dessous de cette moyenne, même d'une fraction de point, il ne peut être vendu que comme vin de table. Un vin ayant subi avec succès les tests de laboratoire et de dégustation reçoit un numéro de contrôle officiel. Son étiquette devra arborer le nom *Qualitätswein* ou l'abréviation QbA et indiquer la région d'origine et le numéro de contrôle.

De nombreux autres renseignements peuvent également figurer à titre facultatif. En fait, les étiquettes allemandes foisonnent d'indications, dont aucune n'est inutile. Elles mentionnent souvent le millésime et le cépage si 85 pour cent au moins du vin a été fait avec ce cépage. Si le vin provient d'une région particulière ou d'une partie spécifique d'une région, ce nom peut également apparaître sur l'étiquette. On trouve en outre le nom du producteur, de l'embouteilleur ou de l'exportateur et parfois la mention *Erzeugerabfül-*

lung (mise en bouteille par le producteur).

Les QbA sont souvent de très bons vins, que l'on peut considérer comme l'un des chevaux de bataille de la production vinicole allemande. Les plus charnus sont des vins de garde: ils gagnent en complexité à être conservés pendant des années. Tous peuvent cependant se boire dans l'année qui suit la mise en bouteilles — plus ils sont jeunes, plus leur goût est frais et vif.

Les *Qualitätswein mit Prädikat* ou QmP (vins de qualité avec attributs spéciaux) sont les vins allemands de grande classe. Ils ne peuvent provenir que d'une sous-région déterminée, et généralement d'un vignoble spécifique de cette sous-région. La chaptalisation des QmP est interdite: ils doivent titrer un minimum de 10° sans addition de sucre. Compte tenu de la rigueur de la législation, peu de vins sont admis dans cette catégorie quand l'année est médiocre. Les négociants préfèrent parfois jouer la sécurité en chaptalisant leur vin pour postuler à la qualité moyenne, QbA.

Si la chaptalisation est interdite dans les vins QmP, la loi permet en revanche de les sucrer avec une quantité limitée de moût ou Süssreserve. Ce moût doit provenir du même vignoble, du même cépage et de la même année que le vin. On l'ajoute avant la mise en bouteilles et on le traite pour qu'il ne fermente pas dans la bouteille.

Un vin QmP doit subir les mêmes tests de dégustation qu'un QbA et obtenir une moyenne de 13 sur 20. Il existe cinq «attributs spéciaux» hiérarchiques, correspondant chacun à une moyenne déterminée: Kabinett, Spätlese, Auslese, Beerenauslese et Trockenbeerenauslese.

Les Kabinett sont les moins alcoolisés et généralement les plus secs des cinq. Pour être conformes, ils doivent être fins, bien faits, avec les caractéristiques prononcées de leur type, qu'il s'agisse de vins de la Moselle, du Rhin ou de Franconie.

Pour tenter de produire un Spätlese, le vigneron doit attendre que les cépages soient le plus mûrs possible et vendanger tard. Cette attente est toujours risquée, eu égard aux conditions météorologiques, mais si tout se passe bien, il obtiendra un vin plus riche, plus dense, vraisemblablement plus alcoolisé et qui se vendra plus cher.

Pour un Auslese, on trie les raisins les plus mûrs et les plus sains. Le vin y gagne.

Le mot *Auslese* ne garantit pas à lui seul que les raisins ont été cueillis tard, bien que cela soit souvent le cas. Ces vins sont généralement à la fois plus moelleux et plus puissants que les Spätlese.

Pour produire un Beerenauslese, on pratique la sélection grain par grain, les années exceptionnelles, quand la douceur et la longueur de l'automne ont permis au *botrytis cinerea* de se répandre sur les raisins. Il est inutile d'ajouter de la Süssreserve aux Beerenauslese pour les sucrer. En effet, la teneur en sucre des raisins est alors si élevée qu'il en reste encore beaucoup à la fin de la fermentation. Cela donne un vin liquoreux et aromatique, plutôt plus alcoolisé que la majorité des vins allemands.

Pour le Trockenbeerenauslese, on procède comme pour le Beerenauslese, mais en attendant plus longtemps encore; car plus les raisins restent sur la vigne, plus ils se concentrent et gagnent en intensité et en qualité. En décembre, parfois même en janvier, les grains sont ridés et presque aussi secs que des raisins de Corinthe. Après la cueillette, ils sont étalés sur des tables et les meilleurs coupés un à un avec des petits ciseaux — c'est-à-dire ceux qui ont dépassé la maturité en conservant une peau entière, convenablement couverte de pourriture noble et ridée. Ce procédé fastidieux, qui exige une main-d'œuvre importante, revient extrêmement cher (vingt fois plus que pour un Kabinett) mais est particulièrement satisfaisant — non tellement en terme de profit, mais parce qu'il donne des vins d'une intensité et d'une classe exceptionnelles. Les Beerenauslese et les Trockenbeerenauslese représentent les grands vins de l'Allemagne.

Il existe encore une autre appellation, Eiswein *(voir ce mot)*, qui ne correspond ni à un rang ni à un «attribut spécial» mais désigne simplement le procédé utilisé pour faire un vin. Seuls les vins QmP ont droit à cette appellation, quel que soit leur attribut; mais, dans la plupart des cas, ce sont surtout des Auslese.

Les étiquettes des vins QmP portent obligatoirement la mention *Qualitätswein mit Prädikat* ou simplement QmP, l'«attribut» propre (Spätlese ou Kabinett, par exemple), la région d'origine et le numéro de contrôle. Elles peuvent également indiquer le millésime, le secteur spécifique, le vignoble, le cépage, et donner toutes les précisions autorisées pour les QbA.

La catégorie QmP embrasse tous les types de vins allemands sous leur meilleure forme. En général, les vins jeunes de la classe Kabinett sont rafraîchissants, légers et glissants. Ils se révèlent pleinement après quelques années de garde: élégance, délicatesse et fermeté. On décèle parfois une nuance d'acier dans le Riesling d'où émergeront un fruité, une acidité et un corps équilibrés. Avec les QmP Kabinett, les vins QbA représentent 75% environ de la production allemande: ce sont les vins typiques. Les Spätlese et les Auslese sont plus particuliers. Ceux des bons millésimes méritent bien cinq à dix ans de garde. Les Beerenauslese et les Trockenbeerenauslese, exquis, rares, sont les vins pour les grandes occasions et parviennent à leur apogée au bout de quinze à vingt ans, certains se gardant presque indéfiniment.

Alsace

Avec leur caractère tout à fait marqué, les vins d'Alsace ne ressemblent à aucun autre vin de France ou d'Allemagne. Ils n'ont pas non plus grand-chose de commun avec les divers vins obtenus à travers le monde à partir des mêmes cépages: Riesling, Gewurztraminer, Muscat et Tokay.

Les vins d'Alsace sont remarquables à de nombreux égards. Les vins d'appellation, seuls à pouvoir être exportés, sont presque toujours de haute qualité. Les vignerons alsaciens sont réputés pour leur intégrité et leur détermination à produire le meilleur et le plus naturel des vins avec les ressources qui sont les leurs.

Située au nord-est de la France, aux frontières de la Suisse et de l'Allemagne, l'Alsace fut annexée à la couronne française sous Louis XIV en 1648, à la fin de la guerre de Trente Ans. Deux cent vingt ans plus tard, en 1871, elle fut annexée par l'Allemagne dans le cadre du traité de Francfort, qui mettait fin à la guerre franco-allemande. Pendant les cinquante années qui suivirent, la viticulture y fut totalement annihilée. En effet, pour protéger leurs propres vins du Rhin, les Allemands interdirent la culture des cépages nobles dans la province. La production alsacienne se limita donc pendant cette période à des petits vins bon marché, uniquement utilisés en assemblage avec des vins allemands médiocres faire du Sekt *(voir ce mot)*.

La restitution de l'Alsace à la France, à la fin de la Première Guerre mondiale, marqua les débuts d'une lutte acharnée pour replanter les vignobles, leur donner une réputation et trouver un marché pour les vins. Ces efforts furent annihilés une fois de plus pendant la Seconde Guerre mondiale. Sous l'occupation allemande, de 1940 à 1944, les combats dévastèrent à nouveau les vignes. A la fin de la guerre, les vignerons alsaciens se remirent à la tâche avec beaucoup de courage pour atteindre les résultats splendides des trente dernières années.

L'Alsace est l'une des deux régions vinicoles septentrionales de France *(carte page 84)*, avec la Champagne. Toutes deux produisent presque exclusivement des vins blancs: les cépages rouges ne donnent pas leur maximum sous ces latitudes. Il y règne un climat continental — étés chauds, faible pluviosité, hivers rigoureux. Pour protéger les pieds de vigne des gelées, on les taille de manière qu'ils poussent en hauteur.

Le quart environ de la superficie cultivée de l'Alsace est consacré à la vigne. Sur une bande sinueuse d'une centaine de kilomètres de long et de 1 à 5 kilomètres de large, les vignobles longent les contreforts des Vosges entre 180 et 365 mètres d'altitude. Ils sont orientés à l'est, face au Rhin. Les meilleurs vins viennent du centre de cette Route du vin. L'Alsace comprend deux départements: le Bas-Rhin et le Haut-Rhin «Alsace» ou «vin d'Alsace» est la seule appellation d'origine contrôlée.

Contrairement à tous les autres vins français, qui arborent sur leur étiquette l'indication de leur lieu d'origine (secteur, commune ou *château*), les vins d'Alsace portent seulement le nom du cépage avec lequel ils ont été faits.

Les cépages se divisent en deux catégories. Les cépages courants — Knipperlé Chasselas, Müller-Thurgau — donnent de petits vins de carafe vifs et rafraîchissants que l'on boit de préférence jeunes dans les cafés, les restaurants et les brasseries de la région. On ne les exporte pas et ils n'ont pas d'appellation spécifique.

Les cépages nobles sont au nombre de six. Les meilleurs sont le Riesling et le Gewurztraminer. Le premier cépage produit l'un des cinq ou six raisins les plus remarquables du monde; le second est sans doute le plus nettement caractérisé.

Considéré par les Alsaciens comme leur plus grand vin, le Riesling est à la fois ferme et délicat, complexe et fin. C'est un vin d'une netteté d'acier, extrêmement sec, au fruité, à l'acidité et à la fraîcheur parfaitement équilibrés. Il accompagne bien tous les mets qui exigent un vin blanc fin et sec: huîtres, poissons et fruits de mer. Il transforme un plat de choucroute garnie en véritable festin. La production de Riesling sera toujours limitée, car ici comme ailleurs c'est un cépage à maturation tardive, délicat et de très faible rendement.

Le Gewurztraminer est un vin très aromatique. *Gewürz* signifie à la fois épice et assaisonnement. Il est vrai que ce vin a un goût de fleurs et d'épices. Il a également de la force et de la puissance: c'est un vin solide malgré sa fragrance. Comme tous les vins d'Alsace très pleins, il peut être capiteux autant que sec. Les années où les automnes sont exceptionnellement longs et doux, les vignerons décident de faire une *vendange tardive* équivalant au Spätlese allemand pour produire un vin riche à la douceur persistante. Quand on en a goûté une fois, on reconnaît toujours un Gewurztraminer à son bouquet et à son goût. Ce vin blanc met merveilleusement en valeur les mets traditionnellement accompagnés de rouge: fondue savoyarde, porc, oie ou charcuterie chaude ou froide. C'est aussi le compagnon parfait de cette autre grande spécialité régionale: le foie gras.

Le Tokay d'Alsace (qui n'a rien à voir avec le Tokay de Hongrie), ou Pinot gris, donne un vin plus corsé, de couleur plus profonde, rond sans être mou, avec une texture suffisante pour accompagner le foie gras, la dinde et le poulet rôtis, le veau ou le jambon chaud.

Contrairement aux autres vins faits avec ce cépage dans le reste du monde, le Muscat d'Alsace n'est pas moelleux mais très sec, avec un parfum de musc et un goût de raisin très accentué. Quand il est léger, avec un arôme discret, on le boit en apéritif ou avec des asperges ou des œufs brouillés; quand il est corsé, liquoreux, voire capiteux, il accompagne des plats de crabe, de bouquets ou de langouste. Traditionnellement, on le sert en apéritif et parfois avec le fromage, les desserts et les fruits.

Le Pinot blanc donne un vin sec relativement peu complexe. Le Sylvaner, cépage de qualité le plus cultivé et le plus productif, donne parfois un vin assez fluet, voire acide et très léger. Un bon Sylvaner jeune a une sécheresse à la fois franche et fruitée. Le Pinot blanc, comme le Sylvaner, fait un bon vin d'apéritif pour l'été et se marie avec les quiches, les œufs et les fruits de mer.

L'Edelzwicker («mélange noble») est un vin agréable, frais, rafraîchissant, provenant de l'assemblage de deux ou plusieurs cépages nobles dont l'étiquette ne précise pas les noms — mais ils contiennent du Sylvaner plus souvent qu'on ne croit.

Conformément à la loi, les vins qui portent le nom d'un cépage noble doivent être faits exclusivement avec ce cépage. La même règle s'applique aux millésimes: si une étiquette indique 1978, par exemple, la bouteille ne doit pas contenir une seule goutte de vin d'une autre année. Hormis ces deux restrictions, les vins d'Alsace de provenance différente peuvent être — et sont — assemblés en toute liberté, à condition de provenir du même cépage, obligatoirement cultivé en Alsace. Ici, l'assemblage n'est pas un procédé expéditif mais un art conscient.

L'étiquette donne parfois le nom de l'agglomération d'origine du producteur. Cette indication ne signifie pas nécessairement que tout le contenu de la bouteille provient des vignobles voisins. Parmi les agglomérations les plus importantes, on peut citer Barr, Bergheim, Ribeauvillé, Ammerschwihr, Kientzheim, Kaysersberg, Riquewihr, Eguisheim et Guebwiller.

L'étiquette mentionne aussi parfois le nom d'un vignoble — Kaefferkopf, Sporen, Schoenenberg, Le Rangen, Pfirsiberg, etc. (il en existe une trentaine). Cela signifie alors que tout le contenu de la bouteille provient exclusivement de cette source. L'Alsace produit également une quantité importante de vins fiables de moindre qualité, sans appellation, commercialisés et exportés sous des noms de marque.

Les étiquettes portent parfois des titres comme Grand Vin, Grand Cru, Grande Réserve, Réserve Exceptionnelle: cela signifie qu'il s'agit de vins provenant exclusivement de cépages nobles et titrant au minimum 11°. Cuvée Spéciale et Réserve désignent un assemblage. Les vins sont

vendus dans des bouteilles sveltes et vertes appelées flûtes d'Alsace et doivent être mis en bouteilles dans la zone de production.

Ampélographie
Étude scientifique et classification de la vigne et des cépages.

Angleterre
L'Angleterre est un pays trop septentrional pour produire des vins de qualité marquante, sauf pendant les années exceptionnellement chaudes. Toutefois, on y fait un certain nombre de vins légers, agréables, provenant surtout de petits vignobles privés. On y cultive principalement des cépages allemands comme le Müller-Thurgau; les vins ont souvent une note fleurie qui rappelle ceux de la Moselle. Comme en Allemagne, on ajoute fréquemment au vin terminé du moût non fermenté avant la mise en bouteilles, mais la plupart sont légèrement plus secs que leurs homologues allemands. On en produit peu, et on les trouve seulement en Grande-Bretagne chez les marchands de vin.

A.O.C. *Appellation d'origine contrôlée.* Voir *Appellations d'origine contrôlée; Législation du vin*

Appellation contrôlée voir *Appellations d'origine contrôlée; Législation du vin*

Appellations d'origine contrôlée
La législation française sur le vin est la plus ancienne et la plus élaborée du monde. Elle définit quatre niveaux de qualité: les *vins d'appellation d'origine contrôlée*, les *vins délimités de qualité supérieure* (V.D.Q.S.), les *vins de pays* et les *vins de table*. Au sommet de la classification, l'appellation d'origine contrôlée correspond au droit (soumis au contrôle de l'État) d'un vin à porter une appellation, entre autres exemples, celle de Beaujolais, celles d'Anjou, de Bourgogne, de Côtes-du-Rhône, d'Alsace, etc.

Pour mériter une appellation, un vin doit se conformer à un ensemble précis de règles élaborées spécifiquement pour sa région par l'Institut national des appellations d'origine des vins et eaux-de-vie (I.N.A.O.). Créé en 1935, cet organisme a mené à bien une tâche considérable en terminant la carte des vins complète de la France, qui a permis de mettre en ordre des traditions aussi variées que divergentes.

L'attribution de l'appellation répond à plusieurs critères fondamentalement géographiques. D'abord, la zone de production: le vin doit provenir de vignes cultivées et traitées dans la région ou dans la commune (parfois dans le vignoble) indiquée sur l'étiquette. Environ 300 vins d'appellation d'origine contrôlée (soit approximativement 15 % de la production annuelle française) respectent une hiérarchie comportant une infinité de nuances. Plus la région est spécifique et limitée, plus l'appellation est prestigieuse — et plus les conditions de vinification et de conservation sont rigoureuses. La simple mention *appellation Bordeaux contrôlée* indique tout au plus que le vin est un Bordeaux générique provenant du Bordelais, région de grande production. L'appellation *Médoc* en restreint déjà la provenance à un secteur du Bordelais bien considéré. L'appellation *Haut-Médoc* la limite encore à la meilleure partie du Médoc. Quant à l'appellation *Pauillac*, elle désigne exclusivement une des grandes communes vinicoles du Haut-Médoc. En principe, le même vin peut parfaitement porter ces quatre appellations, de la plus générale à la plus spécifique, mais le viticulteur français choisit évidemment toujours la plus précise, car c'est aussi l'appellation la plus prestigieuse.

Deuxième critère: les cépages. Pour mériter une appellation d'origine contrôlée, un vin doit être fait avec des cépages déterminés pour chaque région de production. La sélection reflète des siècles d'évolution et d'adaptation des vignes au climat et à la composition des sols. L'objet de la législation est d'imposer les traditions qui produisent les meilleurs vins. Certains d'entre eux contiennent un seul cépage. On peut citer comme exemple: les Grands Crus, les Premiers Crus et les vins rouges d'appellation communale de la Côte-d'Or, exclusivement à base de Pinot noir (dont il existe par ailleurs plusieurs lignées donnant différents résultats). Parmi les appellations simples, un vin blanc d'appellation Bourgogne ne doit contenir que du Chardonnay, alors que le Bourgogne aligoté peut contenir du Chardonnay avec le cépage Aligoté. Le seul cépage autorisé pour le Pouilly fumé et le Sancerre est le Sauvignon blanc. De même,

seul le Cabernet franc peut entrer dans la composition du Chinon, du Bourgueil et du Saint-Nicolas-de-Bourgueil.

Troisième critère: limitation de la production. La qualité étant inversement proportionnelle à la quantité en viticulture, la loi limite la production des vins d'appellation d'origine contrôlée en favorisant les rendements faibles. Elle impose un âge minimal de la vigne et une taille précise, et en outre interdit l'irrigation. Les rendements autorisés varient de 25 à 40 hectolitres à l'hectare selon l'appellation.

Dernier critère: les pratiques viticoles et vinicoles. La culture de la vigne pendant les premières années doit respecter les usages locaux qui se sont révélés les meilleurs. Les vins d'appellation d'origine contrôlée doivent subir en outre le contrôle d'une commission de dégustation.

Au deuxième rang de la classification, on trouve les *vins délimités de qualité supérieure* (V.D.Q.S.) qui proviennent de régions moins privilégiées et selon des normes moins limitatives. Les critères d'attribution reposent sur les mêmes principes, en laissant cependant plus de liberté pour le choix des cépages et le rendement autorisé. Ces vins peuvent être faits avec des cépages plus ordinaires, c'est-à-dire moins délicats, plus faciles à soigner ou plus productifs mais ce n'est pas une obligation. Cette catégorie, créée en 1949, est soumise obligatoirement à un test de dégustation officiel. Le nombre de V.D.Q.S. augmente à mesure que les normes régionales s'améliorent. Certains sont très bons.

Les réglementations concernant les cépages et le rendement sont moins limitatives encore pour les *vins de pays*. La nature humaine étant ce qu'elle est, certains vignerons en abusent, mais dans l'ensemble beaucoup réussissent à faire des vins régionaux parfaitement délicieux.

Les *vins de table* constituent le dernier échelon de la classification. Ils doivent simplement répondre à des critères raisonnables de consommation. Il y en a de très bons — notamment ceux qui sont produits dans une région d'appellation mais mis en bouteilles comme vins de table par le viticulteur parce qu'ils sont issus de vignes encore trop jeunes.

En dehors de cette classification selon quatre niveaux de qualité, on trouve aussi

des *vins ordinaires* ou *vins de consommation courante* dont l'étiquette indique seulement la teneur en alcool. Ils seraient légion s'ils n'étaient vendus sous des noms de marque. Ils sont bon marché et sont vendus parfois moins cher dans le commerce qu'une bouteille d'eau minérale.

Argentine

L'Argentine est l'un des premiers pays producteurs de vins du monde. L'importance de la demande nationale en a pendant longtemps restreint les exportations. Elle produit essentiellement des vins rouges avec quelques blancs, des mousseux et des rosés et cette production repose sur un système de fabrication en série. De ce fait, 70 % de la production se composent de vins de table courants, sans grande subtilité.

La principale région vinicole est la province semi-désertique de Mendoza, bordée à l'ouest par la cordillère des Andes. Les jésuites espagnols y plantèrent les premiers ceps de Criollas au XVIᵉ siècle; deux siècles plus tard, ils importèrent cette variété en Californie, où elle prit le nom de Mission. La production argentine du vin n'amorça son essor que vers 1870, quand l'achèvement de la voie ferrée reliant Buenos Aires à Mendoza permit aux Français, aux Allemands et aux Italiens d'y immigrer avec leurs vignes européennes et leurs techniques viticoles. Aujourd'hui, les vignobles de Mendoza couvrent plus de 200 000 hectares en irrigation très moderne.

Le climat de cette région est favorable à la viticulture: son aridité empêche la propagation des maladies, sa chaleur permet aux raisins de mûrir complètement et ses hivers sont assez froids pour procurer du repos à la vigne. Les vendanges ont lieu, selon les vignes, entre la mi-février et avril, bien que certains vignerons récoltent les raisins encore verts dès janvier pour mieux en préserver l'acidité naturelle.

Mendoza produit 70 % du vin argentin, surtout des rouges à base d'un mélange de cépages français, italiens et espagnols.

Au nord de Mendoza, la province de San Juan, seconde région viticole du pays, pousse la production au-dessus de 150 hl à l'hectare, au détriment de la qualité.

Au sud, les régions de Rio Negro et de Neuquén ne fournissent que 5 % de la production nationale, surtout avec des blancs ranquilles ou mousseux. Le climat plus rais donne des vins moins alcoolisés et plus cidulés. La qualité des exportations est négale, mais un renforcement des contrôles ouvernementaux depuis 1959 encourage es vignerons à améliorer l'ensemble de leur roduction. Il faut surmonter le problème osé par le penchant des Argentins pour les rins vieillis longtemps en fûts, car le contact rolongé avec le bois en détruit le fruité et a fraîcheur. A cet effet, on applique désormais de préférence des méthodes modernes le vinification industrielle.

Assemblage

Alliance de deux ou plusieurs vins provenant de différentes cuves, barriques ou rignobles. En Champagne, l'assemblage a our but d'apporter plus de complexité au aractère du vin; en Bordelais, les cuves de lifférents cépages, de maturation plus ou noins précoce, sont assemblées après fermentation; l'assemblage des barriques d'un nême vin sert à uniformiser l'ensemble, liminant les petites différences d'évolution l'une barrique à l'autre; enfin, pour les vins le table ordinaires, l'assemblage de vins résentant des caractères très différents a pour but de créer un produit équilibré et de qualité suivie.

Australie

Botany Bay, où débarqua en 1788 le «premier convoi» de colons britanniques, se trouve au sud-est de l'Australie. Dans le sol ertile de leur nouvelle patrie, les émigrants plantèrent des boutures de vigne. Si ces premières tentatives échouèrent, à cause l'un mauvais choix de terrain, d'autres, illeurs et plus tard, réussirent. Vers 1850, une modeste production vinicole existait lans le pays. Son développement, longtemps progressif, s'accéléra brusquement u début des années 1960, le vin connaissant une faveur croissante. En 1981, le pays ossédait 70 000 hectares de vigne, produisant annuellement plus de 4 546 000 hectolitres de vin. Le vin australien est exporté urtout en Grande-Bretagne, au Canada, en Allemagne et dans le Sud-Est asiatique.

Des étés toujours chauds et secs, des livers humides et sans gelées assurent un minimum de pertes. Mais la chaleur peut rès vite provoquer un excès de maturité et lonner des vins lourds, alcoolisés et désé-

quilibrés. C'est pourquoi, longtemps, ce pays fut surtout connu pour des vins de liqueur sans grand caractère.

Toutefois, l'expansion des années 1960 s'accompagna d'une nette amélioration de la qualité, due à une génération de producteurs novateurs qui fit l'essai de nouveaux cépages et adopta les méthodes modernes de fermentation à température contrôlée lui permettant d'obtenir des résultats meilleurs et plus réguliers.

Le cépage rouge le plus cultivé est le Shiraz, nom local de la Syrah. Il y donne des vins fermes et tanniques, qui vieillissent généralement bien.

Moins répandu, le Cabernet-Sauvignon produit cependant les meilleurs vins rouges australiens; les assemblages de Cabernet-Sauvignon et de Shiraz sont assez courants. Le Pinot noir réussit moins bien.

Le Riesling est cultivé avec succès dans les régions les plus fraîches. Il en est de même pour le Sémillon, dont les vins les plus réputés viennent de la vallée de la Hunter, au nord de Sydney. Jeunes, ils ont tendance à être durs mais ils s'assouplissent avec quelques années de bouteille et acquièrent une robe d'or clair et une saveur subtile. Le Chardonnay, de plantation plus récente, passe pour être le cépage blanc de l'avenir. Le Chenin blanc, le Marsanne, le Muscat, le Traminer et le Sauvignon sont également cultivés.

Les viticulteurs australiens cultivent de telles étendues qu'un vignoble de moins de 40 hectares (immense à l'échelle européenne) est considéré comme une petite propriété. Presque toutes les régions viticoles se trouvent dans la partie sud, tempérée, du pays, entre le 32e et le 33e parallèle *(carte page 81)*. Les trois plus importants États viticoles sont l'Australie-Méridionale, la Nouvelle-Galles du Sud et le Victoria.

L'Australie-Méridionale fournit 60 % de la production vinicole nationale. Son importance s'explique par la présence d'un courant froid venu de l'Antarctique, qui tempère le climat. Les principales régions productrices sont la vallée de Barossa, au nord de la ville d'Adélaïde, la vallée de Clare-Watervale, un peu plus au nord, les Southern Vales, au sud d'Adélaïde, avec la région contiguë de Langhorne Creek; enfin la zone de Coonawarra, une petite bande longue de 15 kilomètres, à 300 kilomètres au sud-est

d'Adélaïde. Coonawarra produit les vins rouges à base de Cabernet-Sauvignon les plus réputés d'Australie.

De la vallée de Barossa viennent des vins rouges, blancs, et des vins de liqueur. Le climat relativement frais de cette vallée est favorable au Riesling, et les techniques modernes de vinification ont permis la production d'un vin blanc léger, d'une certaine finesse. Les vins rouges de Barossa, plus ou moins corsés, tirent souvent bénéfice de quelques années de bouteille.

La vallée de Clare-Watervale est la plus septentrionale des régions vinicoles de l'Australie-Méridionale. La pluviosité y est à peu près celle de la Barossa, mais la température plus élevée et le sol plus lourd y donnent des vins qui se révèlent plus charnus et moins délicats.

La région dite des Southern Vales comprend la Reynella et la vallée de McLaren, deux zones jouissant d'un climat idéal pour la culture de la vigne.

Située très au sud et à proximité de la mer, la région de Coonawarra est l'une des plus fraîches de l'Australie. Sous son sol de terre rouge s'étendent des couches de calcaire et d'argile. Il s'agit d'une bande d'environ 15 kilomètres de long sur 2 kilomètres de large en moyenne, qui, par endroits, se rétrécit à 180 mètres. Sous le calcaire, une nappe phréatique entretient la prospérité des ceps. Du climat frais et de ce sol particulier naissent des vins rouges d'une grande finesse, dont les meilleurs sont faits avec le Cabernet-Sauvignon. Le Shiraz, ici, produit un vin plus tendre qu'ailleurs.

La Nouvelle-Galles du Sud produit environ un quart des vins du pays. La vallée de la Hunter est de loin la région la plus renommée de cet État; elle doit en grande partie la qualité de ses vins à son climat frais, mais le temps, plus capricieux, impose de plus grandes variations de la qualité des vins d'un millésime à l'autre.

Les deux réussites des vieux vignobles de la basse vallée de la Hunter sont le vin rouge de Shiraz et le vin blanc de Sémillon. Ici le Shiraz acquiert souvent un bouquet caractéristique complexe et animal, rappelant le cuir. Les vignobles de la haute vallée de la Hunter, plus récents et donc plus modernes, sont irrigués en cas de sécheresse. Ils produisent des vins de types très différents: les blancs sont faits de Riesling, de Traminer, de Sauvignon et de Chardonnay; le Shiraz donne ici des vins rouges légers, et quelques bons vins sont issus de Cabernet-Sauvignon.

La région de Mudgee, située à 260 kilomètres au nord-ouest de Sydney, est à la même latitude que la basse vallée de la Hunter mais, sur les pentes ouest de la chaîne appelée Great Dividing Range, elle reçoit moins de pluie en été, et les vins y sont bien moins sujets à des variations annuelles. Ces vignobles, à 460 mètres d'altitude, sont les plus hauts d'Australie. Les raisins — Cabernet-Sauvignon, Shiraz, Riesling et Chardonnay — y mûrissent cinq à six semaines plus tard que dans la vallée de la Hunter et produisent, de ce fait, des vins plus complexes.

Dans la Riverina, la troisième grande région viticole de la Nouvelle-Galles du Sud, les vignobles, entièrement irrigués, sont plantés de cépages à haut rendement; ici, la quantité prime la qualité.

L'État de Victoria, à l'extrême sud du pays, ravagé par le phylloxéra à la fin du XIXe siècle *(page 7)*, est aujourd'hui en train de reconstituer ses vignobles.

Sur le plan de la qualité, la région principale est celle du nord-est, autour des villes de Rutherglen, Corowa, Glenrowan et Milawa. C'est ici la patrie du Muscat, vin de liqueur élevé selon un système modifié de *soleras (voir Xérès)*.

A 160 km environ au sud-ouest de Rutherglen s'étend la vallée de Goulburn, renommée pour ses vins rouges, assemblages de Syrah et de Cabernet-Sauvignon, et, à partir de Marsanne, un vin blanc sec, qui s'améliore en bouteille.

Plus au sud encore, la vallée de Yarra, aux abords de Melbourne, renaît à la viticulture après quelque soixante années de déclin provoqué par le phylloxéra. Le climat est ici plus frais que dans le reste de l'État, mais, l'été, l'irrigation doit pallier l'insuffisance des pluies.

Au nord-ouest de l'État de Victoria, la région irriguée entourant la ville de Mildura produit surtout des vins vinés.

Quelques vins sont produits aussi dans les États très chauds d'Australie-Occidentale et du Queensland.

L'île de Tasmanie, située à 240 kilomètres au large de la côte sud de l'Australie, bénéficie d'un climat plus frais. La viticul-ture n'en est qu'à ses débuts, mais l'île est bien placée pour produire, à l'avenir, de bons vins blancs.

L'Australie ne dispose pas d'une législation spéciale en matière de vinification et d'appellations. Cependant, la loi concernant la «spécification des marchandises» et les pratiques générales imposent une certaine rigueur de nomenclature. Si un vin résulte d'un assemblage de deux ou plusieurs cépages, le cépage dominant doit être nommé en premier: un vin contenant 60% de Shiraz et 40% environ de Cabernet-Sauvignon doit être étiqueté Shiraz-Cabernet et non pas Cabernet-Shiraz.

Les producteurs fournissent souvent un étiquetage descriptif concernant les procédés de vinification et le service du vin.

Autriche

L'Autriche produit quelques vins rouges (11% environ) mais surtout des vins blancs légers. Certains sont de grande qualité mais la majorité, toujours honorable, donne plutôt d'excellents vins de carafe. Les meilleurs sont blancs.

Jusqu'en 1970 environ, presque tout le vin autrichien était produit par des vignerons propriétaires de petits vignobles, uniquement pour la consommation locale. Lorsque la demande est devenue plus forte, cette structure traditionnelle a été bouleversée, et grâce à l'amélioration des techniques de viticulture et aux nouvelles lois votées en 1973, les exportations ont considérablement augmenté.

La production de vin de la partie montagneuse occidentale de l'Autriche est négligeable; en effet, presque tous les vignobles sont concentrés à l'est, où les dénivellations de la chaîne des Alpes aboutissent progressivement aux vastes plaines hongroises. La législation autrichienne divise le terroir national en quatre régions: Basse-Autriche, Vienne, Burgenland et Styrie.

Située au nord, la Basse-Autriche englobe tout le nord-est du pays. Cette province boisée et fertile, arrosée par le Danube, dispose de 30 000 hectares environ de vignobles voisinant avec des champs de blé, des jardins maraîchers et des fermes. La majorité du vin est produite dans de petits vignobles. Au nord du Danube, les secteurs de Retz et de Falkenstein-Matzen forment la plus grande zone vinicole de la Basse-Autriche. Ils sont essentiellement plantés de Grüner Veltliner, cépage prédominant et quasi omniprésent en Autriche qui donne un vin typiquement autrichien. A son apogée, ce vin sec et léger est frais et fruité, avec une acidité bien équilibrée et une belle robe vert doré. Il a un goût parfois épicé, presque poivré, et doit toujours se boire jeune. La région produit également quelques bons vins rouges ordinaires.

Les petits vignobles spectaculaires du Wachau, situés sur les rives du Danube, donnent certains des meilleurs vins d'Autriche. Les vignes y sont disparates: certaines sont plantées dans un sol profond tandis que d'autres se cramponnent avec ténacité aux corniches rocheuses recouvertes d'une mince couche de terre. Quelques sites bénéficient en outre d'une bonne exposition alors que d'autres sont ombragés. Les principaux cépages sont le Grüner Veltliner, le Neuburger, le Rheinriesling et le Sylvaner. Les meilleurs cépages du Wachau se caractérisent par un bouquet exceptionnellement fleuri et une plus grande finesse que la plupart des vignes autrichiennes. Les bons Rheinriesling — rares en dehors de cette région — sont des vins complexes de qualité supérieure. Spitz, Weissenkirchen, Durnstein et Loiben sont d'autres localités de bonne réputation.

A l'est du Wachau, les vignobles des secteurs de Krems et de Langenlois, sur des collines plus basses, sont plantés en vastes terrasses coupées par des passages anfractueux appelés *Kellergassen* qui conduisent à des caves taillées dans les collines mêmes. Le sol est essentiellement sablonneux et les vins rappellent ceux du Wachau, sans toutefois pouvoir prétendre finir aussi bien que les meilleurs d'entre eux. Le village de Rohendorf, dans le secteur de Krems, abrite les caves de Lenz Moser, le plus célèbre viticulteur autrichien, dont la méthode révolutionnaire dite de «haute culture» a été adoptée dans de nombreux autres vignobles autrichiens et allemands; elle consiste à planter les vignes en rangs espacés pour réduire la propagation des maladies et faciliter le passage des machines agricoles, en les taillant et les palissant au double de la hauteur habituelle pour compenser ainsi la perte de rendement.

Le monastère-école expérimental de viticulture de Klosterneuburg, près de

Vienne, perpétue une vieille tradition qui associait les moines à la production du vin et se livre à un commerce d'exportation en pleine expansion. Au sud de Vienne, on fait quelques vins rouges secs assez plaisants à Bad Vöslau, secteur surtout réputé pour ses vins blancs légèrement moelleux Gumpoldskirchen, produits à partir de raisins de vendange tardive, avec un assemblage du vif Zierfandler et des Neuburger et Rotgipfler, plus lourds.

Bien que la région de Vienne ne possède que 800 hectares environ de vignes, son caractère exceptionnel la désigne de plein droit comme une région vinicole à part entière. Ses vignobles s'étendent des coteaux de la forêt viennoise jusqu'au cœur des quartiers résidentiels de la capitale dont les villages viticoles de Grinzing, Sievring et Nussdorf sont maintenant des faubourgs. La plupart du vin viennois se consomme comme *Heurige* — vin nouveau — dans les caves et les guinguettes. Les lois sur ce vin adoptées par l'impératrice Marie-Thérèse au XVIIIᵉ siècle autorisent aujourd'hui encore les vignerons à vendre leurs produits hors taxes à domicile. Pour indiquer que le vin nouveau est arrivé, ils accrochent des branches devant leur maison; quand le vin est épuisé, ils les enlèvent. Ce vin savoureux, léger et pétillant, encore picotant de fermentation, se fait surtout avec du Grüner Veltliner, du Müller-Thurgau et un peu de Riesling et de Traminer.

Situé à la frontière orientale de l'Autriche, le Burgenland appartenait à la Hongrie jusqu'en 1920. Cette influence hongroise se fait encore sentir. La région se spécialise dans les vins doux, dont le plus célèbre, le Ruster-Ausbruch, a souvent été comparé au grand vin de dessert hongrois, le Tokay, produit selon une méthode semblable. Les vignobles couvrent quelque 15 000 hectares. Les plus importants se trouvent sur le pays plat et sableux qui entoure le lac de Neusiedler, où règne un microclimat chaud et sec. La surface lisse du lac retient et reflète la chaleur du soleil.

Parmi les principales variétés de cépage, on peut citer le Furmint (avec lequel on fait le Tokay hongrois), le Traminer, le Muscat-Ottonel et le Riesling.

Sur la rive orientale du lac, Seewinkel est une des très rares régions européennes à échapper au phylloxéra *(pages 6 et 7)*

grâce à son sol sablonneux. Autour des villages de Podersdorf, Illmitz et Apetlon, des vignes non greffées poussent sur leurs racines naturelles; le domaine Esterhazy d'Eisenstadt et Lenz Moser, à Apetlon, produisent des Auslese, des Beerenauslese et des Trockenbeerenauslese. Les meilleurs vins sont de haute qualité mais vieillissent mal et ont tendance à s'oxyder.

Le Eiswein local *(voir ce mot)* peut être excellent mais il est rarement produit, car les hivers sont généralement doux dans cette région. Les coteaux plus élevés de l'extrémité occidentale du lac, au sol calcaire, fournissent des vins rouges typiques assez ardents avec les cépages Kadarka hongrois, Pinot noir, Portugieser et Blaufränkisch (Gamay). Dans le sud du Burgenland, on fait des vins rouges qui, tout en étant agréables, n'atteignent cependant jamais la qualité des vins blancs.

Située à la frontière de la Yougoslavie, la Styrie dispose de 2000 hectares environ de vignes réparties entre des coopératives ou des gros producteurs. Pratiquement toute la production sert à la consommation locale. Les principaux cépages blancs comprennent le Pinot blanc, le Traminer, le Riesling et le Ruländer. On y fait un peu de vin rouge, notamment du Schilcherwein, qui est un vin rouge foncé, assez épicé, produit avec la vigne «indigène» Blauer Wildbacher.

La plupart des étiquettes des vins autrichiens indiquent le millésime, le nom de la localité ou du secteur d'origine, et rarement le vignoble individuel. Elles donnent également parfois le nom du cépage, seul ou suivi d'un nom de lieu.

Depuis 1973, les vins bénéficiant du « Sceau du vin autrichien » sont classés selon un système analogue à celui de l'Allemagne: vins de table ordinaires *(Tischwein* ou *Tafelwein)*; vins de qualité *(Qualitätswein)*, qui peuvent être légèrement chaptalisés; vins de qualité supérieure *(Qualitätswein Kabinette)*, qui doivent être entièrement naturels et dont la chaptalisation est interdite; enfin, vins de qualité préparés selon des méthodes spéciales de vendanges et de maturation *(Qualitätswein besonderer Reife und Leseart)*. Cette dernière catégorie regroupe la même hiérarchie que celle des vins allemands (Spätlese, Auslese, Beerenauslese, Trockenbeerenauslese et Eiswein) avec en plus deux qualités typique-

ment autrichiennes: Ausbruchwein et Strohwein, ou vin de paille, ainsi dénommé parce que l'on fait sécher les raisins sur des cadres en bois en les recouvrant souvent de paille pour obtenir un produit de qualité analogue au Trockenbeerenauslese originaire d'Allemagne.

Bade

Cette ancienne province allemande, désormais intégrée à l'État fédéral du Bade-Wurtemberg, aux vignobles dispersés et nombreux, produit des vins dont la qualité varie selon le sol et le climat. Situé dans la partie la plus méridionale de l'Allemagne, le pays de Bade est encastré entre deux frontières: la France (Alsace) à l'ouest, et la Suisse au sud *(carte page 83)*. Dans l'ensemble, les vignobles bénéficient d'un climat ensoleillé et doux, protégés par le massif de l'Odenwald et la Forêt-Noire.

Le tiers environ de la production locale est composé de vin rouge, le reste de blanc. Il y a peu de temps encore, ces vins présentés comme ceux du Rhin dans des bouteilles fuselées en verre ambré étaient inconnus à l'étranger. Aujourd'hui, les rouges sont appréciés dans la province et dans toute l'Allemagne, comme les petits blancs, et les meilleurs vins blancs sont exportés en quantité restreinte, mais sont très recherchés: ils sont excellents, analogues à certains égards aux grands vins du Rhin et de la Moselle, quoique beaucoup plus secs.

Jusqu'en 1870, année où le phylloxéra *(pages 6 et 7)* dévasta les vignes, le pays de Bade était le plus gros producteur de vin de toute l'Allemagne: son rendement ne représente plus désormais que 14 % du total.

La région jouit d'une profusion de cépages: Müller-Thurgau et Spätburgunder en majorité, avec un peu de Riesling (que l'on appelle Klingelberger dans le pays) et diverses quantités de Ruländer (Pinot gris), de Gutedel, de Sylvaner, de Weissburgunder et de Gewurztraminer.

Le sol varie selon les secteurs: roches volcaniques et granit écrasé respectivement dans les deux meilleurs *Bereiche* (Kaiserstuhl et Ortenau); marne, gravier, argile et calcaire ailleurs.

Les viticulteurs du pays de Bade sont regroupés en coopératives, dont 120 sont centralisées par la grande coopérative de Breisach, qui traite 80 % de la production.

Le pays de Bade se divise en sept sous-régions *(Bereiche)* — Badisches Frankenland, Bergstrasse-Kraichgau, Breisgau, Bodensee (lac de Constance), Kaiserstuhl-Tuniberg, Markgräflerland et Ortenau — comprenant seize sections de vignobles *(Grosslagen)* composées de 300 vignobles individuels *(Einzellagen)*.

Les Seeweine (vins du lac) sont des vins blancs et rosés provenant de la rive nord du lac de Constance. Ces vins simples se laissent boire assez agréablement dans les jardins et aux terrasses des restaurants qui bordent le lac.

Beaujolais

Le Beaujolais est un vin rouge facile, celui des bons copains attablés autour de nourritures simples et copieuses, en même temps si rafraîchissant que l'on peut en prendre un petit verre à tout moment de la journée. Il est tellement délicieux qu'il est devenu l'un des vins les plus populaires de France et les plus sollicités dans le monde.

Situé à l'extrême sud de la Bourgogne, le Beaujolais commence à la frontière du Mâconnais et s'étend jusqu'à la banlieue lyonnaise *(carte page 85)*. Dans cette riche région vinicole, des milliers de vignerons exploitent 20 000 hectares environ de vignes, avec une production annuelle moyenne de un million d'hectolitres. La plupart de cette production, qui ne parvient jamais à satisfaire toute la demande, est mise en cuve dans des coopératives et vendue aux négociants de la région. Autrefois, on consommait presque tout le Beaujolais dans le pays et à Lyon, et on avait l'habitude d'envoyer le reste à Paris. Aujourd'hui, on en exporte plus de la moitié à l'étranger, qui le réclame à cor et à cri.

Le Beaujolais se divise en deux régions. Au nord, le haut Beaujolais, composé de collines granitiques, produit le meilleur vin des deux. Le cépage local est le Gamay — plus précisément la variété connue sous le nom de Gamay noir à jus blanc. Ce raisin accomplit des merveilles sur ce sol granitique. Au sud, où le granite laisse la place à de la craie, le bas Beaujolais produit, avec le même cépage, des vins plutôt légers.

Les Beaujolais sont classés en quatre catégories: les Beaujolais et les Beaujolais supérieurs, que ne dépassent jamais les vins du bas Beaujolais; ensuite, le Beaujolais-Villages, qui est une appellation contrôlée accordée à 30 communes du haut Beaujolais, et enfin 9 crus qui forment l'élite des vins de la région: Saint-Amour, Juliénas, Chénas, Fleurie, Moulin-à-Vent, Chiroubles, Morgon, Brouilly et Côte-de-Brouilly.

En général, les Beaujolais disposent des meilleurs attributs de la jeunesse: robe éclatante, fruité exubérant, vivacité avec un soupçon d'effervescence. Il faut les boire avant que ces charmes ne s'évanouissent, de préférence légèrement rafraîchis.

Les vins qui portent la simple appellation Beaujolais peuvent être extrêmement agréables entre six mois et un an et achetés en toute confiance sous l'étiquette d'un négociant connu. Le Beaujolais supérieur et les Beaujolais-Villages ont le fruité, la vigueur et l'exubérance caractéristiques des vins de la région sous une forme accentuée; quant aux neuf grands crus, ils sont la quintessence du Beaujolais.

Le plus septentrional des neuf, le Saint-Amour, a le fruité le plus léger et le plus délicat. Le Juliénas est plus solide, un peu dur au début, toujours vigoureux. Le Brouilly est frais, avec le goût du raisin. Le Côte-de-Brouilly, situé un peu plus en hauteur, a un caractère plus tranché. Le Fleurie est léger comme de la soie, lumineusement diaphane, avec un fruité parfaitement reconnaissable. Le Chiroubles se rapproche par sa légèreté du Fleurie. Le Chénas, plus ferme que les autres, est parfois considéré comme le cru de la plus grande distinction tandis que le Morgon, corsé et fruité, est unanimement salué comme l'un des Beaujolais les plus durables.

Le Moulin-à-Vent, Beaujolais le moins typique car il est plein et corsé, s'améliore avec l'âge et a même besoin de vieillir. Ici, plus aucune effervescence: c'est un vin de garde. Lorsque l'on se décide enfin à en déboucher une bouteille, il faut surtout éviter de la boire frappée: c'est un vin qui demande à être bu moins frais que les autres. On considère parfois le Moulin-à-Vent comme le meilleur des Beaujolais: il en est en tout cas certainement le plus complexe et le moins typique.

Le Beaujolais nouveau ou primeur se situe exactement à l'opposé. En effet, on le boit souvent quelques semaines seulement après sa naissance. Ce vin nouveau peut être délicieux. Il n'y a pas si longtemps, on le consommait surtout dans les cafés et les bistrots de la région. On le mettait rarement en bouteilles et on ne l'expédiait pratiquement jamais, sauf peut-être à Paris et à Genève. C'était un petit vin bon marché mais très agréable que l'on ne gardait pas, auquel on ne faisait pas subir de long traitement et dans lequel on n'investissait pas. Depuis qu'il est devenu à la mode, et du même coup très rentable pour l'industrie du vin, on l'expédie sur les marchés plus lointains à partir du 15 novembre, dès que le délai légal minimal entre les vendanges et la vinification est écoulé.

La commercialisation d'un vin aussi jeune présente des difficultés. Pour attendre la fin de la fermentation, clarifier le vin, le mettre en bouteilles et le faire déclarer propre à la consommation en si peu de temps, il faut accélérer tout le processus de vinification — soutirage, filtration, collage, etc. Or, si le vin (qui peut être n'importe quel Beaujolais) a peu de force ou de caractère dès le début, il ne résistera pas à un traitement aussi brutal — et le vin nouveau qui sera salué à son arrivée à Bruxelles ou à Londres risquera d'être fatigué et acide —, à moins qu'on ne l'ait chaptalisé.

D'un autre côté, un vin de premier rang traité en vin de primeur donnera un enfant prodige délectable mais peu durable. Ainsi élaboré, il aura perdu tout son charme au premier printemps qui suit les vendanges, alors que le même vin, élevé beaucoup plus lentement, commencera à peine à acquérir toute sa personnalité.

Bergerac

Petite région vinicole, à l'est de Bordeaux, bénéficiant, à une moindre échelle, du sol et du climat dont jouit sa voisine *(carte page 84)*. Diverses appellations contrôlées existent à Bergerac. Au nord de la Dordogne, fleuve qui partage la région d'est en ouest, Pécharmant produit des rouges frais et fruités, parfaits pour la consommation courante. D'autres bons vins rouges portent les appellations générales Bergerac et Côtes-de-Bergerac. A Monbazillac, au sud de la Dordogne, on fait des vins blancs moelleux, les meilleurs rappelant ceux du Sauternais. Des blancs moelleux plus légers viennent de Rosette; les appellations Montravel et Haut-Montravel regroupent une gamme de vins blancs tantôt moelleux, tantôt secs et vifs. Comme dans le Bordelais, on vinifie les vins rouges à partir des cépages Cabernet-Sauvignon, Cabernet franc, Merlot et Malbec. Pour les blancs, les principaux cépages sont le Sémillon, le Sauvignon blanc et le Muscadelle.

Blanc de blancs

Vin blanc fait avec des raisins blancs. Comme la plupart des vins de Champagne proviennent de cépages d'un assemblage de cépages blancs et rouges; ce terme en distingue les plus légers, à base de cépages blancs uniquement. Cette appellation n'a pas de signification réelle quand elle ne s'applique pas au Champagne.

Blanc de noirs

Pour le Champagne, ce terme désigne un vin blanc fait uniquement avec des raisins rouges (ou «noirs»). On l'utilise rarement car, à quelques exceptions près, tous les vins de Champagne contiennent quelques raisins blancs. En Californie, on appelle ainsi à tort les vins rosés pour séduire les consommateurs qui boudent en général les étiquettes marquées «rosé», synonyme de médiocrité à leurs yeux.

Blayais

Vaste région viticole du Bordelais, sur la rive droite de la Gironde, contiguë à Bourg *(carte page 85)*. Produit des vins blancs et rouges sous trois appellations contrôlées indiquant une gradation de qualité. Dans l'ordre croissant: Blaye ou Blayais, Côtes-de-Blaye (blancs seulement) et Premières Côtes-de-Blaye. Les rouges sont légers et peuvent être bus jeunes et frais. Les blancs sont secs ou moelleux.

Bordeaux (Bordelais)

Ville et port de commerce depuis vingt siècles. Le Bordelais est la plus importante région viticole de France et l'une des plus illustres du monde. Bordeaux est le chef-lieu du département de la Gironde, qui délimite pratiquement l'appellation.

On faisait déjà du vin dans le Bordelais au premier siècle de notre ère et, depuis la fin du Moyen Age, la production est ininterrompue. Les Anglais vouèrent une affection particulière à ce vin rouge, qu'ils appelèrent *claret* (clairet) depuis qu'au XIIe siècle Aliénor d'Aquitaine eut apporté la ville de Bor-

deaux en dot à Henri Plantagenêt, comte d'Anjou et roi d'Angleterre.

Le clairet de l'époque était très léger, de couleur rouge clair. Avec l'évolution des méthodes de vinification qui a suivi les siècles, les Bordeaux rouges ont perdu leur pâleur d'origine mais n'en restent pas moins *claret* pour les Anglais.

C'est une région fluviale, la Garonne et la Dordogne confluant dans le vaste estuaire de la Gironde. Les vignes sont plantées dans les vallées peu profondes de ces fleuves, sur les croupes caillouteuses et sur les terrains plats qui les séparent. Le climat est humide et doux, avec des étés assez chauds pour faire mûrir les raisins et des hivers assez froids pour que les vignes puissent s'endormir, mais surtout sans gelées qui les détruiraient — voir les années désastreuses 1709 et 1956.

Les sols de la région sont aussi variés que les vins. Les plus nobles sont les plus pauvres au sens agricole du terme: caillouteux, voire pierreux, manquant de matières

organiques (les vignes ont besoin d'adversité pour prospérer), mais riches en minéraux qui donnent aux grands vins toutes leurs qualités.

La production totale est très importante, avec 140 000 hectares environ de vignobles — soit le dixième de la superficie de la Gironde, qui est le plus grand des 90 départements français. Quand l'année est abondante, la région peut produire jusqu'à trois millions d'hectolitres environ de vin d'appellation, plus deux millions d'hectolitres de vins de table et de vins ordinaires.

Tous les Bordeaux rouges sont des vins de table — dans le meilleur sens du terme, et non dans celui de l'appellation officielle, qui désigne les vins ordinaires consommés couramment pendant les repas. Ils accompagnent admirablement presque tous les mets sauf les plats très épicés, faisandés ou lourds. La gamme des Bordeaux rouges couvre toutes les catégories: légers et tanniques; savoureux et simples; pleins, charpentés et robustes; fins et complexes;

Appellations d'origine contrôlée du Bordelais par ordre alphabétique

Barsac	Listrac
Blayais ou Blaye	Loupiac
Bordeaux	Lussac-Saint-Émilion
Bordeaux clairet et rosé	Margaux
Bordeaux mousseux	Médoc
Bordeaux supérieur	Montagne-Saint-Émilion
Cadillac	Moulis
Cérons	Pauillac
Côtes-de-Blaye, Blayàis ou Blaye	Pomerol
Côtes-de-Bordeaux Saint-Macaire	Premières-Côtes-de-Blaye
Côtes-de-Bourg, Bourg ou Bourgeais	Premières-Côtes-de-Bordeaux
Côtes-Canon-Fronsac	Puisseguin-Saint-Émilion
Entre-deux-Mers	Sainte-Croix-du-Mont
Fronsac	Saint-Émilion
Graves	Saint-Estèphe
Graves supérieures	Sainte-Foy-Bordeaux
Graves de Vayres	Saint-Georges-Saint-Émilion
Haut-Médoc	Saint-Julien
Lalande-de-Pomerol	Sauternes

avec une très grande profondeur et un bouquet très nuancé.

Les principaux cépages utilisés pour le vin rouge sont le Cabernet-Sauvignon, le Cabernet franc et le Merlot. C'est le remarquable Cabernet-Sauvignon qui confère à ces Bordeaux rouges certaines de leurs caractéristiques : profondeur que le palais permet de connaître mieux que les mots, jeunesse solide, subtilité et rondeur avec l'âge, et longévité étonnante. Un Bordeaux distingué d'une grande année peut encore évoluer — avec vigueur et même fraîcheur — quarante, soixante, quatre-vingts et parfois plus de cent ans.

Les Bordeaux blancs peuvent être secs (vifs et rafraîchissants) ; ronds ; charpentés et vigoureux ; moelleux ou liquoreux comme les Sauternes et les Barsac.

Pour les Bordeaux blancs, les cépages nobles sont le Sémillon et le Sauvignon.

Le Bordelais se subdivise en régions de grandeur variable qui se différencient par le caractère des vins qu'elles produisent. Les rouges les plus fins viennent de secteurs réputés : Médoc, Graves, Saint-Émilion et Pomerol. L'Entre-deux-Mers produit une grande quantité de vin blanc maintenant le plus souvent léger et sec. Le vignoble des Graves produit quelques blancs très distingués, et le Sauternais, qui comprend Barsac, Sainte-Croix-du-Mont et Loupiac, de grands vins blancs liquoreux.

Certains secteurs se subdivisent encore en villages ou communes. Le Bordelais compte environ 40 appellations d'origine contrôlée (voir encadré). Les plus modestes sont celles qui comportent la référence géographique la plus vaste — Bordeaux ou Bordeaux supérieur ; ensuite, les vins d'une subdivision du Bordelais comme Saint-Émilion ou Médoc ont droit à l'appellation plus restrictive correspondant à ces régions ; les meilleurs peuvent arborer une étiquette portant le nom d'une seule commune, comme Pauillac ou Margaux, l'appellation communale s'affinant encore avec le nom de la propriété.

Les propriétés ou « châteaux », comme on dit dans le pays, sont souvent de modestes maisons de campagne, plus rarement de vastes demeures, datant souvent du XVIIIe siècle, bien proportionnées et parfois splendides. Le fait qu'il y en ait plus de 2000, chacun avec sa vigne et ses chais, donne une idée de la profusion et de la diversité des vins « mis en bouteille au château ».

Quelque 200 des meilleurs châteaux sont classés officiellement pour l'excellence de leur vin. Cette classification, qui constitue un jugement de qualité sur les crus indépendant de l'appellation contrôlée, est une caractéristique solidement implantée du commerce du vin de Bordeaux.

La classification la plus connue est celle de 1855 pour les régions du Médoc et du Sauternais (voir ces mots). Les Graves ont été classés en 1953 (classement révisé en 1959) et les Saint-Émilion en 1955. Les Pomerol ne sont toujours pas classés.

Les châteaux non classés (la grande majorité) portent sur leur étiquette l'appellation et le nom du château. Si les propriétaires vendent leur vin par l'intermédiaire de courtiers aux négociants de Bordeaux, qui l'élèveront et le mettront en bouteilles, ce vin peut être assemblé à des vins originaires de la même région, et ils auront une appellation générique.

L'âge auquel les Bordeaux doivent se boire est très important. On ne peut pas accélérer le vieillissement d'un vin : les vins à dominante de Cabernet-Sauvignon, tels ceux du Médoc et de Graves, sont souvent assez durs et tanniques pendant leur jeunesse. Ils peuvent ensuite passer par des périodes « muettes » pendant lesquelles on les dit « fermés ». Il faut parfois attendre dix ans et plus avant de déguster un Médoc ou un Graves d'une grande année.

En bas de l'échelle, les vins plus ordinaires portant la simple appellation générique Bordeaux sont généralement légers et se boivent facilement au bout de un an ou deux environ. L'expérience révèle qu'on peut attendre encore un an avant de boire un vin générique d'une des appellations régionales — comme Saint-Émilion ou Médoc, sans autre précision — et encore cinq ans pour un vin fait et mis en bouteille dans l'un des innombrables petits châteaux qui produisent souvent un très bon vin. Les blancs légers et secs d'Entre-deux-Mers doivent se boire jeunes. Certains grands Graves blancs se dégustent dix ans après leur mise en bouteilles et peuvent vivre de quarante à cinquante ans, alors qu'un grand Sauternes peut dépasser un siècle.

Bourg voir *Bourgeais*

Bourgeais, Bourg ou Côtes-de-Bourg

Région de Bordeaux ayant sa propre appellation, sur la rive droite de la Gironde, contiguë au Blayais (carte page 85). On parle aussi de Bourg et de Côtes-de-Bourg. Les vins blancs sont secs ou légèrement moelleux. Les rouges sont ronds, assez corsés et peuvent se boire assez jeunes.

Bourgogne

Cet ancien domaine des ducs de Bourgogne, rural et fertile, dont le simple nom suffit à évoquer toute une liste de vins immortels (Chambertin, Corton, Clos-Vougeot, Romanée-Conti, Montrachet), est l'une des plus grandes régions vinicoles du monde sur le plan de la qualité, exactement au même titre que le Bordelais. Ses vins varient des Chablis blancs et secs au goût de pierre à fusil aux incomparables rouges et blancs de la Côte-d'Or, en passant par les Chalonnais qui égalent parfois les Côtes-de-Beaune, les Mâconnais simples et honnêtes, aux jeunes Beaujolais charmeurs. Les Bourguignons tirent fierté et satisfaction de leurs vins, qui s'intègrent parfaitement à la vie quotidienne de la région.

Située au centre-est de la France, la Bourgogne se trouve loin de la mer. Son « cœur », la Côte-d'Or, n'est même pas à portée de vue d'un fleuve (carte page 84). Le climat y est dur et imprévisible, avec des hivers rigoureux et des étés souvent chauds. La viticulture devient une entreprise hasardeuse sous ces latitudes ; la Bourgogne est en effet la région la plus septentrionale du monde capable de produire des grands vins rouges. La qualité de la récolte est cependant extrêmement sensible au temps. L'ensoleillement n'est pas suffisant tous les ans pour amener les cépages à leur pleine maturité, ce qui justifie parfois le recours à la chaptalisation (page 12). L'abondance comme le manque de pluie ainsi que les orages font toujours peser une menace sur les vendanges de l'année, que la grêle peut anéantir en un quart d'heure. Le terme bourguignon qui désigne un vignoble (« climat ») reflète bien l'importance de ces variations microclimatiques.

Les climats bourguignons classiques sont petits et souvent répartis entre plusieurs vignerons, que l'on appelle propriétaires-récoltants. Cette situation est née après la Révolution française du morcellement des grands domaines appartenant à la noblesse et au clergé et de leur redistribution aux citoyens de la région. Le principe de la succession, fondé sur la répartition du patrimoine entre les héritiers directs, a divisé les climats de génération en génération en parcelles de plus en plus petites.

Un climat de 12 hectares — ce qui représente une surface tout à fait honorable en Bourgogne, où il y en a de beaucoup plus petits — peut être partagé entre autant de propriétaires-récoltants.

Cette fragmentation présente un inconvénient majeur: à l'encontre du Bordelais par exemple, où les propriétés sont plutôt vastes, avec pour chaque château une seule vinification, un climat bourguignon de quelques hectares seulement peut englober bon nombre de propriétaires, dont certains ne possèdent qu'une fraction d'un hectare, et autant de vinifications. Ainsi, en Bourgogne, il faut davantage de connaissance ou d'expérience, car on doit souvent se fier à la réputation du vigneron ou du négociant plutôt qu'à celle d'un climat. La Bourgogne est petite: la totalité de la production bourguignonne de vins d'appellation représente le tiers environ de la production du Bordelais, et encore près de la moitié se compose-t-elle de Beaujolais. A eux tous, les célèbres Grands Crus et Premiers Crus représentent moins du cinquième de la production, ce qui est impressionnant quand on pense à l'importance — toujours croissante — de la demande internationale. Un grand Bourgogne est donc un vin rare et cher.

La Bourgogne comprend cinq subdivisions d'appellations régionales. Le Chablis (voir ce mot) constitue une enclave isolée au nord-ouest de Dijon, dans le département de l'Yonne. Les quatre autres subdivisions s'intègrent dans un paysage ininterrompu de vignes sur 160 kilomètres environ, du sud de Dijon presque jusqu'à Lyon. Il y a d'abord la glorieuse Côte-d'Or (voir ce mot), longue chaîne de collines de 50 kilomètres, divisée en Côte de Nuits et Côte de Beaune, puis la Côte Chalonnaise, le Mâconnais et enfin le Beaujolais (voir ces mots).

Les cépages à vin rouge sont le Pinot noir, planté en Côte-d'Or et dans la Côte Chalonnaise presque exclusivement, le Gamay dans le Mâconnais et le Beaujolais. Le cépage prédominant pour les vins blancs est le Chardonnay, avec un peu de Pinot blanc et d'Aligoté, ce dernier étant surtout utilisé dans le vin qui porte son nom.

Les vinifications varient beaucoup d'un producteur à l'autre. Ainsi, certains égrappent entièrement la vendange, d'autres une partie plus ou moins importante selon l'année et d'autres encore pas du tout. Les cuvaisons aussi peuvent varier de cinq à six jours à plus de trois semaines, suivant l'année et le résultat voulu. Enfin, bien que le Pinot noir soit le seul cépage autorisé pour les grands vins rouges de la Côte-d'Or, il en existe des lignées plus ou moins nobles. Dans l'ensemble on élève les rouges dans des fûts pendant seize à dix-huit mois, parfois deux ans, avant de les mettre en bouteilles, contre six à neuf mois pour les blancs — exception faite pour les grands vins blancs, que l'on fait parfois séjourner dix-huit mois en fût.

Pour comprendre les étiquettes des Bourgogne, il faut savoir que les appellations contrôlées se divisent en cinq catégories allant de la plus générale à la plus spécifique. Les quatre premières peuvent s'appliquer aux vins d'appellation générique produits dans n'importe quelle partie de la Bourgogne. L'appellation « Bourgogne » assure des vins souvent très beaux. Ils peuvent être blancs, à base de Chardonnay exclusivement, ou rouges, à base de Pinot noir seulement. Le Bourgogne rosé ou Bourgogne Clairet doit être produit avec du Pinot noir. En deuxième, on trouve le Bourgogne aligoté, vin blanc fait avec le cépage blanc du même nom, auquel on ajoute parfois du Chardonnay. C'est un bon vin rafraîchissant, parfait en apéritif mais qui n'atteint jamais la classe des Bourgogne faits avec le Chardonnay. La troisième catégorie comprend le Bourgogne-passe-tout-grains rouge ou rosé, fait avec un mélange de Pinot noir et de Gamay (un tiers de Pinot au moins). Enfin, en quatrième, il y a le Bourgogne ordinaire et le Bourgogne grand ordinaire, moins répandus. Ils peuvent être rouges, blancs ou rosés et être produits avec tous les cépages bourguignons. Le Bourgogne mousseux se fait en général avec un vin de cette catégorie traité selon la méthode champenoise (voir ce mot). Il peut être blanc ou rosé, mais, en fait, il est presque toujours blanc.

On trouve ensuite les appellations régionales, qui désignent des vins d'origines plus spécifiques: « Beaujolais » et « Beaujolais Supérieur ». Le « Beaujolais-Villages » doit provenir d'un nombre limité de communes situées dans le nord du Beaujolais. Le « Mâcon » rouge, blanc ou rosé peut provenir de n'importe quelle partie du Mâconnais. « Côte de Beaune-Villages » et « Côte-de-Nuits-Villages » sont des appellations de vins rouges réservées aux vins de certaines communes spécifiques de ces régions.

Les appellations communales comme « Fleurie », « Gevrey-Chambertin » ou « Chassagne-Montrachet » correspondent à un degré supérieur de qualité. Certaines communes bourguignonnes (pas toutes) ont adopté la coutume d'accoler le nom de leur plus célèbre climat au leur. Ainsi Gevrey est-il devenu Gevrey-Chambertin, et cela en toute légitimité.

Pour les vins les plus nobles, la Bourgogne a deux autres degrés hiérarchiques: Premiers Crus et Grands Crus.

Il y a plus de 200 Premiers Crus de Bourgogne. Un Premier Cru porte le nom de sa commune d'origine suivi de la mention Premier Cru ou du nom du climat; les mots Premier Cru sont parfois ajoutés également après le nom du climat. Quand le nom du climat est indiqué sur l'étiquette, il doit être imprimé en caractères plus petits que celui de la commune. Ainsi, l'étiquette d'un même vin pourra indiquer simplement Volnay Premier Cru, ou Volnay Les Caillerets pour désigner la commune et le climat d'origine du vin, ou encore Volnay, Les Caillerets, Premier Cru.

Les 37 Grands Crus représentent l'aristocratie la plus élevée. Sauf pour le Chablis, dont l'étiquette mentionne d'abord la région, l'étiquette d'un Grand Cru ne donne que le nom du climat, sans aucune autre indication géographique. Ainsi, un Grand Cru de Morey-Saint-Denis portera simplement l'appellation « Clos de la Roche », sans qu'il soit précisé que le climat « Clos de la Roche » est situé dans la commune délimitée de Morey-Saint-Denis.

Le terme « tête de cuvée », que l'on voit parfois sur les étiquettes, ne correspond pas à une classification officielle mais est traditionnellement utilisé pour distinguer certains Grands Crus considérés comme appartenant à une classe distincte: par exemple, « Chambertin » et « Chambertin Clos de Bèze », par opposition aux divers autres

Grands Crus issus de Gevrey-Chambertin.

Selon une conception erronée qui se perpétue d'elle-même, les Bourgogne rouges seraient corsés, foncés, lourds et capiteux et correspondraient à une demande des pays froids comme l'Allemagne, les Pays-Bas et le Royaume-Uni, entre autres. Il est évidemment moins onéreux de produire ce genre de vins que de leur conférer limpidité, élégance et finesse.

Les Bourgogne les plus fins s'enorgueillissent pourtant de ce qu'on pourrait appeler leur « limpidité » — une profondeur insaisissable. Ils se caractérisent aussi par leur puissance, leur structure, leur force, leur présence. S'ils sont bien équilibrés, comme c'est le cas pour les grands millésimes, cette profondeur et cette puissance se révéleront avec énormément de grâce, sans aucune lourdeur ni agressivité.

Un grand Bourgogne peut être riche, somptueux, sensuel, mûr et limpide à la fois. Cela peut paraître contradictoire, mais il ne faut pas oublier que le caractère d'un vin de Bourgogne est aussi complexe que difficile à comprendre.

Bouteilles et contenance des bouteilles

La contenance réglementaire varie entre 70 cl (Moselle et Rhin) et 80 cl (Champagne), la norme s'établissant pour la plupart des vins à 75 cl environ. Les bouteilles de Tokay contiennent 50 cl. Le Beaujolais a son pot de 50 cl considéré comme idéal pour une personne.

La plupart des vins se vendent aussi en demi-bouteilles, plus rarement en magnums (deux bouteilles). Les Bordeaux rouges se présentent parfois en marie-jeanne (équivalant à 3 bouteilles), en double magnum (4 bouteilles), en jéroboam (6 bouteilles) et en impériale (8 bouteilles). Quoique les bouteilles de contenance supérieure au magnum ne soient pas traditionnelles en Bourgogne, quelques propriétés font depuis dix ans une mise annuelle en double magnum et en jéroboam. Le Champagne se vend très peu en bouteilles plus grandes que le magnum, mais pour des occasions spéciales on le transvase parfois sous pression dans un jéroboam (4 bouteilles et non pas 6 comme dans le Bordelais), un réhoboam (6 bouteilles), un mathusalem (8 bouteilles), un salmanazar (12 bouteilles), un balthazar (16 bouteilles) ou un nabuchodonosor (20 bou-

teilles). Ces formats géants sont plus spectaculaires qu'utiles. Le Porto existe en magnum, rarement en jéroboam de quatre bouteilles, et en Tappit Hen de trois bouteilles, typiquement britannique.

Les vins de garde évoluent mieux et plus lentement dans des bouteilles relativement grandes. En effet, les dimensions du bouchon et du minuscule volume d'air de la bouteille restant approximativement les mêmes pour une plus grande quantité de vin, moins de vin se trouve au contact de l'air et la respiration très lente du vin à travers le bouchon se trouve également diminuée par rapport au volume du vin. Ainsi, une demi-bouteille vieillit plus vite qu'une bouteille, qui vieillit elle-même plus rapidement qu'un magnum. Traditionnellement, on embouteille beaucoup de vins blancs secs dans du verre vert, mais en fait tous les vins se conservent mieux dans des bouteilles foncées.

Brésil

La viticulture fut implantée au Brésil au XVIIe siècle par les jésuites qui y transplantèrent la *vitis vinifera* européenne d'Argentine. Tous les efforts déployés pendant les deux siècles suivants par les colons espagnols et portugais ne purent venir à bout de la médiocrité des récoltes, due au climat chaud et humide, et aux maladies qu'il favorisait dans le vignoble. Au XIXe siècle, les colons italiens agrandirent et développèrent les vignobles dans les régions méridionales plus tempérées et remplacèrent presque entièrement la *vitis vinifera* par un cépage hybride américain, l'Isabella, mieux adapté au climat. Après la Première Guerre mondiale, grâce à l'adoption de nouvelles techniques de viticulture et de vinification, les Italiens replantèrent avec succès la *vitis vinifera*. Les meilleurs vins brésiliens sont donc de souche européenne.

La plus grande partie du vignoble brésilien est toujours plantée en hybrides américains. Parmi les plantations récentes, les cépages italiens dominent.

Bulgarie

Même si aucun vin bulgare ne peut se targuer d'une réelle finesse, la production — nationalisée — y est considérable.

Dans ce pays, la viticulture remonte à

l'Antiquité. Pendant les cinq siècles de dictature turque, elle fut mise en sommeil à cause de la prohibition musulmane de l'alcool. A l'indépendance du pays, à la fin du XIXe siècle, elle avait pratiquement disparu. En 1948, elle fut réorganisée grâce à l'aide d'experts allemands.

Avec ses étés chauds, ses automnes longs et doux et sa faible pluviosité, le climat tempéré convient bien à la viticulture. La plupart des cépages sont indigènes des Balkans mais l'encépagement de vignes françaises (Cabernet franc, Cabernet-Sauvignon et Pinot Chardonnay) se répand de plus en plus. Presque toutes les vendanges sont mécanisées. D'immenses entreprises vinicoles nationalisées traitent la production de vastes régions du pays.

Les meilleurs vins bulgares portent simplement le nom de leur cépage. Le Mavrud donne un vin rouge bien typé, coloré, vigoureux et tannique, qui se bonifie avec l'âge. On y cultive aussi le Kadarka, cépage d'origine hongroise. De bons vins de table, faits à partir du cépage Cabernet-Sauvignon, sont exportés à des prix intéressants.

La production de vins blancs souvent liquoreux ou moelleux se concentre dans la région située à l'est du pays.

Parmi les cépages des Balkans, les plus réputés sont le Rezatziteli géorgien d'Union soviétique, le Dimiat, le Furmint et le Feteasca. Les meilleurs vins blancs secs sont produits avec des cépages comme le Chardonnay et le Sylvaner.

Cadillac voir *Premières-Côtes-de-Bordeaux-Cadillac*

Cahors

Ville et région vinicole du Sud-Ouest, chevauchant le Lot *(carte page 84)*. Cahors, qui a droit à l'appellation contrôlée depuis 1971, produit des vins rouges foncés, appelés « noirs », partenaires traditionnels du cassoulet. Le principal cépage est le Cot ou Malbec, avec un peu de Merlot, Syrah et Tannat (cépage entrant dans la vinification des vins de Madiran *(voir ce mot)*.

Cérons

Petite région productrice de vin moelleux ou liquoreux de Bordeaux, dans les Graves, contiguë à Barsac, dans le Sauternais *(carte page 85)*. Les vins portant cette appellation ont un caractère analogue à ceux des communes voisines, mais sont moins liquoreux et n'ont pas la même classe. Les vins blancs de Cérons peuvent porter l'appellation Graves ou Graves supérieures, et les rouges ont droit à l'appellation Graves.

Chablis

Situé dans le nord de la Bourgogne, à mi-chemin entre Dijon et Paris, le Chablis constitue un avant-poste géographiquement isolé du principal terroir bourguignon (carte page 84). Les hivers y sont très rigoureux. En Chablis, les millésimes sont primordiaux. En effet, quand l'été n'a pas été très ensoleillé, le vin est maigre et pointu. Le sol dur se compose de craie et d'argile du jurassique supérieur. La couche arable est mince, s'use rapidement et reste parfois en jachère pendant quinze ans. Dans des conditions aussi ingrates, le cépage Chardonnay (que l'on appelle Beaunois à Chablis) donne un vin blanc métallique, franc, élégant, de la plus haute distinction: le Chablis.

La petite agglomération de Chablis se trouve au centre du secteur, dans la vallée du Serein. Les meilleurs crus sont situés sur les flancs de la colline qui surplombe cette rivière. Il y a quatre appellations. En tête de liste, les Chablis Grands Crus, toujours vendus sous une étiquette portant le nom du vignoble. Au deuxième rang, les Chablis Premiers Crus sont souvent vendus avec cette seule indication ou bien suivis de celle du vignoble. Viennent ensuite les appellations Chablis et Petit Chablis. La mention Chablis sans autre qualification désigne un vin originaire des coteaux les moins favorisés de la région, qu'il faut boire jeune (ce peut être néanmoins un excellent blanc sec). L'appellation Petit Chablis est suffisamment explicite: ce sont des petits vins qui se servent surtout au verre dans les cafés et s'exportent rarement.

Le grand Chablis a de la race et de la distinction. Ses attributs sont une belle robe pâle couleur paille avec une légère teinte verte, une netteté marquée et un bouquet délicat, parfois insaisissable. Extrêmement sec, il a un goût de pierre à fusil. Avec les huîtres, il est incomparable.

Les vignobles des Grands Crus de Chablis sont minuscules et ne couvrent que 36 hectares en tout. Ils sont au nombre de sept: Vaudésir, Valmur, Grenouilles, les Clos, les Preuses, Blanchots et Bougros. La Moutonne, située entre Vaudésir et les Preuses, n'a pas reçu d'appellation, mais on lui reconnaît une qualité proche des Grands Crus sans lui en donner le titre. Il y a une douzaine environ de Premiers Crus dont les plus connus sont Mont-de-Milieu, Montée-de-Tonnerre et Fourchaume.

Chalonnais

Situé au sud de la Côte de Beaune (carte page 84), le Chalonnais est le secteur un peu moins connu de la Bourgogne bien qu'il produise de très bons vins. Ses vignobles ne sont pas très étendus car presque tout le pays est boisé ou utilisé en pâture (la région est réputée pour ses fromages de chèvre). Depuis dix ans, ses vins sont néanmoins de plus en plus demandés. Comme dans la Côte d'Or, les rouges se font avec du Pinot noir et les blancs avec du Chardonnay et son proche parent, le Pinot Blanc. Il y a quatre appellations d'origine: Rully, Mercurey, Givry et Montagny.

Rully fait quelques vins rouges dont les meilleurs approchent des Côtes-de-Beaune, beaucoup de blancs secs assez corsés mais sans lourdeur ainsi que quelques mousseux qui n'ont cependant pas droit à l'appellation Rully: le Bourgogne mousseux et le Crémant de Bourgogne. Moins effervescent que le premier, le Crémant de Bourgogne murmure dans le verre, alors que l'autre pétille. On fait les vins mousseux avec de l'Aligoté en ajoutant parfois du Chardonnay.

Mercurey est le plus gros producteur du Chalonnais. Essentiellement rouge, son vin peut être très bon; son style rappelle parfois les vins rouges de la Côte de Beaune. La commune produit aussi un vin blanc exquis. Givry fait des rouges nets et plaisants et quelques blancs. Montagny produit des blancs secs, agréables et de qualité.

Le Chalonnais est un gros producteur de Bourgogne à appellation simple rouges et blancs, de Bourgogne-passe-tout-grains et de Bourgogne Aligoté. Tous ces vins doivent se boire jeunes — les blancs au bout de deux ou trois ans. Les rouges ne déclinent pas en prenant un peu de bouteille, mais n'y gagnent pas non plus en qualité.

Champagne

Les vignobles de la Champagne forment la plus septentrionale des grandes régions viticoles françaises. De part et d'autre de la Marne, ces plaines et ces plateaux boisés et crayeux se déploient en pentes douces, à 150 kilomètres environ à l'est de Paris (carte page 84).

Jadis, la Champagne produisait surtout des vins tranquilles, sans doute plus ou moins rouges ou gris, mais, vers la fin du XVIIe siècle, l'utilisation — innovée en Champagne par des bénédictins — des bouteilles en verre et des bouchons de liège hermétiques permit d'emprisonner l'effervescence du vin (page 6). De nos jours, la loi limite l'appellation de Champagne à une zone d'environ 36 450 hectares, située entre la ville de Reims au nord et le cours de la Seine au sud. Les vins rouges ou blancs de cette région qui ne sont pas champagnisés portent l'appellation « Coteaux Champenois », avec parfois un nom de localité — comme le Bouzy, qui est un vin rouge, et qui porte l'appellation ci-dessus mentionnée.

En Champagne, les moyennes annuelles de température dépassant à peine le niveau requis pour la maturation du raisin, le cépage, la localisation du vignoble et la nature du sol jouent un rôle capital. Les seuls raisins noirs utilisés pour le Champagne sont le Pinot noir et le Pinot Meunier, et le raisin blanc est le Chardonnay, cépages de maturation précoce. La plupart des vignobles se trouvent sur des pentes exposées au midi, à peine hors d'atteinte des froids brouillards de rivière. Le sol crayeux emmagasine la chaleur solaire et la réfracte sur les ceps en végétation.

Les moines bénédictins, pionniers de la mise en bouteilles, développèrent et perfectionnèrent aussi l'art d'assembler en vins équilibrés les cuvées de différents cépages et de différents vignobles — art d'où procède de nos jours le caractère spécifique des divers Champagne. Ceux-ci sont commercialisés sous la signature d'environ 150 marques, certaines représentant de vastes entreprises, d'autres de petits récoltants propriétaires d'un seul vignoble. Les meilleurs crus se répartissent en trois régions distinctes: la Montagne de Reims, proche de la ville du même nom; la vallée de la Marne, aux alentours d'Épernay, et la Côte des Blancs, ou Côte d'Avize, au sud de la Marne — seule région plantée principalement de Chardonnay blanc.

L'élaboration du Champagne est sévèrement contrôlée. Les raisins noirs, légèrement plus précoces que les blancs, sont cueillis plus tôt, tout juste mûrs, sinon les pigments des peaux risquent de teinter le jus des grains. On presse rapidement le raisin, sans foulage préalable, dans d'immenses pressoirs, larges et peu profonds, également pour éviter que les pellicules ne colorent le moût.

La première opération particulière au Champagne est la préparation des cuvées. Peu après le Nouvel An, dans chaque propriété, des dégustateurs goûtent les vins nouveaux pour déterminer l'assemblage des crus qui créeront un produit de qualité analogue à celle de leurs Champagne des années précédentes. La plupart des Champagne se font avec des raisins noirs et blancs de différents vignobles, mais certains, dits Blancs de Blancs, sont exclusivement à base de Chardonnay; quelques-uns n'utilisent même que le raisin en provenance d'un seul vignoble.

Pour assurer la continuité d'un certain style, on ajoute généralement à la cuvée un peu de vin des récoltes antérieures. Mais si la vendange, d'une qualité exceptionnelle, promet un vin d'un bouquet et d'un potentiel de vieillissement remarquables, la cuvée garde sa personnalité propre, et le Champagne est alors millésimé. Tout producteur de Champagne est libre de décider quel vin mérite le millésime; il ne le fait jamais à la légère — trois ou quatre fois en dix ans, peut-être —, et tous ne déclarent pas un millésime la même année.

La cuvée étant préparée, commence la seconde fermentation (voir *Méthode champenoise*); elle ne dure que trois mois environ, mais le Champagne, ensuite, pour acquérir toutes ses qualités, ne reposera jamais moins d'un an, selon la législation, et au moins trois ans pour les vins millésimés — dans des caves creusées au plus profond des coteaux calcaires.

La réputation jalousement préservée du Champagne est une garantie de qualité, mais chaque maison élabore et assemble son propre vin, afin de satisfaire les diverses préférences des marchés étrangers. Seuls les Champagne des grandes années portent un millésime sur leur étiquette, et ces vins atteignent rarement la plénitude de leurs qualités avant huit à dix ans d'âge.

Le mot «Crémant» désigne un vin doté d'une moindre effervescence en raison d'une plus faible addition, avant la seconde fermentation, de la liqueur de tirage, qui est une solution de sucre dans du vin de Champagne avec addition de levures, à ne pas confondre avec la «liqueur d'expédition» (voir *Méthode champenoise*). Après dégorgement, une petite quantité de «liqueur d'expédition», mélange du même vin avec du sucre de canne, remplace le vide laissé par l'expulsion du dépôt. L'importance du dosage définit le type souhaité de Champagne. Le «brut» est très sec; il existe un Champagne «brut zéro», tout à fait sec: au dégorgement, il ne reçoit aucune liqueur d'expédition, mais seulement un peu du même vin pour combler le vide du dégorgement. L'«extra-sec» est juste sec; le «sec», paradoxalement, est légèrement doux; le «demi-sec» l'est davantage; le «doux» — rare de nos jours — est très sucré.

Le Champagne rosé, produit en petites quantités, s'obtient soit en ajoutant un peu de vin rouge de coteaux champenois à la cuvée, soit encore par une vinification très attentive en rosé.

Tout Champagne doit se présenter très frais, dans un seau rempli de glaçons et d'eau. Trop glacé, on ne peut en apprécier la délicate complexité; pas assez froid, il perd son charme.

Château

Dans le Bordelais, ce mot désigne simplement un vignoble ou une propriété. Hors du Bordelais, un vignoble situé sur une propriété avec un château prend souvent le nom de ce château.

Chili

Plusieurs facteurs contribuent à faire des vins chiliens les meilleurs de l'Amérique latine: un sol léger et fertile, un climat océanique et tempéré et une irrigation indispensable fournie naturellement et en abondance par les rivières et les fleuves qui dévalent des Andes vers le Pacifique. Comme le Chili a toujours échappé au phylloxéra, les vignes n'ont jamais été greffées. Outre ces avantages naturels, le pays a conservé la haute tradition viti-vinicole des Français qui y plantèrent les meilleures vignes au XIXe siècle. Pour maintenir les normes de qualité, le gouvernement chilien soumet les vignerons et la production du vin à des réglementations particulièrement sévères et rigoureuses.

Les meilleurs vins proviennent des vallées de l'Aconcagua, du Maípo et du Maulé, dans le centre du pays, très influencées par les traditions bordelaises. En effet, les cépages originaires du Bordelais (Cabernet Franc, Merlot et Cabernet-Sauvignon) donnent de bons vins rouges, de loin les meilleurs de l'Amérique du Sud. Les blancs, moins réussis, sont faits surtout avec le Sauvignon, le Sémillon et le Riesling.

La main-d'œuvre étant bon marché au Chili, les vins présentent un rapport qualité/prix très intéressant. Les vins d'exportation doivent titrer un minimum de 12° pour les blancs et de 11,5° pour les rouges et avoir un an au moins. Il y a quatre classes de vins d'exportation, établies en fonction de leur âge: courant (un an), spécial (deux et trois ans), réserve (quatre et cinq ans) et *Gran vino* (six ans ou plus).

Chypre

On fait du vin à Chypre depuis quatre mille ans au moins: Homère en parlait déjà dans ses poèmes épiques et la Bible les mentionne aussi. De nos jours, Chypre est le producteur de vin le plus fructueux de la Méditerranée orientale, avec un important marché intérieur et un commerce d'exportation florissant. Les Chypriotes ont donné à Limassol, port où règnent les négociants en vin, le nom de «Bordeaux de Chypre». La majorité de la production se compose de bons vins courants, blancs et rouges forts et foncés. L'île produit aussi le célèbre *Commandaria*, vin rouge liquoreux de dessert.

Le climat est très chaud et sec mais presque tous les vignobles sont situés sur les contreforts méridionaux des monts Troodos, à l'ouest de l'île, qui attirent la pluie. Les vignes bénéficient d'un ensoleillement total et des températures plus fraîches qui règnent au-dessus des plaines brûlées par le soleil. La mosaïque de petites vignes en terrasses est généralement cultivée par des paysans, qui vendent la majeure partie de leurs raisins aux grands négociants.

Le phylloxéra a toujours épargné Chypre. Pour éviter les risques de contamination par les vignes européennes, les vignerons sont restés fidèles à leurs variétés locales de *vinifera* non greffées. Les trois cépages traditionnels sont le Mavror rouge, le Xynisteri blanc et le Muscat d'Alexandrie, très parfumé. Depuis quelques années, les Chypriotes importent des vignes européennes greffées dans des conditions de quarantaine rigoureuses pour tenter d'améliorer la qualité de leurs vins.

Les rouges chypriotes sont robustes et riches en tanin. Le rosé, appelé *kokkineli*, est en général assez sec, de couleur prononcée, corsé et très alcoolisé.

Les vins blancs, généralement moins bons, ne représentent que le quart de la production de l'île. La chaleur du climat les rend plats, peu acides et les fait vite madériser. Leur qualité s'est cependant améliorée grâce aux nouvelles plantations de vignes européennes et à l'adoption de techniques et de matériel modernes. Leur production se concentre autour de Paphos et de Pitisilia, secteur le plus connu pour le cépage blanc Xynisteri.

Le Commandaria est un vin de dessert que l'on fait à Chypre depuis que les chevaliers templiers en plantèrent le vignoble sur le versant méridional des monts Troodos avec du Mavron et du Xynisteri.

Les raisins sont étalés et séchés au soleil pour en concentrer le sucre. Le vin produit en série n'est rien de plus qu'un vin de dessert agréable, sans grand intérêt. On continue cependant à produire un peu de superbe Commandaria à la manière traditionnelle ; il est en effet souvent élevé selon un procédé analogue au système solera utilisé pour le Xérès *(voir ce mot)*. Un vieux Commandaria a une robe acajou foncé ou ambrée, un degré d'alcool élevé et une saveur puissamment concentrée.

Clos

Correspond généralement au nom d'un cru ou d'une vigne spécifique et délimité qui peut être ou non (ou avoir été) entouré de murs : Clos de la Roche et Clos de Tart sont deux Grands Crus de l'appellation communale Morey-Saint-Denis, dans la Côte de Nuits. Plusieurs propriétaires se partagent parfois le même clos.

Commune

Dans les régions de bons vins, les crus situés sur le territoire d'une commune en prennent généralement le nom comme appellation contrôlée (exemple : Pauillac dans le Médoc).

Corbières voir *Languedoc et Roussillon*

Corse

Les vins de Corse *(carte page 84)*, comme ceux de Provence, reflètent souvent dans leur bouquet les senteurs aromatiques du maquis méditerranéen. Bon nombre de cépages, bien qu'ils portent des noms différents, correspondent aux variétés italiennes classiques. Deux des sept régions vinicoles officielles que compte l'île — Patrimonio et les Coteaux d'Ajaccio — ont droit à l'appellation contrôlée.

La Corse produit surtout des rouges, qui rejoignent parfois les plus beaux Châteauneuf-du-Pape, et des rosés, mais deux des vins les plus fins, produits dans la pointe nord de l'île à Rogliano (cap Corse), sont des blancs : le Clos Nicrosi, vin bien charpenté, sec, nerveux, au goût de terroir, capable d'accompagner les mets habituellement servis avec du vin rouge, et le Muscat, vin moelleux de dessert ou d'apéritif doté d'une grande finesse, dans lequel on décèle les parfums entremêlés des pêches fraîches, des abricots et des amandes vertes.

Côte de Beaune

La Côte de Beaune représente la moitié méridionale du département de la Côte-d'Or. Bien qu'elle produise surtout des rouges comme le Beaune, le Pommard et le Volnay tant prisés, elle tire sa plus grande gloire de ses très grands vins blancs — le Corton-Charlemagne et ceux des communes de Puligny-Montrachet, Chassagne-Montrachet et Meursault. Les vignes qui donnent ces vins poussent sur le sol le plus favorable aux cépages blancs : une base de roche dure couverte d'une fine couche de terre et de marne blanchâtre. Ce type de sol est prédominant dans la partie méridionale de la Côte de Beaune, officieusement appelée Côte des Blancs ou Côte de Meursault. Le cépage Chardonnay est utilisé exclusivement pour les vins blancs. Comme dans la Côte de Nuits, on cultive le Pinot noir pour les vins rouges.

Le goût et le caractère des grands Bourgogne blancs sont difficiles à traduire. Ils n'ont qu'un vague air de famille avec leurs congénères moins racés. Les grands vins sont complexes, corsés, riches mais secs. Ils se caractérisent aussi de façon frappante par leur robe extrêmement pâle dans leur jeunesse, qui fonce et devient miel doré en vieillissant, par leur nez puissant et par leur persistance non seulement en bouche mais aussi dans la senteur qui imprègne encore le verre vide. Pour définir de façon plus précise l'essence des Bourgogne, il faudra peut-être parler de leur texture : il y a une densité dans ce vin, une succulence, une mâche, une nuance d'amandes, de noisettes, de terroir et de truffes.

A l'extrémité la plus septentrionale de la Côte de Beaune, les communes de Ladoix-Serrigny et de Pernand-Vergelesses disposent de vignobles fins qui produisent des vins rouges et blancs. Certains des meilleurs vins de Ladoix-Serrigny et Pernand-Vergelesses sont vendus sous l'étiquette plus célèbre d'Aloxe-Corton. Le nom de Ladoix-Serrigny apparaît rarement sur les bouteilles car le produit ordinaire de cette localité est vendu sous l'appellation plus générale de Côte-de-Beaune-Villages. Pernand-Vergelesses fait des vins rouges et blancs et possède cinq Premiers Crus dont Île des Vergelesses est le plus estimé. Ici encore, les vins rouges plus ordinaires portent souvent sur l'étiquette l'appellation Côte-de-Beaune-Villages.

Aloxe-Corton (à prononcer Alosse) est une terre de Grands Crus. Si l'on met à part le Corton-Charlemagne, la plupart de ses vins sont rouges. En fait, Corton est le seul Grand Cru rouge de la Côte de Beaune ; c'est un vin irrésistible, doté de toute la profondeur et la splendeur des grands vins de la Côte de Nuits.

Quelques vins de Corton proviennent du vignoble Le Corton ; d'autres d'un certain nombre de vignobles qui ajoutent leur nom à celui de Corton : Corton-Clos du Roi, Corton-Bressandes et Corton-Les Chaumes (tous Grands Crus). Certains vignobles ne sont classés comme Grands Crus qu'en partie et comme Premiers Crus pour le reste. Corton-Clos du Roi est ainsi un Grand Cru alors que Aloxe-Corton-Clos du Roi n'est qu'un Premier Cru. Quand Corton est suivi d'une dénomination spécifique sur une étiquette, il s'agit d'un Grand Cru.

Les Grands Crus de Corton-Charlemagne et Charlemagne sont de très grands vins blancs de la Côte de Beaune. A leur maturité, ce sont des vins puissants, d'une fermeté proche de l'acier, avec une profondeur de saveurs. Aloxe-Corton dispose aussi de près de 30 Premiers Crus parmi lesquels les plus réputés sont les Maréchaudes et les Renardes.

Chorey-lès-Beaune n'a aucun vignoble classé. Ses vins, presque tous rouges, sont vendus sous l'appellation communale ou comme Côte-de-Beaune-Villages. Ils doivent se boire assez jeunes.

Savigny-lès-Beaune produit cinq Premiers Crus avec une prédominance de rouges qui peuvent être des vins gracieux — élégants, fragrants et plutôt légers.

Beaune est le plus gros producteur de la Côte-d'Or. Cette charmante vieille ville aux maisons à pignon et aux rues pavées est la capitale des vins de Bourgogne. Tous les ans, en novembre, on y vend aux enchères les vins des Hospices de Beaune. Ils proviennent des vignes de l'hôpital dont beaucoup sont classées Premiers Crus. Les hospices ont également reçu en donation des parcelles de Corton Grands Crus. Les amateurs de grands vins viennent nombreux chaque année et les prix atteignent toujours des niveaux très élevés.

Beaune possède plus de trente Premiers Crus. Elle produit surtout des vins rouges fruités, simples et corsés. Il y a néanmoins des différences nettes de style entre les Premiers Crus les plus fins, qui peuvent être ronds et corsés ou bien légers, élégants et délicats. Les plus remarquables sont les vins pleins et suaves de Grèves et surtout la fraction de cette vigne nommée l'Enfant-Jésus, d'une élégance et d'une finesse exceptionnelles; les Teurons, qui sont des vins robustes; les Fèves dont le vin est encore plus délicat, à l'arôme prononcé; les Bressandes et les rouges et les blancs corsés du Clos des Mouches.

Au sud de Beaune, Pommard a également une profusion de Premiers Crus. On peut cependant déplorer que la célébrité de ces vins à l'étranger ait entraîné les pires abus commerciaux (en partie parce que les noms des crus sont faciles à prononcer et donc à retenir). Il y a quelques années à peine, on vendait étrangement beaucoup plus de Pommard que la commune ne pouvait en produire — et ces vins, souvent lourds et capiteux, faisaient une mauvaise réputation aux Bourgogne. Grâce à des lois d'appellation plus strictes, la situation s'est heureusement améliorée. Le vrai Pommard est ferme, de couleur foncée, avec un carac-

tère marqué. Les Epenots et les Rugiens font partie des meilleurs crus.

Volnay, dernière grande commune productrice de vins rouges de la Côte de Beaune, produit les vins rouges les plus élégants et dentelés. Suaves, fragrants et ronds, ses vins arrivent à maturité plus vite que la plupart des Bourgogne rouges. Sur la quinzaine de Premiers Grands Crus dont elle dispose, les Caillerets, les Champans, les Chevrets et le Clos des Ducs sont considérés comme les meilleurs.

Monthélie n'est pas une commune très connue. Elle fait pourtant d'excellents vins rouges et très peu de blancs. Elle dispose d'une dizaine de Premiers Crus relativement peu coûteux et de bonne qualité.

Auxey-Duresses est une autre agglomération moins connue aux vins relativement bon marché. Récemment, sept de ses vignobles ont été classés Premiers Crus. Ses vins blancs ressemblent aux Meursault. A leur apogée, ils sont charmants quand on les boit jeunes et vieillissent bien.

Meursault est l'un des plus grands Bourgogne blancs. Par rapport à ceux de Puligny-Montrachet, Chassagne-Montrachet et Corton-Charlemagne, le Meursault est le plus rond et le plus moelleux. On dit souvent que c'est un vin féminin. Sec mais sans excès, il est charnu, avec un goût de noisette. Assez curieusement, aucun vignoble de Meursault n'est classé comme Grand Cru bien que sa quinzaine de Premiers Crus soit remarquable et d'une qualité constante. Les vins les plus estimés sont les Perrières, les Charmes, les Genevrières, la Goutte d'Or et le Porusot.

Blagny n'est qu'un hameau situé au sud-est de Meursault. Il produit un vin blanc de caractère analogue, vendu sous l'appellation Meursault-Blagny ou Blagny. Le hameau compte trois Premiers Crus.

Le vignoble du Montrachet, le grand Bourgogne blanc, s'étend en partie sur la commune de Puligny-Montrachet et en partie sur celle de Chassagne-Montrachet. Ici, toutes les conditions sont réunies pour créer ce nectar mystérieux, ce vin somptueusement grand. Les mots, les éloges, les analogies dont on le couvre depuis deux siècles sont parfaitement mérités. Ce vin possède tout ce que l'on recherche dans un grand Bourgogne blanc, et même davantage. Sa plénitude entière, la grande intensité de ses

saveurs et sa longueur en bouche dépassent toutes les espérances.

En tout, il y a cinq Grands Crus : Montrachet, Chevalier-Montrachet, Bâtard-Montrachet, Bienvenues-Bâtard-Montrachet et Criots-Bâtard-Montrachet, qui totalisent 30 hectares seulement de précieux vignobles. Le Chevalier-Montrachet est au moins aussi fin que le Montrachet lui-même. Les quatre autres peuvent également être des vins absolument splendides — notamment le Bâtard-Montrachet, dont le vignoble appartient aux deux communes. Les Chevalier-Montrachet et Bienvenues-Bâtard-Montrachet appartiennent à Puligny et Criots-Bâtard-Montrachet à Chassagne.

Les deux communes produisent également 23 Premiers Crus en tête desquels on place généralement les Combettes, les Pucelles, les Caillerets et les Folatières. Chassagne fait des vins rouges peu corsés d'une grande élégance.

La grandeur de la Côte-d'Or se termine au sud de Chassagne-Montrachet, bien que les quatre communes suivantes (Santenay, Cheilly-les-Maranges, Dezize-les-Maranges et Sampigny-les-Maranges) produisent de nombreux vins oscillant entre la simple honnêteté et l'excellence.

Côte de Nuits

A de rares exceptions près, la Côte de Nuits ne produit que des vins rouges. Son sol, riche en minéraux, se compose d'argile et de craie. Tous les climats sont exposés au sud-est et reçoivent les rayons du soleil levant. Le cépage local est le noble Pinot noir. Le tiers environ de la production, extrêmement variable selon le temps et les années, est vendu sur place; un dixième est conservé par les vignerons pour leur réserve personnelle, ce qui en laisse un peu plus de la moitié pour la consommation nationale et les exportations.

Malgré des différences considérables de robe, de bouquet, de goût, de structure et de longévité, tous les vins de la Côte de Nuits ont un air de famille. Vingt-trois sont classés comme Grands Crus et plus de 120 comme Premiers Crus.

Sept appellations communales se partagent la Côte de Nuits: du nord au sud, Fixin, Gevrey-Chambertin, Morey-Saint-Denis, Chambolle-Musigny, Vougeot, Vosne-Romanée et Nuits-Saint-Georges.

Fixin compte six Premiers Crus, dont le «Clos de la Perrière» et le «Clos du Chapitre» sont les plus connus.

Gevrey-Chambertin, elle, possède neuf Grands Crus avec, en tête de liste, «Chambertin» et «Chambertin-Clos de Bèze». Malheureusement pour les amateurs de vin, ces climats ne couvrent qu'une superficie de 13,5 et 15 hectares, respectivement, à raison d'un maximum de 30 hectolitres produit par hectare, et se partagent entre près de 30 propriétaires-récoltants. Les sept autres Grands Crus sont «Latricières-Chambertin», «Charmes-Chambertin», «Mazoyè-res-Chambertin» (souvent vendu sous l'appellation «Charmes-Chambertin»), «Mazis-Chambertin», «Ruchottes-Chambertin», «Chapelle-Chambertin» et, pour finir, «Griotte-Chambertin».

Parmi les remarquables Gevrey-Chambertin Premiers Crus, «Clos Saint-Jacques» et «Varoilles» sont estimés comme égalant les Grands Crus.

La commune de Morey-Saint-Denis dispose de cinq Grands Crus: «Clos de la Roche», «Clos Saint-Denis», «Clos de Tart», «Clos des Lambrays» et une partie du climat «Les Bonnes Mares», dont le reste appartient à Chambolle-Musigny. Elle compte également 25 Premiers Crus, qui se vendent à des prix souvent intéressants pour leur belle qualité et méritent d'être recherchés. Elle produit également un grand vin blanc, à base de Pinot blanc, dans le climat des «Monts-Luisants».

Chambolle-Musigny possède deux Grands Crus: Les Bonnes Mares (en partie) et Le Musigny, incomparable climat d'une dizaine d'hectares. Si Chambertin symbolise une grandeur virile, Musigny incarne l'élégance, la dentelle et la limpidité. Sur sa vingtaine de Premiers Crus, certains sont de pures merveilles — surtout les délicieusement nommés «Les Amoureuses» et «Les Charmes». La commune produit une petite quantité de Musigny blanc à partir de Chardonnay d'une grande finesse.

Vougeot a un Grand Cru, le «Clos-Vougeot», originaire des célèbres vignes de 50 hectares qui entourent le Château de Vougeot et sont elles-mêmes enceintes d'un mur de pierre. Ce vaste climat, qui est le plus grand producteur de Grand Cru de toute la Bourgogne, appartient à environ 80 propriétaires-récoltants et négociants qui vendent chacun leur vin sous leur propre étiquette, avec toutes les différences de style et de personnalité qui en découlent. Le «Clos de Vougeot» peut être un très grand vin. Les vignobles situés hors des murs, sur 13 hectares, produisent trois Premiers Crus dont le «Clos Blanc de Vougeot», à base de Chardonnay, qui est un blanc très fin.

Flagey-Échezeaux est une anomalie. En effet, bien que cette commune produise deux Grands Crus (Grands-Échezeaux et Échezeaux), la législation place ses vins sous l'appellation Vosne-Romanée (la commune voisine). Les Grands Crus ne portent jamais le nom de la commune de production sur leur étiquette.

Vosne-Romanée est souvent considérée comme le sommet des Bourgogne. Son premier Grand Cru, «La Romanée-Conti», est un vin au caractère et à la stature immenses; bien des amateurs placent au même niveau de splendeur «La Tâche» .et «Le Richebourg», qui lui succèdent immédiatement. Avec les deux autres Grands Crus «La Romanée» et «La Romanée-Saint-Vivant», les vins de Vosne atteignent un équilibre parfait: caractère et souplesse veloutée, vigueur et finesse, opulence et

Grands Crus de la Côte-d'Or (du nord au sud)

Côte de Nuits

Gevrey-Chambertin:
Chambertin-Clos de Bèze
Chambertin
Charmes-Chambertin
Mazoyères-Chambertin
Chapelle-Chambertin
Griotte-Chambertin
Latricières-Chambertin
Mazis-Chambertin
Ruchottes-Chambertin

Morey-Saint-Denis:
Bonnes Mares (une partie)
Clos de la Roche
Clos Saint-Denis
Clos de Tart
Clos des Lambrays

Chambolle-Musigny:
Musigny
Bonnes Mares (une partie)

Vougeot:
Clos Vougeot, ou de Vougeot

Vosne-Romanée:
La Romanée-Conti
La Tâche
La Romanée-Saint-Vivant
Grands-Échezeaux
Échezeaux
Richebourg
La Romanée

Côte de Beaune

Aloxe-Corton:
Corton (une partie sur Ladoix)
Corton-Charlemagne (des parties sur Ladoix et Pernand-Vergelesses)

Puligny-Montrachet:
Montrachet (une partie)
Chevalier-Montrachet
Bâtard-Montrachet (une partie)
Bienvenue-Bâtard-Montrachet

Chassagne-Montrachet:
Montrachet (une partie)
Bâtard-Montrachet (une partie)
Criots-Bâtard-Montrachet

délicatesse dans une profusion extraordinaire d'épices, de senteurs et de saveurs.

Comme les climats sont minuscules, ces crus sont malheureusement aussi rares que chers. « La Romanée-Conti » et « La Tâche » sont les monopoles à propriété exclusive du Domaine de La Romanée-Conti, qui possède en outre des parcelles dans les climats « Le Richebourg », « Échezeaux » et « Grands-Échezeaux ». Il se charge également de la vinification des célèbres vignes de « La Romanée Saint-Vivant » des héritiers Marey-Monge.

Vosne-Romanée produit en outre dix Premiers Crus qui possèdent aussi certaines des caractéristiques les plus resplendissantes de la commune.

A l'extrémité sud de la côte à laquelle elle donne son nom, la commune de Nuits-Saint-Georges dispose de quelques superbes climats qui produisent une quarantaine de Premiers Crus. Ses vins sont généralement pleins, très parfumés et vieillissent bien. « Les Saint-Georges », « Les Vaucrains », « Les Cailles », « Les Porrets » (ou « Porets ») et « Les Pruliers » figurent au nombre des plus estimés. La commune produit aussi un Premier Cru blanc fin, « La Perrière » ou « Les Perrières », à base de Pinot blanc. L'arrière-pays, où les coteaux bénéficient d'une exposition moins favorable, produit quelques bons vins rouges et rosés sous l'appellation générique de « Bourgogne-Hautes Côtes de Nuits ».

Côte-d'Or

Cœur de la Bourgogne, la Côte-d'Or prend l'aspect d'une extraordinaire concentration de parcelles exceptionnellement favorisées par la nature pour produire les meilleurs des vins. Son sol crayeux regorge de minéraux et les pentes douces des versants de ses collines suivent une inclinaison idéale pour profiter de tous les avantages du soleil. Un pas de plus au nord et les vins ne pourraient pas atteindre toute leur puissance ; un pas de plus au sud et ils perdraient leur élégance et leur finesse. Les deux lignes de collines austères divisées en Côte de Nuits et en Côte de Beaune s'étendent sur 50 kilomètres entre Dijon et Santenay *(carte page 88)*. Elles disposent de 27 appellations communales et d'une trentaine de Grands Crus *(voir encadrés ci-contre et page précédente)*.

Appellations communales

Côte de Nuits
Fixin
Gevrey-Chambertin
Morey-Saint-Denis
Chambolle-Musigny
Vougeot
Vosne-Romanée
Nuits-Saint-Georges

Côte de Beaune
Pernand-Vergelesses
Ladoix
Aloxe-Corton
Chorey-lès-Beaune
Savigny-lès-Beaune
Beaune et Côte de Beaune
Pommard
Volnay
Monthélie
Saint-Romain
Auxey-Duresses
Saint-Aubin
Meursault
Blagny
Puligny-Montrachet
Chassagne-Montrachet
Santenay
Dezize-lès-Maranges
Sampigny-lès-Maranges
Cheilly-lès-Maranges

Côtes de Bordeaux-Saint-Macaire
Secteur et appellation du Bordelais, sur la rive droite de la Garonne, situé à la limite orientale des Premières Côtes de Bordeaux *(carte page 85)*, produisant des vins blancs moelleux. Les vins rouges prennent l'appellation Bordeaux ou Bordeaux supérieur.

Côtes-de-Bourg voir *Bourgeais*

Côtes du Rhône
Les vignobles des Côtes du Rhône sont probablement les plus anciens de France. Ils donnent des rouges, des blancs et des rosés très variés, dont certains — Châteauneuf-du-Pape, Hermitage, Côte-Rôtie — figurent, avec les Bordeaux et les Bourgogne, parmi les plus grands vins français.

Le Rhône, qui prend sa source en Suisse, dans le même glacier que le Rhin, traverse les Alpes vers l'ouest, jusqu'à Lyon, puis coule ensuite vers le sud, parcourant 306 kilomètres avant de se jeter dans la Méditerranée. Les vignobles des Côtes du Rhône s'étirent le long de l'étroite vallée formée par le fleuve, entre la chaîne montagneuse du Massif central et les Alpes. De Vienne à Avignon, ils couvrent 225 kilomètres et se divisent en deux zones bien distinctes *(carte page 87)*.

Dans la partie septentrionale, de Vienne à Valence, les vignes longent le fleuve de très près, s'accrochant aux terrasses granitiques escarpées, baignées de soleil. Au sud, les vignobles commencent au-dessus d'Orange et s'étagent sur de vastes terrasses ensoleillées, entourés des oliveraies et des coteaux parfumés de Provence. Bien que le granit prédomine dans cette région, le sol est plus diversifié au sud, où il peut être sablonneux, crayeux ou alluvial. Bon nombre de vignobles méridionaux, à Châteauneuf-du-Pape notamment, sont jonchés de gros cailloux lisses qui emmagasinent la chaleur du soleil le jour et la restituent au sol la nuit, par la face inférieure, ce qui protège des gelées de printemps et aide à une parfaite maturation du raisin.

Dans la vallée du Rhône, les étés sont longs et plutôt chauds ; malgré cela, la qualité des millésimes varie en fonction des pluies irrégulières et du célèbre mistral, qui balaie la vallée du nord au sud et dessèche parfois le raisin. Pour protéger les vignes de ce vent fréquent, on les taille très courtes et basses.

Lorsque l'on décrit les vins des Côtes du Rhône, les mêmes adjectifs reviennent souvent : vigoureux, de forte personnalité — qualités imputables, d'une part, au sol pierreux, granitique, et aux étés chauds et secs et, d'autre part, aux cépages et aux méthodes vinicoles utilisées.

Au nord de la vallée du Rhône, le principal raisin rouge est la Syrah, qui donne des vins corsés, robustes, dotés d'une bonne longévité et d'un bouquet intense, tels les meilleurs rouges de ce secteur — Côte-Rôtie, Hermitage, Cornas et Saint-Joseph. Le raisin rouge le plus cultivé dans le sud des Côtes du Rhône est le Grenache, cépage utilisé pour les vins portant les appellations générales des Côtes-du-Rhône et, en mélange avec d'autres cépages, pour le Châteauneuf-du-Pape.

Le Viognier, cultivé uniquement dans la région de Condrieu, au sud de Vienne, figure parmi les cépages blancs nobles; il donne le vin blanc de Condrieu, très prisé, et l'exceptionnel Château Grillet, et entre dans la vinification des rouges de la Côte Rôtie, dans la même région. Le cépage Viognier, petit et délicat, a un rendement modeste. Un bouquet très parfumé caractérise le vin issu de ce cépage. Le Marsanne et le Roussanne sont utilisés pour les blancs plus robustes d'Hermitage, de Crozes-Hermitage et de Saint-Joseph. On cultive le Muscat à Beaumes-de-Venise, qui produit un vin de dessert moelleux, parfois viné, doté d'un remarquable bouquet et d'une saveur bien fruitée.

La vallée du Rhône en son entier produit plus d'un million et demi d'hectolitres de vin par an. Hormis une assez faible proportion de la récolte la quantité restante porte l'appellation Côtes-du-Rhône, suivie ou non du nom d'une région ou d'une commune. L'appellation contrôlée Côtes-du-Rhône-Villages est réservée à quatorze communes environ. Les meilleurs vins du Rhône sont désignés par des appellations distinctes, les plus estimés étant, pour le nord des Côtes du Rhône, le Côte-Rôtie, le Condrieu, le Château Grillet, l'Hermitage, le Saint-Joseph et le Cornas, et pour le sud le Châteauneuf-du-Pape.

Au sud de Vienne, les vignobles de la Côte Rôtie se trouvent à l'extrême nord des Côtes du Rhône. Les vins ont une grande distinction, un bouquet floral intense et une belle couleur. Pour leur conférer de la finesse, le cépage Viognier y est utilisé en petites quantités (généralement moins de 10%), avec la Syrah.

A Condrieu, les vins se reconnaissent à leur bouquet, au goût d'amandes fraîches et de pêches. A proximité de cette commune, le minuscule vignoble de Château Grillet possède sa propre appellation pour un vin

blanc rarissime, fait en petites quantités à partir du cépage Viognier.

La région de l'Hermitage produit des vins réputés, nobles et vigoureux. Ils vieillissent bien, devenant plus souples et plus fins avec l'âge. L'Hermitage rouge exige un certain temps pour évoluer; les bons millésimes demandent parfois une quinzaine d'années pour s'épanouir pleinement et peuvent vivre jusqu'à quarante ans. Les Hermitage blancs, à la robe dorée, sont secs et fruités, avec une structure solide et un bouquet caractéristique. Les vins provenant des vignobles voisins de Crozes-Hermitage peuvent être corsés, quoique moins distingués et plus rustiques que l'Hermitage. Les vins de Saint-Joseph, rouges ou blancs, sont légers quoique somptueux et empreints d'une grande pureté.

A Cornas, les vignes poussent sur un coteau abrupt, abrité du mistral, où le soleil « cuit » la terre (Cornas est un mot celte qui signifie « terre brûlée ») et où le raisin mûrit de bonne heure. Le vin est très foncé — presque noir dans sa jeunesse — et mérite de vieillir longtemps. Comme bon nombre d'autres rouges fins, il est dur lorsqu'il est jeune, mais s'assouplit par la suite.

La Clairette de Die, vin blanc mousseux, provient d'une parcelle isolée de vignobles, située à l'est, sur la Drôme, un des affluents du Rhône; un autre blanc mousseux est aussi vinifié à Saint-Péray, au sud des vignobles de Cornas.

Le Châteauneuf-du-Pape est le plus réputé des vins produits dans la partie méridionale des Côtes du Rhône. Les vastes vignobles, créés au XIVe siècle par les papes d'Avignon, sont situés à côté et en dessous du château des Papes. Ils couvrent près de 3 000 hectares environ et produisent en moyenne 90 000 hectolitres de vin par an.

La qualité des vins produits dans cette région vinicole étendue varie en fonction des méthodes de vinification et des cépages sélectionnés par les vignerons. Le Châteauneuf-du-Pape rouge, pour sa part, se caractérise par une belle couleur soutenue, de la chair et un bouquet rappelant la venaison. La plupart des producteurs emploient six ou sept des treize cépages autorisés par la législation: Grenache, Cinsault, Syrah, Vaccarèse, Muscardin, Terret noir, Counoise, Mourvèdre, Clairette, Bourboulenc, Roussanne, Picardin, Picpoule. En géné-

ral, le Châteauneuf-du-Pape se boit au bout de quatre à cinq ans d'âge mais, s'il s'agit d'une bonne année, il demande parfois quinze ans avant d'atteindre son apogée. On produit aussi une petite quantité de vins blancs également d'appellation Châteauneuf.

Parmi les autres appellations originaires du sud des Côtes du Rhône, Gigondas est un vin plus rustique, plus mordant que le Châteauneuf, avec moins de finesse.

A Tavel, on produit des vins obligatoirement rosés pour avoir l'appellation, au fruité franc, avec surtout du Grenache. Lirac, agglomération proche de Tavel, produit aussi un rosé corsé, ainsi que des vins rouges et blancs.

Crémant

Terme qui s'applique aux vins traités par la méthode champenoise (voir ce mot), mais qui reçoivent une moindre quantité de liqueur de tirage pour créer une mousse plus légère que la norme. A ne pas confondre avec « Cramant », commune champenoise du secteur d'Épernay dans la Côte des blancs; le « Crémant de Cramant » est un Champagne crémant, blanc de blancs, dont les raisins viennent exclusivement de la commune de Cramant.

Croisement

Terme utilisé en viticulture pour désigner le résultat du croisement (ou métissage) d'un cépage de l'espèce vitis vinifera (page 5) avec un autre cépage de la même espèce (voir Hybride).

Cru

Désigne le terroir et le vin d'un vignoble ou d'un domaine. Ce terme a une connotation de qualité, car la production plus ordinaire est généralement assemblée avec celle d'autres vignobles et ne conserve pas son identité propre.

Cuvaison

Stade de la vinification classique des vins rouges. On fait fermenter les raisins foulés ou écrasés — peau, pulpe et jus, avec ou sans les rafles — dans des cuves. Après cette fermentation, on les laisse macérer. Le jus absorbe alors du tanin supplémentaire, ainsi que des sels minéraux, au contact prolongé des peaux et, éventuellement, des rafles. L'épaisseur des peaux et la teneur en tanin diffèrent non seulement d'un cépage à l'autre mais également d'une année sur l'autre, selon les conditions climatiques (ensoleillement et pluviosité) dont ont bénéficié les vignes. L'art de la vinification exige une totale maîtrise de la durée de cuvaison, extrêmement variable selon les années, que seule une longue expérience peut enseigner.

Denominação de origem voir *Portugal*; *Législation du vin*

Denominación de origen voir *Espagne*; *Législation du vin*

Denominazione d'origine controllata voir *Italie*; *Législation du vin*

Domaine

Propriété foncière viticole. Un domaine appartenant à un seul viticulteur peut regrouper plusieurs appellations. Le domaine de La Romanée-Conti possède ainsi les diverses appellations de Côte de Nuits suivantes: Romanée-Conti, La Tâche et, en partie, Grands-Échezeaux, Échezeaux, Richebourg, La Romanée-Saint-Vivant et celle de Montrachet.

Égrappage

Dans la vinification de certains vins — surtout les rouges — les grains de raisin sont séparés de leur rafle, avant fermentation, afin d'éliminer le tanin des rafles; on dit aussi, «érafler», terme plus exact, puisqu'il s'agit de débarrasser les grains de raisin de toutes les rafles.

Eiswein (vin de glace)

C'est un vin fait avec des raisins que l'on a cueillis gelés sur les vignes et pressés avant qu'ils aient dégelé. Une partie de leur teneur en eau est éliminée sous forme de cristaux de glace. Le moût est donc plus concentré que la normale et donne un vin doux, rare, riche... et cher.

Entre-deux-Mers

C'est la plus grande région viticole du Bordelais. Elle doit son nom à sa situation géographique, entre la Dordogne et la Garonne *(carte page 85)*. Elle produisait autrefois des vins blancs moelleux. Récemment, les viticulteurs ont planté du Sauvi-gon et vinifient le plus souvent en vin sec, agréable avec des fruits de mer.

Seuls les blancs ont droit à l'appellation Entre-deux-Mers. Les rouges de la région sont vendus sous le nom de Bordeaux ou de Bordeaux supérieur.

Espagne

L'Espagne est le troisième producteur mondial de vin, derrière la France et l'Italie. La plaine centrale fournit la majorité de sa production sous forme de vin courant. Plusieurs régions produisent aussi des vins plus fins de différents types — sans oublier le Xérès des vignobles de Jerez (voir *Xérès*).

La législation des vins adoptée en 1970 a permis de relever les normes de qualité dans tout le pays et de généraliser les méthodes de vinification moderne, avec la garantie de *denominación de origen*. Tout en délimitant les régions, les autorités encouragent la modernisation des grandes coopératives qui produisent les *vinos corrientes* (vins courants).

Les vins les plus connus proviennent de la région de Rioja, dans le nord du pays, qui tire parti à la fois d'un climat moins ingrat que celui, étouffant, du plateau central, et de sa situation géographique — la France est à moins de 160 kilomètres *(carte page 83)*. Vers 1880, les vignerons bordelais franchirent la frontière pour fuir le *phylloxera vastatrix (page 7)* et s'installèrent à Rioja. La maladie finit par atteindre l'Espagne et les Français traversèrent à nouveau la frontière, laissant derrière eux leurs traditions de vinification.

Autrefois, les Rioja blancs séjournaient si longtemps en fûts qu'ils madérisaient avant la mise en bouteilles. Depuis, le contrôle des températures de fermentation et une mise en bouteilles plus précoce permettent la production de vins frais, nerveux et vifs. Les meilleurs Rioja rouges sont ronds, fruités, bien charpentés, avec une acidité équilibrée, et de couleur plus légère que les autres vins espagnols. Ils présentent parfois un aspect tuilé dû au long vieillissement en fût. Rioja produit aussi des *claretes*, rouges légers, peu acides, et des rosés plaisants.

Situés sur les deux rives de l'Ebre, les 45 000 hectares de vignobles de Rioja, souvent morcelés en petites vignes, sont disséminés entre des champs de légumes et de blé. Les meilleurs se trouvent à 450 mètres d'altitude, sur ce terroir montagneux. La capitale commerciale du Rioja est Logroño.

Les principaux types de sol se composent d'argile calcaire — considérée par certains œnologues espagnols comme idéale pour la viticulture —, d'argile ferrugineuse et de vase alluviale. Le climat convient bien à la viticulture: une bonne pluviosité, des printemps et des automnes doux, des étés à la fois assez chauds pour faire mûrir les raisins et assez brefs pour ne pas les sécher, et des hivers relativement cléments.

La région comprend trois divisions: Rioja Alta, au sud-ouest, au sol argileux et alluvial, et Rioja Alavesa, au nord-ouest, aux vignes plantées sur un sol d'argile calcaire, fournissant les meilleurs vins de la région; enfin, Rioja Baja, à l'est, au climat plus chaud et plus sec, donc moins propice aux vins de qualité.

Le principal cépage du Rioja est le Tempranillo, qui confère un bon équilibre en acide. Le Garnacha (Grenache) augmente la teneur en alcool; le Graciano apporte fraîcheur et arôme et le Mazuelo donne le tanin qui garantit la longévité.

La majorité des bons négociants cultivent et récoltent eux-mêmes 40 % environ des raisins, et pour le reste procèdent à une sélection soignée chez des vignerons indépendants rigoureusement supervisés. D'autres s'approvisionnent sur le marché libre, et certains achètent aux coopératives du vin en vrac, qu'ils assemblent et élèvent.

La plupart des Rioja sont des assemblages. Le millésime de l'étiquette correspond à celui du vin prédominant. Toutefois, certains *Reservas* de qualité élevée se composent de vins provenant du même millésime, produits lors d'une année exceptionnelle. Pour avoir droit de porter la mention *Reserva*, un Rioja doit avoir vieilli six ans au moins dans une *bodega* (entreprise vinicole), alors qu'un *Gran Reserva* doit avoir vieilli huit ans au moins. À Quintanilla, le vin rouge de Vega Sicilia est très réputé.

Le secteur de Panadés, en Catalogne, possède une longue tradition vinicole. Certains Panadés font des vins très fins, et la variété est plus grande que dans le reste de l'Espagne: rouges, blancs, rosés, mousseux et vins de dessert.

Le climat est tempéré, avec une bonne pluviosité, et le sol crayeux donne de la inesse aux vins. Plus chaude, la zone côtière de Baja Panadés produit de bons vins rouges de cépages Cariñena (Carignan), Garnacha et Tempranillo. Les vignobles d'altitude de Alto Panadés, au climat plus frais, sont essentiellement plantés de Perelada. Les vins, légers, délicats et aromatiques, comptent parmi les meilleurs vins blancs espagnols.

Au sud de Panadés, les vignobles de Tarragone produisent le Tarragona Classico, vin viné selon le système solera (voir Xérès). A Priorato, on fait des vins rouges caractéristiques à base de Carignan et de Grenache, astringents et très alcoolisés, colorés et corsés.

Au nord de Panadés, Alella, l'une des plus petites régions vinicoles d'Espagne, produit et exporte des vins blancs secs, vifs et légers, ainsi que des vins moelleux.

Les vins des autres régions d'appellation ne s'exportent pas. La région de Navarre, contiguë aux vignobles du Rioja, produit des rouges et des blancs courants, certains étant de très bonne qualité.

La région vinicole la plus productrice d'Espagne, la Manche, immense plaine qui s'étend au sud-est de Madrid et qui couvre le centre de la péninsule, regroupe les appellations suivantes : Mentrida, Mancha, Manchuela et Valdepeñas.

Le sous-sol se compose ici d'un mélange de gravier, de craie et d'argile. Le climat sec et chaud produit des vins, surtout des rouges, qui sont puissants mais plus faciles à boire jeunes et frais.

A l'est de la Manche, le Levant, seconde région de grande production d'Espagne, comprend la côte fertile du littoral méditerranéen et l'arrière-pays montagneux. La région produit des vins rouges, des blancs secs, et aussi — avec du Moscatel et du Malvasia — des vins ambrés et moelleux.

A l'ouest de la Manche, l'Estrémadure, située en bordure du Portugal et qui descend dans le sud de l'Espagne, produit beaucoup de vins rouges et blancs sans aucune appellation.

L'Andalousie, dans le sud, est réputée pour ses vignobles de Xérès de la région de Jerez, mais aussi pour les excellents vins de Montilla (très proches du Xérès), pour le vin liquoreux de Malaga et pour les rouges et les blancs courants de Huelva, à l'ouest.

Concentrés autour des villes de Montilla et de Moriles, les vignobles de Montilla couvrent 160 kilomètres dans la province de Cordoue, en partant de Jerez. Ils ont le même sol crayeux que Jerez, mais ici le climat encore plus chaud produit des vins naturellement très puissants. En Espagne, on les apprécie surtout lorsqu'ils ne sont pas vinés, ce qui est parfois le cas lorsqu'on les destine à l'exportation.

Le Malaga est un vin à base de raisins blancs — principalement Moscatel et Pedro Ximénes, parfois passerillés, et cultivés sur les collines derrière le port de Malaga — mais de couleur ambre sombre. Naturellement liquoreux, certains sont élevés selon le système solera. Pour avoir droit à la *denominación de origen*, ils doivent vieillir selon des conditions réglementaires dans l'une des grandes *bodegas* de la ville.

Les îles espagnoles produisent toutes des petits vins courants, plaisants à boire sur place ; ils ne sont pas exportés.

États-Unis

Avec 13 millions d'hectolitres de vin en 1980, les États-Unis d'Amérique se classent au deuxième rang des producteurs non européens, après l'Argentine. La Californie, le plus important État vinicole, possède quelques vins de grande qualité.

On a fait du vin dans ce pays dès l'arrivée des premiers colons européens, mais ce ne fut pas sans peine. Sur la côte est, les tentatives d'implantation de la vigne européenne connurent une série d'échecs ; la *vitis vinifera* succomba aussitôt aux attaques du phylloxéra *(page 7)*, auquel les espèces sauvages américaines étaient résistantes et, pendant deux siècles — jusqu'à son arrivée en Europe —, on ne sut déceler dans la présence de ce minuscule ennemi la cause des dévastations.

Sur la côte ouest, au début, les choses se passèrent mieux. Au XVIIe siècle, des missionnaires espagnols avaient introduit la *vinifera* au Mexique et, plus tard, en Californie ; grâce au climat et à l'absence du phylloxéra dans cette partie du continent, les vignes prospérèrent, et le vin moelleux des Missions, produit à l'origine comme vin de messe, resta en faveur pendant presque tout le XIXe siècle.

A partir du milieu du siècle, nombre de cépages européens furent introduits en Californie, mais le phylloxéra apparut en 1870 et ravagea les vignobles. On ne put les reconstituer, comme en Europe, que par le greffage des plants. Par la suite, la production vinicole fit de grands progrès. Puis, en 1918, un amendement de la Constitution interdit aux Américains de consommer de l'alcool, sauf à des fins médicinales ou religieuses. La prohibition, jusqu'en 1933, devait empêcher les Américains de cultiver leur appréciation du vin chez eux.

La seconde moitié du XXe siècle marque la plus active période d'amélioration des vins nord-américains. La Californie se mit à produire du vin dès l'abolition de la prohibition, mais le goût des vins de qualité ne se généralisa vraiment qu'après la Seconde Guerre mondiale. Au cours des années 1960, on planta en Californie d'innombrables vignobles nouveaux et, durant les années 1970, la production vinicole, à partir de cépages de *vinifera*, s'étendit aux États voisins du nord-ouest (Washington, Oregon, Idaho) et, à une échelle plus modeste, à d'autres États du pays tout entier.

La Californie est le centre de production des vins fins américains. Elle bénéficie d'un climat et d'un sol propices, d'un public de connaisseurs et de vignerons visiblement passionnés de leur métier.

Les meilleurs vins sont commercialisés sous le nom d'un seul cépage. La loi stipule en effet que 51 % au moins du contenu de la bouteille doit provenir de ce cépage, mais les vignerons sérieux s'imposent une proportion de 100 % à moins qu'un apport d'autres cépages ne doive améliorer le vin. La plupart des producteurs vinifient différents vins, nés d'une demi-douzaine environ de cépages différents.

La Californie a bâti en grande partie sa réputation sur ses vins blancs de Chardonnay et ses rouges de Cabernet-Sauvignon. Parmi les autres cépages blancs cultivés avec succès, on trouve le Pinot blanc, le Riesling et le Sauvignon. Récemment, les Riesling et les Gewurztraminer atteints de *botrytis (page 16)* ont donné des résultats tout à fait satisfaisants.

Parmi les cépages noirs autres que le Cabernet-Sauvignon, il y a le Gamay (du Beaujolais), ainsi qu'un cépage nommé Gamay-Beaujolais, qui n'est pas un Gamay, la Syrah du Rhône et un autre, longtemps confondu avec lui, d'origine inconnue, appelé Petit Syrah. Ces deux cépages donnent des vins tanniques, qui vieillissent bien. Le Pinot noir, cépage noble de la Côte-d'Or, est moins souvent cultivé avec succès.

Le Zinfandel, qui ne domine qu'en Californie, produit une étonnante gamme de vins exubérants et épicés: il existe des Zinfandel légers, qui se boivent en primeur; d'autres, denses et tanniques, de bonne garde; d'autres encore, liquoreux, d'une teneur alcoolique de 16 à 17°, qui se font avec des raisins de vendange tardive, passerillés et desséchés au soleil.

On cultive la vigne dans toute la Californie, mais des variations de climat privilégient certaines zones *(carte page 80)*.

Une série de chaînes montagneuses parallèles à la côte créent une suite de microclimats, depuis la fraîche bande côtière jusqu'à l'intérieur brûlant. Les microclimats plus frais de la partie nord de l'État produisent tous les meilleurs vins.

C'est dans la vallée de Napa, comté de Napa, au nord de San Francisco, que se rencontre la plus forte densité de grands noms californiens.

Longue de 40 kilomètres, cette vallée voit son climat tempéré par l'influence de l'océan Pacifique, par la baie de San Francisco, qui jouxte la partie sud du comté et en rafraîchit le climat, éminemment favorable à la culture du raisin blanc; en revanche, les zones plus chaudes du nord conviennent mieux aux cépages noirs. La répartition des cépages n'est cependant pas parfaitement rationnelle, et il reste encore à adapter tel cépage à tel sol ou microclimat. Les sols sont variés, alluviaux ou volcaniques, mais les terrains calcaires très rares.

Quelques établissements vinicoles de la vallée de Napa datent du XIXe siècle, et certains maintinrent leur activité pendant la prohibition, en faisant du vin de messe. Beaucoup plus nombreux sont ceux, créés dans les années 1960 et 1970, qui ont pris un très rapide essor.

Bon nombre de producteurs vinifient des raisins provenant de différentes régions de Californie. D'autres n'emploient que leur propre raisin ou celui de vignobles sélectionnés de Napa, et mettent en œuvre tout leur art et leur technologie pour produire des vins de la meilleure qualité possible.

Beaucoup de ceux qui achètent leur raisin ailleurs exigent d'avoir un droit de regard sur la culture de la vigne, et vont jusqu'à imposer leur méthode de taille ou la date de la vendange. Les meilleurs vins de Napa sont à base d'un seul cépage.

Le comté de Sonoma, à l'ouest de Napa, présente les mêmes aspects climatiques, avec un peu plus de pluies et de brumes venant du Pacifique proche. Les vallées principales — Alexander, Sonoma, Russian et Dry Creek — offrent toute une gamme de sols et de microclimats.

Le comté de Mendocino, au nord de Sonoma, est la plus fraîche des régions vinicoles californiennes. Comme en Sonoma, des cépages nobles y remplacent peu à peu les cépages à haut rendement. Le climat frais se prête à la culture des cépages blancs, mais l'on produit aussi quelques bons Zinfandel légers.

Au sud de la baie de San Francisco, on cultive la vigne dans les comtés côtiers d'Alameda, Santa Clara, Santa Cruz, San Benito, Monterey, San Luis Obispo, Santa Barbara; plus au sud, et dans la vallée centrale, les cépages à haut rendement produisent des vins de moindre intérêt.

Au nord de la Californie, dans les États d'Oregon, d'Idaho et de Washington, la viticulture rencontre des conditions plus difficiles, mais souvent propices à la qualité. Le climat est plus tempéré, mais un long ensoleillement estival assure aux raisins une lente maturation et une bonne acidité. Les plantations sont récentes; sans doute faudra-t-il attendre quelques années pour que les raisins donnent leurs qualités maximales. Néanmoins, l'Oregon produit actuellement de bons vins très typés, à base de Pinot noir (cépage d'adaptation particulièrement difficile en dehors de la Bourgogne), et certains Chardonnay produits dans l'État d'Idaho sont bien réussis.

Récemment, un nombre considérable de ceps de *vinifera* ont été plantés dans les autres États américains, en particulier dans ceux de l'Est, et même dans celui, très froid, de New York. Sans nul doute, il reste à découvrir, aux États-Unis, de très nombreuses régions qui se prêteraient parfaitement à la culture de la *vinifera*.

France

On ne peut pas parler de vin sans penser à la France — la patrie du vin par la quantité, la variété et la qualité. Sa production annuelle est pratiquement toujours la plus élevée du monde; seule l'Italie l'égale ou la dépasse parfois. Près d'un million et demi d'hectares environ de vignes produisent une moyenne annuelle de 75 millions d'hectolitres de vin soit dix milliards de bouteilles. La consommation nationale annuelle est évaluée à 140 bouteilles par personne pour l'ensemble de la population française.

Le vin et la vigne font partie du patrimoine français depuis des siècles. La vigne européenne — *vitis vinifera* — est probablement autochtone. On faisait déjà du vin en France bien avant la conquête romaine. Aujourd'hui encore, la viticulture se fait souvent à petite échelle: les propriétés atteignent rarement 200 hectares et certaines des plus réputées sont minuscules (Le Grand Cru de La Romanée-Conti souvent considéré comme le plus grand Bourgogne rouge, vient d'un vignoble de moins de deux hectares.) Paysans, vignerons, châteaux, domaines, coopératives et groupements en sont les propriétaires.

La diversité des cépages est extraordinaire. Des siècles d'expérience ont permis de déterminer celui qui convient le mieux à telle ou telle région et à tel et tel sol. Une législation assez complexe fixe les cépages à utiliser, la taille et la limitation de rendement (du moins en ce qui concerne les vins d'appellation contrôlée).

Les méthodes de culture et de vinification varient, et pas seulement d'une région à l'autre. Beaucoup de viticulteurs associent les vieilles traditions locales, auxquelles certains vignerons restent résolument fidèles, à des procédés plus modernes.

Aucun autre pays ne produit une telle variété de vins, aussi divers que les paysages qui leur ont donné naissance: du littoral atlantique humide aux coteaux méditerranéens très chauds, en passant par les contreforts plus frais des Alpes. Une législation extrêmement perfectionnée régit cette profusion selon le lieu d'origine (voir *Appellations d'origine contrôlée*).

Plus de 80 % de cette production si abondante ne présentent pas assez de qualité pour mériter une appellation d'origine locale et se vendent comme vins de table ordinaires. Quand ils sont sains et honnêtement faits, ces vins anonymes de consommation courante se boivent tous les jours agréablement et sans cérémonie.

La meilleure — et la plus petite — partie

e la production française varie des bons ins aux très bons en passant par les distin-ués jusqu'aux très grands crus classés, élèbres dans le monde entier. Les grandes égions viticoles (étudiées séparément sous ur nom) sont le Bordelais, la Bourgogne, Champagne, la vallée de la Loire, les ôtes du Rhône et l'Alsace *(carte page 84)*. 'autres régions produisent aussi des ins de caractère qui ajoutent à l'immense iversité de la production: le Jurançon, le oussillon et le Languedoc, dans le Sud-uest; Bergerac, au sud-est de Bordeaux; Provence avec ses rouges de Bandol et alette, ses autres rouges, ses blancs et ses osés; enfin, la Savoie et le Jura.

La France exporte environ quatre cent illions de bouteilles par an — surtout les ins d'appellation d'origine contrôlée. Les ins ordinaires sont généralement destinés la consommation nationale ou pour faire es eaux-de-vie et alcools et des vins 'apéritif de marque. Ses principaux mar-és extérieurs sont l'Allemagne fédérale, Royaume-Uni, la Belgique, les Pays-Bas, Luxembourg et les États-Unis.

Ces exportations ont une symétrie inat-endue: la France importe deux fois plus de in qu'elle n'en exporte, car il ne lui en reste us assez pour satisfaire la consommation ationale. Avant l'indépendance de l'Algé-e, elle importait surtout des vins d'Afrique Nord. Depuis 1962, elle se fournit auprès autres pays méditerranéens (Italie et spagne surtout) en vins ordinaires et forts ui servent à couper les productions en rie assez minces du Sud de la France vant la mise en bouteilles.

ranconie

tuée à l'est de la Rhénanie, cette région nicole, importante malgré sa faible super-ie, fournit de 31 à 32% de toute la produc-on allemande. Ses vignobles couvrent les ux rives du Main *(carte page 83)*. Les vins Franconie sont les seuls blancs allemands ui ne se vendent pas en bouteilles hautes et nces mais en *Bocksbeutels* (sortes de asques rondes et plates).

Le climat est continental. Le sol se mpose de grès, de calcaire, de loess, argile et de craie. La Franconie ne produit our ainsi dire que du vin blanc. C'est la ule région allemande dont les meilleurs ns viennent du Sylvaner, qui représente

plus de 40% de l'encépagement. Le reste est constitué de Müller-Thurgau ainsi que de Riesling.

Le style et le goût des vins de Franconie rappelle davantage les vins blancs secs fran-çais que la plupart des autres vins alle-mands. Secs et fermes, parfois très pleins, ces excellents vins vieillissent bien. A la différence des autres vins allemands, il vaut mieux les déguster aux repas.

Trois sous-régions *(Bereiche)* — Main-viereck, Maindreieck et Steigerwald — composées de 17 sections de vignobles *(Grosslagen)* se partagent quelque 150 vignobles individuels *(Einzellagen)*. La ma-jorité des propriétés sont petites et gérées par des coopératives, mais il existe aussi quelques grands domaines.

Près de Würzburg, les vignes de Stein produisent le célèbre Steinwein, souvent traduit à tort par « vin de pierre », alors que ce mot se réfère simplement au nom du coteau. Le sol y est cependant effecti-vement couvert de pierres et de calcaire qui donne à ces vins vert doré le caractère particulier qui fait leur célébrité.

Fronsac

Cette petite ville du Bordelais, au confluent de l'Isle et de la Dordogne sur la rive droite de celle-ci *(carte page 85)*, productrice de bon vin rouge, a droit à deux appellations d'origine contrôlée: Fronsac et (la meil-leure) Canon-Fronsac.

Frontignan voir *Languedoc et Roussillon*

Gaillac

Région d'appellation du Sud-Ouest, située dans la vallée du Tarn, à l'ouest d'Albi *(carte page 84)*, qui produit des vins blancs agréables et rafraîchissants. Le principal cépage, le Mauzac, y côtoie de petites quan-tités d'En de l'El et d'Ondec, ainsi que les variétés bordelaises classiques, Sémillon et Sauvignon. Dans la majorité des cas, l'appellation Gaillac s'applique à des vins tranquilles, secs surtout, mais parfois moel-leux et quelquefois aussi « perlés ». On y produit également des vins mousseux.

Graves

Importante région bordelaise productrice de vins rouges et blancs. Située sur la rive gauche de la Garonne, à la limite du Médoc

au nord, elle comprend la ville de Bordeaux. En fait, la vigne commence aux portes de ses faubourgs et se voit menacée par les grandes routes, les H.L.M. de la banlieue et la spéculation foncière.

Le mot Graves vient de gravier; c'est en effet un sol pierreux. En zone rurale, certains vignobles sont plantés dans des clairières au milieu des pinèdes.

On croit souvent que les Graves sont des vins blancs moelleux, alors que le quart, voire le tiers, des vins étaient et sont toujours rouges. Beaucoup sont de très grande classe, dont le somptueux Château Haut-Brion compté parmi les cinq Premiers Crus classés du Médoc.

Les grands Graves rouges vieillis ont une richesse épanouie avec l'âge et des qualités plus proches des Médoc rouges que des Pomerol ou des Saint-Émilion. Les prin-cipaux cépages à vin rouge de la région sont le Cabernet-Sauvignon, le Cabernet franc, le Merlot et un peu de Petit-Verdot.

Les Graves blancs actuels sont secs et de bonne qualité, parfois exquis (complexes, riches et durables comme les remarquables Domaine de Chevalier et Château Laville-Haut-Brion). Les cépages qui produisent les Graves blancs sont le Sémillon et le Sauvi-gnon, avec un peu de Muscadelle.

La classification des meilleurs crus des Graves établie en 1953 a été révisée en 1959. Seize châteaux ont été retenus *(voir encadré page 116)* pour leurs rouges et blancs ou pour les deux. Contrairement aux châteaux du Médoc *(voir ce mot)*, les Graves classés ne se divisent pas en plusieurs crus mais sont simplement désignés par l'appel-lation Cru classé des Graves sur l'étiquette, avec le nom du château et l'appellation contrôlée. La classification suit l'ordre alphabétique mais commence habituelle-ment par le Château Haut-Brion, dont le rouge est tellement somptueux qu'il avait déjà été inclus dans la classification des Premiers Crus du Médoc en 1855.

Les Graves comprennent également plus de 300 vignobles non classés qui produisent et vendent leur vin sous le nom de leur château, domaine ou clos, et encore plus de petits vignerons (surtout dans le sud) qui vendent leur vin directement aux négo-ciants de Bordeaux qui l'utilisent en assem-blages et le commercialisent sous l'appella-tion générique Graves.

Classification des Graves rouges

Le nom des communes figure entre parenthèses

Premier Cru

Château Haut-Brion
(Pessac)

Crus classés

Château Bouscaut
(Cadaujac)

Château Carbonnieux
(Léognan)

Domaine de Chevalier
(Léognan)

Château de Fieuzal
(Léognan)

Château Haut-Bailly
(Léognan)

Château La Mission Haut-Brion
(Talence)

Château Latour-Haut-Brion
(Talence)

Château Latour-Martillac
(Martillac)

Château Malartic-Lagravière
(Léognan)

Château Olivier
(Léognan)

Château Pape-Clément
(Pessac)

Château Smith-Haut-Lafitte
(Martillac)

Classification des Graves blancs

Le nom des communes figure entre parenthèses

Château Bouscaut
(Cadaujac)

Château Carbonnieux
(Léognan)

Domaine de Chevalier
(Léognan)

Château Couhins
Villenave-d'Ornon

Château Couttins-Lurton

Château Latour-Martillac
(Martillac)

Château Laville-Haut-Brion
(Talence)

Château Malartic-Lagravière
(Léognan)

Château Olivier
(Léognan)

Château Haut-Brion
(Pessac)

Graves de Vayres

Petite enclave de la région d'Entre-deux-Mers ayant sa propre appellation *(cart page 85)*. Le terroir pierreux (graves) de la région produit une petite quantité de bons vins blancs secs et une quantité plus restreinte de rouges très plaisants.

Grèce

Comme dans l'Antiquité, la culture de la vigne reste l'une des principales activités agricoles de la Grèce. La majorité des vignobles se situent près de la mer, qui tempère le climat chaud et sec. Le sol peu fertile, crayeux, volcanique et rocheux convient bien à la viticulture. L'ensemble de la production se compose de rouges et de blancs courants, consommés sur place. De grandes entreprises privées produisent sous leur propre marque des vins de qualité suivie. Environ 10 à 12% de la production totale consiste en vins dotés d'appellations contrôlées soumises à la garantie du gouvernement. L'essor donné aux exportations à la suite de l'adhésion de la Grèce à la Communauté économique européenne, en 1981, s'est traduit par une amélioration de la qualité et une application plus stricte des lois de contrôle promulguées en 1963.

Avec le tiers des vignobles grecs, le Péloponnèse est la plus grande région vinicole. Le Némée, l'un des rouges les plus notables de Grèce, vient des versants montagneux autour de Corinthe. Fait avec le cépage Aghiorghitico, c'est un vin plein, robuste, sec, presque noir. Le Muscat de Patras est un vin liquoreux à la robe dorée avec une saveur et un bouquet pleins. Patras produit aussi le meilleur Mavrodaphni, vin rouge de liqueur qui vieillit bien. Dans la même région, on produit des vins plus légers et secs, notamment des rosés appelés *Kokkineli* faits avec du Rhoditis. En Arcadie, dans la partie centrale du Péloponnèse, on fait un blanc léger et aromatique, le Mantinée. Au sud, Monemvasia produit un vin liquoreux connu sous les divers noms de la Malvoisie.

Le Retsina est un vin ordinaire qui tire son goût typique de térébenthine de la résine de pin ajoutée au moût durant la fermentation. La majorité des Retsina sont blancs, quelques-uns rosés. Cette pratique permet aux vins de se conserver plus facilement sous la chaleur du climat.

Dans les provinces septentrionales (Thessalie, Macédoine et Thrace), la pluviosité plus importante et le climat plus frais donnent des rouges de bonne qualité. Le Naoussa est un vin vigoureux avec une certaine finesse, très coloré. Le Rapsani, fin tannique et fait avec des cépages locaux cultivés sur les versants de l'Olympe, s'assouplit en vieillissant. Quant aux vignobles d'Amintaïon, près de l'Albanie, ils produisent des vins rouges amples, qui sont légèrement astringents.

Les îles fournissent le cinquième environ de la production. En Crète, les vins rouges pleins et puissants de la région d'Heraklion sont les plus réputés. Les Muscat liquoreux de Samos, très prisés depuis des siècles, sont traditionnellement vinifiés. On produit également à base de Muscat des Samos vinés plus secs. Les vins liquoreux rouges et blancs de Mavrodaphni et Malvoisie sont produits dans de nombreuses îles, surtout en Crète, à Naxos et à Paros. Théra et Rhodes produisent aussi des vins liquoreux, ainsi que des rouges et des blancs secs.

Haut-Médoc voir *Médoc*

Hessische Bergstrasse

Cette minuscule région productrice de vins du Rhin, la plus petite d'Allemagne, se situe entre la rive orientale du Rhin et le Main *(carte page 83)*. Avec 350 hectares seulement de vignes, elle fournit 30000 hectolitres environ de vin, soit moins de 1% de toute la production allemande.

Comparables à ceux du Rhin (c'est-à-dire souples et bien équilibrés), les vins de cette région sont souvent mis en bouteilles tôt, au printemps qui suit les vendanges, et bus immédiatement. On n'en trouve pratiquement jamais à l'étranger. Les deux sous-régions *(Bereiche)* — Starkenburg et Umstadt — contiennent 22 vignobles individuels *(Einzellagen)* répartis entre 3 sections de vignobles *(Grosslagen)*.

Hongrie

Le plus célèbre des vins hongrois est le Tokay, vin blanc liquoreux, moelleux ou sec, produit dans le nord-est du pays. Entre les eaux du Bodrog et du Szerencs, les collines de la région de Tokaj contiennent quelque 6000 hectares de vignes, produisant la bonne année des raisins qui ont subi la

pourriture noble du *botrytis cinerea (page 16)*, avec lesquels on élabore ces grands vins liquoreux au passé fabuleux. Le sol volcanique et le sous-sol sableux et glaiseux, les étés continentaux, chauds et secs, suivis de longs automnes brumeux fournissent les conditions idéales à l'épanouissement de la pourriture noble.

Les cépages comprennent le Hárslevelü doux, le Muscat jaune aromatique et, surtout, l'Altesse à peau épaisse, que l'on appelle Furmint en Hongrie, particulièrement sensible à la pourriture noble; ce mot de Furmint provient du français froment, le vin de Furmint en ayant la couleur.

Contrairement aux autres vins du genre, les Tokay moelleux ou liquoreux ne s'obtiennent pas simplement par pressuration et fermentation de raisins affectés par la pourriture noble mais par l'addition d'une pâte de ces raisins, qu'on appelle *aszús*, au moût de raisins blancs normaux écrasés mais non pas pressés. Traditionnellement, les raisins noblement pourris sont enfermés dans des sacs et foulés à pieds nus afin d'être pétris en une pâte homogène, les peaux et la chair étant réduits en une purée épaisse sans que les pépins soient écrasés. On les répartit ensuite dans des *puttonyos* (récipients de 35 litres). Le nombre de puttonyos ajouté dans une cuve de fermentation normale détermine la teneur en sucre du vin et sera précisé sur l'étiquette.

Normalement, le Tokay Aszù existe en 2, 3, 4 ou 5 puttonyos, ce dernier étant le plus liquoreux, mais on trouve aussi parfois du Tokay 6 puttonyos.

On filtre ensuite le moût enrichi dans des tonnelets de 136 litres où on le laisse terminer sa fermentation et vieillir cinq ou six ans. De nos jours, les raisins sont pétris mécaniquement; sans doute y a-t-il aussi d'autres modifications dans l'élaboration des Tokay actuels, car, s'il y en a de bons, il est maintenant difficile de les caractériser comme grands vins. D'après des analyses chimiques, certains œnologues soupçonnent la présence de concentré de raisin. Il est possible aussi que la pasteurisation agisse au détriment de la finesse.

Le Tokay Szamorodni («tel qu'il a été cultivé») s'obtient avec des grappes de raisins dont on n'a pas trié et traité séparément les grains noblement pourris. La teneur en sucre d'une cuvée de Szamorodni

dépend de la proportion de raisins noblement pourris de la récolte. Il peut être sec ou bien moelleux.

Le Tokay Furmint est un vin sec, fait avec des raisins normalement mûris.

Le Tokay Eszencia, le plus rare des Tokay, se fait avec le jus épais des raisins noblement pourris entassés dans des cuves en attendant d'être transformés en pâte *aszú*, et qui s'égoutte sous leur propre poids. Autrefois, on laissait fermenter lentement cette «essence» riche en sucre pendant des années. Ce nectar, jadis convoité comme un élixir et réputé vivre plus de deux siècles, n'est plus commercialisé, mais les bouteilles classiques de 50 cl de Tokay *Eszencia* du siècle dernier sont vendues régulièrement aux enchères publiques.

On accorde un tel prix au Tokay qu'il en éclipse presque tous les autres vins hongrois. La diversité des sols et des climats du pays produit pourtant un large éventail de vins blancs moelleux et secs et de vins rouges: Szeszard, dans le sud, fait des vins rouges; encore plus au sud, dans les collines de Mecsek, à Pècs, on produit du Olaszrizling blanc, qui est le Wälschriesling ou Riesling italien, sans aucun rapport avec le vrai Riesling. Plus au sud encore, dans le district de Villany-Siklos, on trouve du vin rouge fait de Portugais bleu. La rive septentrionale du lac Balaton, un des plus grands plans d'eau de toute l'Europe, se spécialise dans des vins de table blancs, puissants et aromatiques.

Au nord-est, la région autour d'Eger est surtout connue pour son Egri-Bikaver («sang du taureau»); à base de Kadarka, de Pinot noir et de Merlot, il est intensément coloré et quelque peu rugueux dans sa jeunesse, et s'affirme avec l'âge. La région donne aussi des blancs secs, tel le Egri Leanyka, et des vins blancs moelleux.

Hybride

Terme utilisé en viticulture pour désigner le résultat du croisement d'un cépage quelconque de l'espèce *vitis vinifera (page 5)* avec une espèce américaine différente — *vitis labrusca* ou autre *(page 7)*.

Israël

Ressuscitée depuis 1949, la viticulture israélienne existait déjà aux temps bibliques. C'est Noé qui — dit-on — planta la vigne. Aujourd'hui, la viticulture israélienne utilise un matériel moderne pour surmonter les difficultés posées par son climat torride, tout en offrant une large gamme de vins. Le goût traditionnel des Israéliens pour les vins rouges et blancs moelleux évolue en faveur de rouges et de blancs secs et légers produits avec les cépages Cabernet-Sauvignon et Sauvignon blanc, implantés depuis peu. On produit également des vins mousseux. Tous ceux qui sont destinés à l'exportation (surtout aux États-Unis) subissent le contrôle de qualité de l'Institut du vin israélien et sont garantis *kasher*, c'est-à-dire strictement conformes aux prescriptions religieuses.

Les régions vinicoles les plus importantes sont au nombre de trois : le nord, qui englobe les pentes du mont Carmel et les vignobles de la rive nord de la mer de Galilée ; le centre, où de vastes vignobles s'étendent sur les plaines intérieures à l'est de Jaffa et de Tel Aviv ; et le sud, qui entoure Beersheba, ville située en bordure du désert du Négev.

Récemment encore, on vinifiait presque tous les vins rouges avec les cépages Carignan, Alicante-Bouschet et Grenache et les blancs avec le Sémillon, la Clairette et le Muscat d'Alexandrie et de Frontignan. Les nouvelles plantations de Sauvignon blanc produisent désormais des vins de meilleure qualité. La grande coopérative de Zikhron-Yaacov, située au pied du mont Carmel, fournit près de 75 % du vin israélien, selon des méthodes françaises introduites par le baron de Rothschild.

Italie

Favorisée par un climat méditerranéen constant et une tradition œnologique qui remonte à plus de trois mille ans — jusqu'aux Étrusques —, l'Italie dispute à la France la première place mondiale en importance de production et se classe en général au tout premier rang des pays exportateurs de vin.

Au milieu du XXᵉ siècle, les vins et les méthodes de vinification étaient restés tels que les décrivaient les livres un siècle plus tôt. Le vigneron italien typique était un paysan qui soignait ses vignes plantées sous des arbres fruitiers, aux pampres enguirlandés en tonnelles, et dont les lourdes grappes fournissaient à la famille sa provi-

sion de vin pour l'année. Cette image maintenant périmée est remplacée par celle du jeune œnologue italien, diplômé en biochimie, averti de tout ce qui se passe dans le monde en matière de viticulture et de vinification. Les progrès réalisés ont abouti, surtout en Italie du Sud, en Sicile et en Sardaigne, à une production massive de vins francs, agréables et faciles à boire. Mais, en fait, les changements ont affecté sans distinction tous les vins italiens, du plus humble au plus illustre.

Chose étonnante dans ce pays impatient des contraintes, les améliorations résultèrent de mesures gouvernementales. En 1963, les autorités édictèrent des lois réglementant les vins. Les vins répondant aux normes officielles — assez analogues à celles du système français d'appellations contrôlées — eurent droit au label *Denominazione di Origine Controllata*, ou D.O.C. Il existe plus de 200 vins portant ce label, et cette législation a eu pour effet d'améliorer de façon considérable et continue tous les vins d'Italie, les D.O.C. et les autres. Un label plus sélectif encore, *Denominazione di Origine Controllata e Garantita* (D.O.C.G.) est toujours à l'étude : les premières quatre appellations proposées, le Barolo, le Barbaresco, le Vino Nobile di Montepulciano et le Brunello di Montalcino indiquent l'estime dont jouissent ces vins en Italie.

Récemment, certains vins de moindre prestige se sont vu accorder la dénomination *vini tipici*, vins typiques, qui fait d'eux les équivalents des « vins de pays » français. Les produits non conformes aux critères des D.O.C. ou des *vini tipici* sont vendus simplement comme des *vini da tavola*, c'est-à-dire des vins de table.

Dans toutes les régions d'Italie, du Val d'Aoste et du Trentin-Haut-Adige au nord jusqu'à la Calabre et la Sicile au sud *(carte page 83)*, on produit des vins, mais assez peu de vins de garde. La plupart des vins italiens — frais, souples et fruités, désaltérants, souvent avec un rustique goût de terroir — sont destinés à être bus jeunes.

Certains vins d'Italie du Nord, et du Piémont en particulier, forment une catégorie à part. Le Piémont est le berceau du Nebbiolo, le plus noble des cépages italiens, et les deux vins rouges réputés qui en sont issus, le Barolo et le Barbaresco, méritent amplement leur réputation. Il s'agit là de

vins puissants, surtout le Barolo, le Barbaresco pouvant montrer plus de délicatesse. Ils se ressemblent cependant beaucoup, e tous deux n'atteignent leur plénitude qu'a bout de huit à vingt ans de bouteille. Fait également à partir de Nebbiolo, le Gattinara et le Carema sont aussi de bons vins piémontais. Quelques vins du même cépage non classés dans les D.O.C., mais francs e coulants, sont vendus sous les noms d Nebbiolo ou de Spanna, autre nom local d Nebbiolo ; le Nebbiolo d'Alba est class D.O.C. Une certaine quantité de *vin novello*, ou vin de primeur, souple e tendre, à boire jeune, s'obtient aussi pa macération carbonique *(page 11)* de cépag Nebbiolo. D'autres vins piémontais, de trè agréable consommation dans l'année mêm qui suit leur fabrication, proviennent d cépages Barbera, Dolcetto et Grignolin.

Grand producteur de vins rouges, l Piémont possède aussi un vin blanc se plaisant, issu du cépage Cortese, et le vi blanc moelleux et mousseux, fait de Musca connu dans le monde entier sous le no d'Asti Spumante.

En Lombardie également, on trouve de vins issus de Nebbiolo, ainsi que quelque vins blancs mousseux obtenus par la méthode de champenoise *(voir ce mot)*, et aussi de vins blancs faits à partir de cépages França et allemands de culture récente. La régio voisine du Trentin-Haut-Adige produit d bons vins blancs issus de Sylvaner, Rie ling, Gewurztraminer, et des rouges faits d Cabernet et de Merlot.

Dans tout le Nord-Est de l'Italie se pr duisent, à partir de cépages français - Merlot, Cabernet franc, Pino Nero ou noi Pino Grigio ou gris, Pino Bianco ou blanc Sauvignon —, d'aimables vins légers e souples. En Vénétie, des cépages indigèn donnent naissance aux trois vins les pl exportés du pays : deux rouges, le Bardoli et le Valpolicella ; un blanc, le Soave. L production industrielle ou artisanale, l meilleurs ont beaucoup de charme.

Ces trois vins viennent de la région de vieille ville de Vérone. Le Bardolino est fa principalement de Corvina avec un peu Rondinella, de Molinara et de Negrar cépages cultivés dans les vignobles de rive orientale du lac de Garde, près d village de Bardolino. Léger et fruité, so vent *frizzante* — perlant *(voir ce mot)* —

vin est délicieux bu jeune et frais. Le Valpolicella, issu des mêmes cépages que le Bardolino, offre les mêmes caractéristiques, mais il a plus de corps et de couleur.

La région de Valpolicella produit en outre des vins dits Recioto ou Recioto Amarone, qui sont faits avec les mêmes raisins que le Valpolicella, mais seulement avec les grains choisis, plus exposés au soleil, du dessus de la grappe, lesquels sont en partie passerillés en vue de concentrer leurs sucres. Après une lente maturation en fût et en bouteille, on obtient un vin qui est très généreux et fortement alcoolisé.

Le vin blanc provenant des vignobles de Soave est l'un des plus populaires du pays. D'un jaune pâle, tirant parfois sur le verdâtre, le Soave est un vin frais, désaltérant, parfois avec une certaine élégance, et qu'il faut apprécier jeune et fruité.

Du cœur de l'Émilie-Romagne, province voisine, vient le Lambrusco, vin rouge dont les meilleurs sont rafraîchissants et légers; beaucoup par contre contiennent du gaz carbonique artificiellement ajouté et manquent d'intérêt. Mais c'est des Colli Bolognesi, coteaux proches de Bologne — où l'on cultive, entre autres, les cépages Barbera, Sauvignon, Merlot et Pinot blanc —, que viennent les meilleurs vins de la région; des rouges et des blancs secs et légers, souvent *frizzante*, presque toujours à déguster jeunes.

La Toscane est avant tout réputée pour son Chianti, le vin rouge de Florence et de Sienne, fait principalement de cépage Sangiovese. Le nom de Chianti est utilisé depuis le Moyen Age, mais le vin lui-même a connu bien des changements et change encore. Il y a peu de temps, la vinification du Chianti se faisait en général selon le *governo all'uso toscano* — procédé consistant à ajouter du moût de raisins à demi passerillés au vin nouveau, après qu'il eut fermenté. Il s'ensuivait une seconde fermentation, qui donnait un vin vigoureux, vif, fruité, souvent légèrement pétillant et qu'il fallait boire dans l'année — l'une des gloires des *trattorie* florentines. Ce traitement est presque tombé en désuétude, les producteurs s'attachant désormais à fabriquer un vin plus orthodoxe, vieilli en fût deux ou trois ans (prenant ainsi le titre soit de *vecchio*, soit de *riserva*) et consommé en général après quelques années de

bouteille. Les fiasques clissées de paille, contenant jadis le *governo* jeune, sont de nos jours largement remplacées par des bouteilles de type bordelais. Certains regretteront le bon vieux Chianti sans façon d'antan, mais il ne fait pas de doute que le vin actuel est excellent, se révélant à la fois plein de caractère et de délicatesse.

La vaste zone d'appellation Chianti est subdivisée en sept principaux secteurs. Réputé le meilleur, le Chianti Classico, au cœur de la région, est vinifié selon les normes des D.O.C. Chaque secteur toutefois compte de nombreux producteurs, dont la compétence personnelle — ou celle de la coopérative à laquelle ils appartiennent — intervient davantage dans la qualité d'un Chianti que l'exacte origine géographique du vin. Quelle que soit son appellation précise, le Chianti, selon les règles des D.O.C., doit être fait en grande proportion de Sangiovese.

La Toscane produit également deux vins qui jouissent d'un prestige à part: le Brunello di Montalcino des environs de Sienne, à la limite du Chianti, et son voisin, le Vino Nobile di Montepulciano. Le Brunello est fait de cépage Brunello, dit aussi Sangiovese Grosso, lignée du principal cépage du Chianti. Le Vino Nobile dérive principalement de Sangiovese.

Il existe par ailleurs d'autres bons vins toscans. Du petit vignoble de Sassicaia vient un vin rouge excellent à tous égards. S'il n'est vendu que comme *vino da tavola*, c'est que son producteur, de nature indépendante, ne plante que des ceps de Cabernet-Sauvignon, cépage non reconnu en Toscane pour les D.O.C.

Avant la législation des D.O.C., il se faisait des Chianti blancs; désormais, le Chianti doit être rouge. Le plus connu des vins blancs toscans de D.O.C. est le Vernaccia di San Gimignano, un séduisant vin sec, qui a du velouté et une certaine élégance.

L'île d'Elbe, au large de la Toscane, produit des vins rouges et blancs, faits de Sangiovese et de Trebbiano. Le sol ferrugineux de l'île vaut à ces vins — dont certains accèdent à la D.O.C. — un bouquet différent de celui de leurs cousins du continent.

De la province centrale d'Ombrie vient l'Orvieto, à la robe d'or pâle, issu principalement de cépage Trebbiano Toscano, cultivé sur les coteaux qui entourent la vieille cité

étrusque d'Orvieto. A l'origine, l'Orvieto traditionnel était moelleux (*abboccato*), mais le goût actuel généralisé pour les vins secs a considérablement réduit le marché de l'*abboccato*, et l'Orvieto est maintenant presque entièrement vinifié en sec. C'est un vin au bouquet fleuri, avec une très légère trace d'amertume.

Orvieto produit aussi un très bon Vino Santo — l'un des nombreux vins liquoreux répandus dans toute l'Italie. Il est fait de raisins passerillés sur des nattes de paille et n'est vinifié qu'aux fêtes de Pâques de l'année suivante, pendant la Semaine sainte, d'où son nom. Après avoir passé cinq ans en fût, le Vino Santo d'Orvieto, d'un beau jaune foncé, a une douce saveur de miel; certains vins analogues peuvent être secs, mais tous ont de la richesse et un coloris profond.

A l'est de l'Ombrie s'étend la région des Marches, connue surtout pour son Verdicchio, vin blanc léger et sec, présenté dans des bouteilles en forme d'amphore. Au sud des Marches, le long de la côte adriatique, dans la province des Abruzzes, le plus important vin de D.O.C. est le Montepulciano d'Abruzzo, vin robuste et généreux.

Un des vins blancs italiens les plus connus, le Frascati, est originaire des monts Albains. Il peut être moelleux ou sec. Actuellement, il est le plus souvent sec; il se boit jeune et frais.

Plus au sud encore, la fécondité de la vigne s'exalte; elle fructifie en abondance, et les vins de quelque mérite se font rares. C'est pourtant dans le Sud que les progrès de la viticulture sont le plus en évidence.

La Sicile produit maintenant des vins de table de premier ordre. Les vignobles des pentes volcaniques de l'Etna donnent des vins rouges, blancs et rosés, classés parmi les D.O.C. La pointe sud de l'île est le pays de vins blancs liquoreux faits de raisin Muscat, et sa partie occidentale donne naissance au vin viné le plus connu de toute l'Italie: le Marsala.

Comme il en est pour la plupart des vins vinés d'Europe, l'origine du Marsala, au XVIIIe siècle, est liée à l'intervention de négociants britanniques. Ayant observé l'analogie existant entre les vins de Madère (*voir ce mot*) et les vins de Marsala, ils élaborèrent, à partir de ces derniers, un vin viné. A un mélange de vins du cru sont ajoutées une proportion d'eau-de-vie et une autre de moût chauffé, donc caramélisé. Le mélange mûrit en fût pendant une période allant de quatre mois pour le Marsala Fino à cinq ans pour le Marsala Vergine, lequel est souvent élevé selon une méthode analogue à la *solera* (voir Xérès). Ce vin a un parfum pénétrant de noisette et de caramel. Apprécié au moment du dessert, le Marsala entre aussi dans la composition de certains entremets tels que le sabayon.

La petite île de Pantelleria est célèbre pour sa production, très limitée, de « Moscato Passito » (passerillé), vin de Muscat liquoreux parfois viné.

La Sardaigne, la plus grande île italienne après la Sicile, possède plusieurs vins de D.O.C. Dans les environs de la ville de Cagliari, on produit des vins de dessert avec du Muscat, et aussi un vin blanc sec, légèrement acidulé, le Nuragus de Cagliari, à partir du cépage Nuragus. Les vins rouges sardes tendent à être capiteux et colorés, ce qui leur vaut le nom de *vini neri*, vins noirs. L'île produit également le Vernaccia di Oristano, un vin blanc non viné, mais qui ressemble au Xérès, en ce qu'il est élevé avec la « fleur » *(page 15)*, ainsi que le Malvasia di Bosa, un vin généreux, qui est parfois viné et que l'on sert au dessert.

Jura

Petite enclave de vignobles près de la frontière suisse *(carte page 84)*, le Jura produit des rouges, des blancs et des rosés très agréables à boire, dont les quatres appellations contrôlées sont: Côtes du Jura, Arbois, L'Étoile et Château-Chalon.

Les plus grands de ces vins jurassiens sont les vins de paille et les vins jaunes.

Les vins de paille, très rares aujourd'hui, sont faits avec des raisins « passerillés » sur des nattes de paille; le moût, en se concentrant, donne alors un vin très moelleux.

Les vins jaunes sont vinifiés à partir du cépage Savagnin (nom local donné au Traminer). On les élève dans des fûts en bois *(pages 14 et 15)*, où ils sont affectés par la fleur, voile de levures, comme le Xérès fino *(voir Xérès)*.

Le plus grand de ces vins est le Château-Chalon — vin au goût de noisette, profond, riche et extraordinairement sec —, qui doit passer au moins six ans en tonneaux avant la mise en bouteilles, et peut vieillir pendant de nombreuses années.

Jurançon

Les vins blancs moelleux traditionnels du Jurançon — petite appellation des contreforts des Pyrénées, au sud de Pau *(carte page 84)* — ont un arôme très particulier où se mêle la senteur conjuguée des œillets, des fleurs d'acacia et des noisettes. Ce sont des vins uniques, rares mais dignes d'être recherchés.

Lalande de Pomerol

Cette commune est voisine de Pomerol *(carte page 85)*. Ses meilleurs vins — uniquement rouges — peuvent rivaliser avec ceux de l'appellation Pomerol.

Languedoc et Roussillon

Ces deux secteurs vinicoles sont les plus productifs de France *(carte page 84)*. Le Languedoc et le Roussillon, pays de nombreux vins d'assemblage utilisés pour les vins de table ordinaires, produisent néanmoins un certain nombre de vins qui méritent, à juste titre, l'appellation contrôlée et la classification V.D.Q.S. *(voir cette appellation)*. Les Costières du Gard, secteur V.D.Q.S., qui produisent des vins rouges solides, délimitent cette région à l'est. Des vins blancs sont vendus sous les appellations Clairette-de-Bellegarde, au sud, et Clairette-du-Languedoc, plus à l'ouest. Entre ces deux secteurs, on trouve trois appellations concernant les vins vinés de cépage Muscat — Muscat-de-Lunel, Muscat-de-Mireval et Muscat-de-Frontignan. De la même région, le Picpoul-de-Pinet est un blanc sec et léger, classé V.D.Q.S.

Des rouges agréables, rafraîchissants, fruités et souples sont produits à Saint-Chinian et dans le Minervois, deux grands secteurs producteurs de vins classés V.D.Q.S., ainsi que dans les Corbières, au sud. A l'intérieur du secteur V.D.Q.S. des Corbières, Fitou produit un rouge puissant bien coloré et bouqueté, qui a droit à l'appellation contrôlée. Dans le secteur de la Blanquette de Limoux, l'essentiel de la production de vin blanc sec est transformé en vin mousseux par la méthode champenoise.

Au sud des Corbières s'étend la vaste zone viticole du Roussillon, qui produit des vins rouges robustes, quelques blancs vifs et plusieurs vins vinés réputés. Les vins rouges n'ont droit qu'à la classification V.D.Q.S. Les vins vinés — dont les appella-

tions contrôlées Banyuls, Rivesaltes et Maury sont connues — sont parfois vinifiés selon les méthodes employées pour le Porto et le Xérès; ils peuvent atteindre une qualité comparable, prenant ce goût « rancio » (madérisé) caractéristique résultant du long vieillissement en barrique. Les principaux cépages sont le Grenache et le Muscat. L'appellation Banyuls Grand Cru doit contenir 75 % de Grenache; le Muscat de Rivesaltes ne renferme que du Muscat.

Législation du vin

Les lois sur le vin ont pour objet de garantir que le contenu des bouteilles correspond aux indications figurant sur les étiquettes. Les mentions *Saint-Émilion*, *Chianti Classico* ou *Riesling Kabinett* constituent des informations légales et codées sur l'authenticité, pas nécessairement la qualité, des vins correspondants. Ces lois sont destinées à protéger à la fois les consommateurs, les vignerons et les négociants honnêtes contre les producteurs frauduleux.

Les lois sur le vin réglementent les cépages, les méthodes de culture, la taille, la limitation de production et l'âge minimal des vignes, la teneur en alcool et l'étiquetage des vins, la contenance des bouteilles et de nombreux autres aspects de la production vinicole. Les dispositions qui concernent le plus les acquéreurs et les consommateurs de vins sont celles qui régissent l'exactitude des lieux d'origine et le respect des normes de viticulture et de vinification.

La complexité des législations est extrêmement variable d'un pays à l'autre. La France a élaboré le système le plus raffiné et le plus précis avec les générations (voir *Appellations d'origine contrôlée*). L'Allemagne *(voir ce mot)* exerce également depuis fort longtemps un contrôle scrupuleux sur la qualité de ses vins, mais avec une structure différente de celle des autres pays européens, qui se conforment davantage au système français.

En Espagne et en Italie, la loi autorise les vignerons à indiquer l'origine des vins sur les étiquettes. La Communauté économique européenne a mis au point une réglementation générale sur le vin qui a force de loi pour tous les pays membres. La plupart des autres pays producteurs s'efforcent de promulguer des lois répondant à leurs exigences propres.

Liechtenstein

Petite principauté, nichée entre l'Autriche et la Suisse, qui produit seulement 800 hectolitres environ de vin par an, dont la majeure partie est consommée sur place. Le vin provient surtout des vignobles qui entourent la capitale, Vaduz. Le Vaduzer est un rouge très clair, vinifié exclusivement à partir du Pinot noir. Des vins semblables sont produits autour des villes de Schaan, Triesen et Balzers, et portent le nom de leur lieu d'origine : Schaaner, Triesner et Balzner.

Listrac

Commune du Haut-Médoc qui bénéficie de sa propre appellation dans le Bordelais. Voir *Médoc*.

Loire

Quatrième région vinicole de France, la vallée de la Loire *(carte page 84)* offre une abondante variété de vins : blancs secs, moelleux et même liquoreux, non mousseux et mousseux ; rosés secs et demi-doux et un peu moins de rouges, légers et fruités. Aucun ne se vend sous l'appellation Loire. En fait, ce nom n'est utilisé que pour regrouper géographiquement les divers vins produits dans cette vallée sous un certain nombre d'appellations.

Les vignobles de cette région sont disséminés sur les deux rives du fleuve et sur celles de ses affluents entre Pouilly-sur-Loire, à mi-parcours, et Nantes, à l'embouchure *(carte page 86)*.

Situés en aval de la Loire, sur des rives opposées, Pouilly-sur-Loire et Sancerre possèdent les vignobles d'appellation contrôlée les plus à l'est. Le Pouilly fumé et le Sancerre sont des vins blancs à base de Sauvignon — cépage appelé Blanc Fumé à Pouilly, où l'on considère que le terroir crayeux et siliceux confère aux vins une odeur et un goût fumés typiques.

Le Pouilly fumé et le Sancerre sont tous deux des vins blancs très secs, fragrants et fruités, avec une robe pâle. On les sert souvent avec des fruits de mer, et après un temps de bouteille allant de quelques mois à trois ans. Le vin de Pouilly-sur-Loire, de moindre renom, se fait avec du Chasselas blanc. Seuls les vins exclusivement produits à base de Sauvignon ont droit à l'appellation Pouilly fumé.

Sur les coteaux abrités de Sancerre, le sol est plus diversifié qu'à Pouilly, et la qualité du vin moins égale. Les années d'ensoleillement médiocre, il peut même être assez acide.

Au sud-ouest de Sancerre, deux enclaves adjacentes de vignobles (Quincy et Reuilly) sont connues pour leur vin blanc franc, sec et vif à base de Sauvignon, très proche du Pouilly fumé et du Sancerre. Reuilly produit aussi un peu de rouges et de rosés.

Au centre de la vallée de la Loire, la Touraine fait de bons vins savoureux. Les coopératives locales font des blancs, des rosés et des rouges. Trois villages ont le droit d'ajouter leur nom à l'appellation générale vin de Touraine : Azay-le-Rideau, Mesland et Amboise.

Le climat est doux. Cultivés depuis le VIIIe siècle, les vignobles sont plantés dans un paysage fertile et légèrement vallonné de toute beauté. Les cépages tourangeaux classiques sont le Chenin blanc et le Cabernet franc. Le sol est presque partout crayeux. On entrepose le vin dans d'immenses caves creusées à même le flanc des collines crayeuses il y a des siècles.

En Touraine, plusieurs appellations plus restrictives désignent certains des meilleurs vins de la Loire. Vouvray en est le plus célèbre. Toujours blanc, il se fait avec du Chenin blanc, connu ici sous le nom de Pineau de la Loire. Selon les méthodes appliquées pour les vendanges et la vinification, le Vouvray peut être sec ou moelleux, tranquille ou pétillant.

Lorsque l'été a été très ensoleillé, les raisins à maturation lente mûrissent complètement et donnent un vin fin, fruité et liquoreux comme le miel. Les plus grands Vouvray se font avec des raisins sur lesquels le *botrytis cinerea* a pu se développer *(pages 16 et 17)*, mais cette pourriture noble ne se manifeste que les années exceptionnelles, quand il y a eu assez de soleil et d'humidité pour en favoriser la propagation. Ces vins ont une saveur voluptueuse de miel et de fruit. Ils gagnent beaucoup en vieillissant et devraient être mis en cave pendant dix ans au moins. Ils peuvent vivre vingt ou trente ans, voire beaucoup plus s'ils sont d'un grand millésime.

Depuis que l'on demande des vins moins doux, on vinifie avec succès une bonne quantité de Vouvray pour le rendre sec : le résultat est plein et fruité, avec une acidité bien équilibrée. Ces vins doivent se boire dans les quatre à cinq ans. On transforme les vins minces et acidulés des années médiocres en Vouvray pétillant par la méthode champenoise *(voir ce mot)*. Ce vin pétillant se vend bien et permet aux vignerons de continuer à faire les prestigieux Vouvray moelleux ou liquoreux, qui ne sont pas rentables à court terme.

Les vignobles voisins de Montlouis bénéficient du même sol et du même climat que Vouvray. Comme ils sont moins bien exposés, ils donnent des vins analogues mais plus légers, qu'il vaut mieux boire jeunes.

Sur le sol semé de cailloux de Chinon et de Bourgueil, le Cabernet franc donne des vins rouges bien définis au goût de sève et de fruit. Dans le secteur de Bourgueil, la commune de Saint-Nicolas-de-Bourgueil dispose de sa propre appellation. Les vins de Chinon ont tendance à être plus souples que ceux de Bourgueil. Leur fort bouquet évoque la framboise, voire la violette.

Au nord de la Touraine, les Coteaux du Loir (petit affluent de la Loire) produisent des blancs moelleux. Les meilleurs proviennent du sol crayeux du minuscule secteur de Jasnières, qui possède sa propre appellation.

A l'ouest de la Touraine, l'Anjou est particulièrement célèbre pour ses rosés, qui représentent le gros de sa production avec des blancs secs et moelleux et quelques rouges. Saumur, secteur spécifique de l'appellation générale Anjou, produit du Champigny rouge. A son apogée, le Saumur-Champigny au délicieux fruité peut fort bien rivaliser avec le Chinon et le Bourgueil, bien qu'il soit plus léger que l'un et l'autre. Le Saumur est en majorité un vin blanc, souvent transformé en mousseux plus plein et plus lourd que le Vouvray pétillant.

Le Chenin blanc et le Cabernet franc sont les cépages prédominants en Anjou. On fait quelques rosés avec un mélange de Groslot ou de Gamay et de Cabernet franc mais pour les meilleurs on n'utilise que du Cabernet franc. En Anjou, presque tout le sol se compose d'un lit de roche dure couvert d'une couche fine d'argile siliceuse qui donne des vins légèrement plus lourds que le sol léger et crayeux de Touraine.

Certains des blancs les plus fins d'Anjou viennent des vignobles des Coteaux du

Layon, au sud de la Loire. Deux Grands Crus (Quarts-de-Chaume et Bonnezeaux) sont des vins riches, moelleux et liquoreux qui peuvent titrer jusqu'à 14 ou 15°. Pour que leur bouquet et leur caractère puissent s'épanouir, il faudrait les laisser vieillir au moins une dizaine d'années.

Sur les deux rives de la Loire, les Coteaux de la Loire ont une exposition au sud idéale pour le Chenin blanc à maturation tardive. Les vins de la Roche-aux-Moines et de la Coulée-de-Serrant, enclave de la commune de Savennières ayant sa propre appellation, sont d'une grande délicatesse. Autrefois, on les faisait avec des raisins touchés par le *botrytis cinerea;* depuis que l'on cueille les raisins plus tôt, les vins sont secs.

Les vignobles les plus à l'ouest de la Loire sont ceux du département de la Loire-Atlantique — seuls vignobles bretons ayant droit à des appellations contrôlées. Leur vin porte l'appellation générique Muscadet, du nom du cépage dont ils sont tirés. Ce cépage est en réalité le Melon de Bourgogne, qui changea de nom quand on le transplanta dans la Loire. Le Muscadet est un vin léger et sec au goût frais et franc qui se marie bien avec les poissons et les fruits de mer. Il y a trente ou quarante ans, c'était un vin de pays de Bretagne. Aujourd'hui, on le vend dans toute la France et on l'exporte dans le monde entier.

La proximité de l'océan Atlantique donne un climat tempéré et un sol très sableux. Pour préserver l'acidité du Muscadet à maturation précoce, on le cueille un peu plus tôt que les autres cépages. Si on laissait ces raisins mûrir davantage, le vin perdrait beaucoup de la fraîcheur et de la finesse qui le caractérisent.

Les meilleurs Muscadet sont mis en bouteilles « sur lies » *(page 15),* c'est-à-dire immédiatement après le décuvage et sans aucun soutirage, pour préserver leur fraîcheur et leur fruité.

La région du Muscadet se divise en trois appellations: Muscadet, Muscadet-Coteaux de la Loire (à ne pas confondre avec la simple appellation d'Anjou-Coteaux-de-la-Loire) et Muscadet de Sèvre-et-Maine, qui produit plus de 80% de tout le vin de la région. Tous les Muscadet doivent titrer 12° au maximum et se boire jeunes.

Le Gros-Plant, obtenu avec le cépage du même nom, est un V.D.Q.S. de la région (voir *Appellations d'origine contrôlée).* Plus léger et plus acide que le Muscadet, il peut également être mis en bouteilles « sur lies ». Les Coteaux d'Ancenis produisent d'autres V.D.Q.S. dignes d'intérêt avec du Gamay et du Cabernet: ce sont des vins rouges légers et séduisants.

Loupiac et Sainte-Croix-du-Mont

Ces deux petits secteurs proches de Bordeaux ont leur propre appellation. Situés sur la rive droite de la Garonne, en face du Sauternais *(carte page 85),* ils produisent des vins blancs moelleux ou liquoreux de caractère rappelant les Sauternes, sans pour autant avoir toute leur finesse. Les années propices, quand la pourriture noble, *botrytis cinerea (page 16),* s'est développée sur les vignobles, les vins de ces deux petits secteurs peuvent cependant être de très grande qualité.

Lussac-Saint-Émilion voir *Saint-Émilion*

Luxembourg

Les vins luxembourgeois sont blancs, plus légers que les vins d'Alsace, auxquels on les compare souvent. Vifs, fruités, acidulés, peu alcoolisés, ils doivent se boire quand ils sont encore jeunes. Les élégants Riesling et les Traminer au parfum épicé comptent parmi les meilleurs.

Séparés par des cerisiers et des pruniers, les vignobles du Luxembourg forment une bande compacte qui longe la Moselle entre Remich, à la frontière française, et Wasserbillig, à la frontière allemande — du sud à l'est du pays. Ils sont petits (1000 hectares environ répartis entre quelque 1600 vignerons) et tous exposés à l'est, donc ensoleillés tôt le matin. Ils sont protégés des vents d'ouest par les forêts plantées au sommet des coteaux. Le sol se compose essentiellement d'argile ou encore d'un mélange de chaux et de marne qui est particulièrement bien adapté au Riesling. Les cépages prédominants sont le Traminer, le Pinot gris, le Pinot blanc, le Sylvaner et le Riesling, évidemment.

Malgré le nombre de vignerons, ce sont les grandes coopératives qui produisent la plus grande part des vins, dont la qualité reste constante. Les réglementations gouvernementales instituées à la fin de la Première Guerre mondiale sont rigoureusement appliquées.

Le Luxembourg exporte très peu de vin, et le fait principalement en Belgique.

Mâconnais

Le Mâconnais, qui s'étend du nord de Tournus au sud de Mâcon *(carte page 85),* est la seule région bourguignonne qui n'ait pas de problème de production; on y trouve en effet beaucoup de vins rouges et blancs et quelques rosés. C'est surtout la patrie du Pouilly-Fuissé, le plus célèbre des Bourgogne blancs après le Chablis et les grands vins hors pair de la Côte de Beaune.

Le Pouilly-Fuissé (à ne pas confondre avec le Pouilly fumé qui est un vin de la vallée de la Loire), fait avec du Chardonnay, provient de quatre communes — Solutré-Pouilly, Fuissé, Chaintré et Vergisson — qui totalisent 600 hectares de vignes. C'est un vin blanc très sec à la robe d'or pâle qui a du corps et de la profondeur tout en étant plus léger et moins complexe que le Meursault ou le Corton, plus souple et moins métallique que le Chablis. Il a un petit goût de terroir — lequel se compose ici de calcaire et d'ardoise. La plupart des Pouilly doivent se boire assez jeunes. Les appellations (Pouilly-Loché, Pouilly-Vinzelles et, la plus récente, Saint-Véran), avec les mêmes exigences que l'appellation Pouilly-Fuissé, produisent de très bons vins, plus légers mais moins racés cependant.

Les derniers classés du Mâconnais, vins vendus simplement comme Mâcon rouge ou Mâcon blanc, sont d'honnêtes vins de table. Les rouges s'obtiennent avec du Gamay, sans ou avec un peu de Pinot noir et de Pinot gris; les blancs sont produits avec du Chardonnay, auquel on ajoute de temps en temps un peu d'Aligoté.

L'appellation Mâcon supérieur ou Mâcon suivi par un nom de commune désigne des vins de meilleure qualité. L'appellation Mâcon-Villages ne s'applique qu'aux vins blancs des 43 communes qui peuvent aussi ajouter leur nom à celui de Mâcon. Le Mâcon-Viré, par exemple, est un excellent Bourgogne blanc.

Les Pinot-Chardonnay-Mâcon sont des vins blancs secs produits en petite quantité avec du Chardonnay et du Pinot blanc et sont essentiellement destinés à l'exportation vers les États-Unis.

Madère

On fait du vin à Madère depuis le XVe siècle. Baignée par l'océan Atlantique, à 644 kilomètres au large du Maroc, l'île jouit d'un climat chaud, et les vignes y prospèrent sur un sol volcanique fertile. Madère est célèbre pour les vins vinés du même nom. A l'état primitif, le vin a une saveur acide et âpre. Les vins vinés de Madère — secs, moelleux ou liquoreux — tels qu'on les connaît actuellement, ont évolué depuis le début du XVIIIe siècle, époque à laquelle la stabilisation par addition d'eau-de-vie a connu ses débuts. Tout comme les Bordeaux «retour des Indes» au XIXe siècle, dont la maturation était accélérée par le roulis du bateau, on devait découvrir que le Madère exporté se bonifiait au cours des voyages maritimes, les chaleurs des tropiques accentuant également sa saveur caramélisée.

Le Madère est vinifié à partir de cépages blancs, dont les principaux sont la Malvoisie, le Bual, le Verdelho et le Sercial (nom local du Riesling).

Les bouteilles millésimées de Madère «Terrentez», cépage qui n'a pas été replanté après le phylloxéra, souvent mis en bouteilles presque un siècle plus tard, deviennent de plus en plus rares.

Tous les vins destinés à l'exportation sont faits dans des entreprises viticoles modernes, avec du matériel et des techniques de conception récente. On arrête la fermentation en élevant suffisamment le degré d'alcool pour détruire les levures; un résidu de sucre non fermenté reste dans le vin. Selon le stade auquel on interrompt cette fermentation naturelle, on obtient un vin plus ou moins liquoreux.

Ensuite, on soutire le vin *(page 15)*, on le classe et on le place dans l'*estufa*, sorte de chambre chaude qui remplace le voyage par mer, naguère jugé si bénéfique. On vine les vins de bonne qualité, puis on les conserve en fûts pendant six mois maximum, dans un cellier, ou *estufa*, chauffé à 70°C.

Une autre méthode d'étuvage, réservée aux vins moins fins, consiste à les mettre dans une cuve équipée à la base de tuyaux dans lesquels circule de l'eau chaude. Sous l'effet de la chaleur, le vin, brassé par ailleurs à l'aide d'air comprimé ou de pales, s'élève dans la cuve. On le porte à une température de 45 à 55°C pendant 90 jours minimum. Après l'avoir viné, on le laisse reposer dans des fûts en bois pendant 12 à 18 mois, période appelée *estagio*.

Les grands vins de Madère séjournent dans des fûts en bois, où ils s'affinent durant de nombreuses années, pour être ensuite vendus millésimés, ou bien ils entrent dans une *solera*. Lors de ce vieillissement, on en surveille soigneusement l'évolution: ceux qui ne se bonifient pas de la manière espérée deviendront des vins d'assemblage.

Le système de la *solera* employé pour le Xérès (voir *Xérès*) fut adopté pour la première fois après l'épidémie de phylloxéra *(page 7)*, dont les ravages se traduisirent par une baisse de production et une diminution radicale des stocks de vins vieux millésimés; une grande partie des stocks restants a été utilisée pour établir les *soleras*, portant le millésime du vin parent, d'où sortent aujourd'hui les plus grands Madère. Les autres catégories peuvent vieillir pendant dix, quinze, vingt ans, voire davantage, avant la mise en bouteilles. Le Madère a la réputation de figurer parmi les vins qui vivent le plus longtemps, la palme de la longévité revenant à la légendaire Essence de Tokay hongroise *(voir Hongrie)*. Bon nombre de vins millésimés plus que centenaires, ainsi que certains vins sortant des *soleras* établies au siècle dernier, sont sublimes à l'heure actuelle.

Les deux catégories de Madère de moindre importance sont le Réserve et le Courant, le premier étant le plus fin. Le Madère courant est mis en bouteilles et exporté au bout de cinq ans d'âge.

Dans la plupart des cas, l'étiquette mentionne le nom de l'éleveur et celui du cépage dont le vin est traditionnellement issu. Aujourd'hui, ces précisions n'ont qu'une valeur indicative permettant d'évaluer le caractère plus ou moins sec ou moelleux du vin: elles ne signifient pas que le Madère a été vinifié exclusivement à partir de tel cépage. Le plus sec, issu du cépage Sercial, de couleur pâle, au goût d'amande, est bu frais, en apéritif. Le Verdelho, toujours relativement sec, est un vin plus corsé dont la couleur dorée fonce avec l'âge. Le Bual est fruité, fragrant et franchement doux. Le Malvoisie, ou Malmsey, le plus liquoreux, est très parfumé, foncé, corsé et riche; il devient plus sec, plus élégant, à mesure qu'il vieillit. Le Rainwater, vin blond, léger et rond, est un Madère d'assemblage.

Madérisation

Ce terme désigne les transformations subies par les vins blancs qui, à la suite d'un séjour trop long dans des tonneaux ou en bouteille, se sont oxydés en prenant une teinte brunâtre et un goût plat.

Madiran

Vins rouges foncés, tanniques, provenant d'un petit secteur d'appellation jouxtant l'Armagnac, près des Pyrénées, dans le Sud-Ouest. Le Tannat, qui est un cépage local, confère au Madiran sa belle couleur violine caractéristique et sa teneur élevée en tanin. Ce vin se garde très longtemps, prenant une saveur riche et complexe au fur et à mesure qu'il vieillit.

Margaux

Une des quatre plus célèbres communes du Médoc, ayant droit à son appellation propre dans le Bordelais. Voir *Médoc*.

Maroc

La production du vin au Maroc a commencé avec la plantation de la plupart des vignobles actuels, à la fin de la Deuxième Guerre mondiale, sous le protectorat français. Bien que le Maroc, pays d'Islam, soit un nouveau venu dans le monde du vin, son gouvernement n'en contrôle pas moins attentivement la qualité de production pour l'exportation, et l'investissement s'est poursuivi dans la mécanisation et la formation des vignerons. Quelque 55 000 hectares de vignes y produisent un million d'hectolitres environ par an de vins rouges, rosés et blancs. Malgré l'interdiction faite aux musulmans de boire de l'alcool, près de la moitié de la production est destinée au marché intérieur.

Les cépages prédominants pour le vin rouge sont le Carignan, le Cabernet, le Cinsault et le Grenache. Certains des meilleurs vins rouges viennent des vignes des régions de Meknès et de Fez, situées sur les coteaux nord de la chaîne du Moyen Atlas. Ces vignes tirent parti du sol de gravier et des températures plus fraîches des montagnes qui donnent des vins corsés très colorés, parfois au bouquet poivré caractéristique. Les vignobles cultivés sur le sol léger et sableux de la plaine du littoral qui entoure Rabat produisent des vins rouges capiteux, ronds et agréables, à boire jeunes. Les vins rosés secs du Maroc ont bonne réputation, surtout ceux de la région d'Oujda, au nord-est. Le Gris de Boulaouane, produit au sud-est d'El Jadida, offre parfois un rosé sec et pâle. Comme souvent dans les climats chauds, les vins blancs sont moins bien réussis et manquent fréquemment de fraîcheur et d'acidité.

S'il y a de bons vins au Maroc, il n'y a point de «cru» au sens de l'appellation d'origine contrôlée, et les appellations des étiquettes, qui habillent souvent des vins généreux et plaisants, n'en garantissent pas la permanence de qualité qu'un effort plus poussé de contrôle et d'exigence pourrait toujours permettre d'atteindre.

Médoc

C'est l'une des quatre grandes régions vinicoles du Bordelais les plus réputées, productrice de nombreux vins rouges célèbres comptant parmi les plus fins du monde.

Topographiquement, le Médoc forme une sorte de triangle dont la base se trouve au nord de Bordeaux, avec des côtés bordés à l'ouest par l'Atlantique et à l'est par la Gironde *(carte page 85)*. La majorité des vignobles se concentrent sur une étroite bande de terre de 70 kilomètres environ de long. C'est un pays assez plat, ponctué de croupes graveleuses et de pentes douces face à la Gironde, exclusivement planté de vignes — pas un seul précieux mètre carré n'est gaspillé pour d'autres cultures.

Le sol, comme le climat, est idéal pour le vin: graveleux, sableux, couvert de galets qui emmagasinent la chaleur du soleil en été et la restituent la nuit au profit des raisins qui mûrissent au-dessus. Le drainage est excellent. Le sous-sol se compose de craie, d'argile, de minerai de fer et de gravier, dans diverses proportions. Le sol change d'un côté d'une route à l'autre, de la rive d'un ruisseau à l'autre, d'où la différence entre des vins issus de propriétés voisines. Le cépage prédominant est le Cabernet-Sauvignon, mélangé avec une quantité moindre de Merlot et de Cabernet franc, auxquels on ajoute le plus souvent un soupçon de Petit-Verdot pour donner une pointe de dureté.

Pour les appellations, la bande viticole du Médoc se divise en deux parties: le Bas-Médoc, en aval, vers le nord, et le Haut-Médoc au sud. Si les vins de nombreuses parties de la région peuvent prendre la simple appellation Médoc, le Haut-Médoc — qui comprend tous les crus classés — a sa propre appellation, plus restrictive.

Nous sommes ici dans le haut lieu du Bordelais, regorgeant de trésors. En se cantonnant aux Médoc (pour les vins rouges) à la seule exception d'un Graves, le Château Haut-Brion, la célèbre classification des crus de Bordeaux de 1855 a entériné leur supériorité. Cette classification ne représentait pas la première tentative de classement officiel de ces vins, qui comptent parmi les plus prestigieux produits de France, et ne sera sans doute pas la dernière. Le système, établi par une commission de courtiers bordelais et agréé par la Chambre de commerce de Bordeaux, a attribué le titre de Grand Cru aux vins rouges d'une soixantaine de châteaux du Médoc. Le Château Haut-Brion, classé alors avec les Médoc, est depuis normalement remis en tête des vins originaires de Graves.

La classification autorise la mention Cru Classé sur l'étiquette de ces vins, qui se divisent en cinq catégories allant des Premiers Crus aux Cinquièmes Crus *(voir encadré)*. Ne croyez surtout pas qu'un vin de Quatrième ou de Cinquième Cru ne soit qu'un vin de quatrième ou de cinquième qualité! Il s'agit de rangs hiérarchiques attribués selon trois critères: sol, prestige et qualité. Par ailleurs, il existe plus de 400 Crus Bourgeois dont la classification n'est pas officielle et qui produisent des vins plus qu'honorables.

La classification de 1855 est-elle encore exacte? A dire vrai, elle n'est pas strictement à jour. Ce ne sont pas les sites, le climat et le sol des vignobles qui changent, mais les propriétaires et les circonstances. En effet, un ou deux châteaux ont cessé de produire du vin, d'autres ont décliné et certains, en revanche, se sont améliorés par rapport à leurs voisins mieux classés. Quelques Crus Bourgeois ont atteint les normes des Crus Classés et mériteraient d'être promus à ce rang.

Parallèlement aux demandes de reclassement et de promotion, plusieurs plans ont été proposés pour réformer le cadre de la classification. Pour le moment, le seul et unique changement officiel intervenu depuis 1855 est l'admission tardive du Château Mouton-Rothschild comme Premier Cru (à l'origine, il ouvrait la liste des Deuxièmes Crus). Cet avancement, jugé nécessaire depuis longtemps, a été promulgué en 1973 par un décret du ministre de l'Agriculture.

Presque tous les châteaux classés du Médoc se concentrent dans quatre communes qui ont droit à leur propre appellation: du sud au nord, Margaux, Saint-Julien, Pauillac et Saint-Estèphe. Deux autres communes (Listrac et Moulis) bénéficient également du privilège de l'appellation propre, mais elles sont moins célèbres car elles ne possèdent aucun Cru Classé.

A Margaux, il y a d'abord un Premier Cru, le Château Margaux, l'un des plus connus et des plus appréciés au monde; pas moins de cinq Deuxièmes Crus et dix Troisièmes Crus, dont certains ont acquis une renommée internationale; puis quelques Quatrièmes et Cinquièmes Crus et enfin une vingtaine de Crus Bourgeois et de petits châteaux (non classés), souvent délicieux et aussi de très bonne qualité.

Un pas vers le nord nous conduit à Saint-Julien, la plus petite des quatre communes, avec ses cinq remarquables Deuxièmes Crus: Château Ducru-Beaucaillou, Château Léoville-Barton, Château Léoville-Las-Cases, Château Léoville-Poyferré et Château Gruaud-Larose; elle compte deux Troisièmes Crus, cinq Quatrièmes Crus, pas de Cinquième Cru et relativement peu de petits châteaux.

Pauillac, quant à elle, compte trois superbes Premiers Crus: Château Lafite-Rothschild, Château Latour et Château Mouton-Rothschild; deux Deuxièmes Crus, pas de Troisième, un Quatrième Cru, pas moins de douze Cinquièmes Crus — vins magnifiques dont plus de la moitié mériteraient un titre plus élevé — et enfin un petit chapelet d'excellents châteaux non classés.

La dernière commune du Médoc, Saint-Estèphe, compte deux Deuxièmes Crus (Château Cos-d'Estournel et Château Montrose) plus trois autres Crus Classés et le plus grand nombre de Crus Bourgeois des quatre, dont plusieurs sont remarquables.

Quel goût ont tous ces vins et en quoi se différencient-ils? On pourrait décrire les Margaux comme des vins délicats (le sol léger de fins galets ronds qui couvre beaucoup de vignobles contribue à cette délicatesse). Ils sont parfumés, fleuris, soyeux, très élégants et racés. Ce sont les vins les plus féminins des quatre communes, les plus

Crus classés du Médoc

Le nom des communes figure entre parenthèses

Premiers Crus

Château Lafite-Rothschild
(Pauillac)

Château Latour
(Pauillac)

Château Margaux
(Margaux)

Château Haut-Brion
(Graves) (Pessac)

Château Mouton-Rothschild
(Pauillac)

Deuxièmes Crus

Château Rausan-Ségla
(Margaux)

Château Rauzan-Gassies
(Margaux)

Château Léoville-Las Cases
(Saint-Julien)

Château Léoville-Poyferré
(Saint-Julien)

Château Léoville-Barton
(Saint-Julien)

Château Durfort-Vivens
(Margaux)

Château Lascombes
(Margaux)

Château Gruaud-Larose
(Saint-Julien)

Château Brane-Cantenac
(Margaux) (Cantenac)

Château Pichon-Longueville Baron
(Pauillac)

Château Pichon-Longueville Comtesse
de Lalande (Pauillac)

Château Ducru-Beaucaillou
(Saint-Julien)

Château Cos-d'Estournel
(Saint-Estèphe)

Château Montrose
(Saint-Estèphe)

Troisièmes Crus

Château Giscours
(Margaux) (Labarde)

Château Kirwan
(Margaux) (Cantenac)

Château d'Issan
(Margaux) (Cantenac)

Château Lagrange
(Saint-Julien)

Château Langoa-Barton
(Saint-Julien)

Château Malescot-Saint-Exupéry
(Margaux)

Château Cantenac-Brown
(Margaux) (Cantenac)

Château Palmer
(Margaux) (Cantenac)

Château La Lagune
(Ludon)

Château Desmirail
(Margaux)

Château Calon-Ségur
(Saint-Estèphe)

Château Ferrière
(Margaux)

Château Marquis-d'Alesme-Becker
(Margaux)

Château Boyd-Cantenac
(Margaux)

Quatrièmes Crus

Château Saint-Pierre-Sevaistre
(Saint-Julien)

Château Branaire-Ducru
(Saint-Julien)

Château Talbot
(Saint-Julien)

Château Duhart-Milon-Rothschild
(Pauillac)

Château Pouget
(Margaux) (Cantenac)

Château La Tour-Carnet
(Saint-Laurent)

Château Beychevelle
(Saint-Julien)

Château Prieuré-Lichine
(Margaux) (Cantenac)

Château Marquis-de-Terme
(Margaux)

Château Lafon-Rochet
(Saint-Estèphe)

Cinquièmes Crus

Château Pontet-Canet
(Pauillac)

Château Batailley
(Pauillac)

Château Haut-Batailley
(Pauillac)

Château Grand-Puy-Lacoste
(Pauillac)

Château Grand-Puy-Ducasse
(Pauillac)

Château Lynch-Bages
(Pauillac)

Château Lynch-Moussas
(Pauillac)

Château Dauzac
(Margaux) (Labarde)

Château Mouton-Baronne-Philippe
(Pauillac)

Château du Tertre
(Margaux) (Arsac)

Château Haut-Bages-Libéral
(Pauillac)

Château Pédesclaux
(Pauillac)

Château Belgrave
(Saint-Laurent)

Château Camensac
(Saint-Laurent)

Château Cos-Labory
(Saint-Estèphe)

Château Clerc-Milon (Rothschild)
(Pauillac)

Château Croizet-Bages
(Pauillac)

Château Cantemerle
(Macau)

veloutés, ceux qui ont le plus de finesse.

Les Saint-Julien ont une robe plus foncée et sont plus corsés (le sol est souvent plus épais: gravier mélangé avec de l'argile). Un Saint-Julien typique peut se définir comme un vin soyeux, d'une plus grande vinosité que les Margaux. Ce sont des vins merveilleux qui représentent le trait d'union entre les Margaux et les Pauillac, tant sur le plan de la personnalité qu'en termes géographiques, car ils allient la subtilité des premiers à la vigueur des seconds.

Pauillac est le cœur du Médoc. Profondeur, plénitude et puissance sont les termes qui caractérisent ses vins. Ils sont foncés, amples, vigoureux et riches. Les grands Pauillac sont les plus lents à mûrir et ceux qui se gardent le plus longtemps.

Dans les Médoc, les Saint-Estèphe sont plus rugueux et terriens. Ici, le sol est plus épais: argile, gravier, chaux. Ces vins fermes et robustes se boivent facilement. Dans leur jeunesse, certains ont beaucoup de légèreté, de fruité et de charme; les plus grands prennent leur temps pour s'ouvrir. Ils vieillissent bien et vivent longtemps.

Au nord de Saint-Estèphe, on trouve le Bas-Médoc, où le terrain est plus plat et moins chargé de gravier que dans le Haut-Médoc. Ici, bien qu'aucun cru ne soit classé, de nombreux châteaux et coopératives produisent beaucoup de bons vins rouges, souvent distingués.

Méthode champenoise

On désigne par méthode champenoise le procédé par lequel on rend un vin mousseux en lui faisant subir une seconde fermentation en bouteille, après l'avoir additionné d'une solution de sucre et du même vin additionnée de levures: c'est «la liqueur de tirage *(voir Champagne)*. Emprisonné dans le vin, le gaz carbonique produit par cette fermentation, incapable de s'échapper, crée une pression énorme à l'intérieur de la bouteille en verre spécialement renforcé, calculée pour supporter quelque six fois la pression de celle de l'atmosphère normale. Afin qu'un excès de pression ne fasse pas exploser les bouteilles, il faut doser minutieusement la quantité de sucre à ajouter — elle doit être suffisante pour élever la teneur en alcool de un degré environ, ce qui représente à peu près les six atmosphères de pression.

Au printemps qui suit la vendange, on verse le vin nouveau dans des cuves pour l'aérer, lui fournissant ainsi l'oxygène nécessaire à la nourriture des levures; la liqueur de tirage y est mélangée, le vin est mis dans des bouteilles qui sont hermétiquement fermées, soit avec des bouchons provisoires maintenus par des agrafes, soit avec des capsules, et les bouteilles son couchées dans des caves fraîches, afin d'assurer une fermentation très lente, essentielle à la finesse de la mousse. Le cul de chaque bouteille est ensuite marqué d'un trait blanc afin de repérer sa position lors des manipulations ultérieures.

La seconde fermentation peut durer de quelques semaines à plusieurs mois; lorsqu'elle est terminée, le vin, devenu mousseux, est vieilli pendant une période qui peut varier de un an minimum à plusieurs années, au cours de laquelle les bouteilles, couchées sur des lattes, sont périodiquement déplacées et secouées pour homogénéiser les dépôts issus de la seconde fermentation, certains étant plus lourds que d'autres, et les bouteilles sont ensuite recouchées sur les lattes.

L'étape suivante, ou remuage, a pour but de rassembler toutes les particules de dépôt dans le col de la bouteille pour en permettre l'élimination, opération appelée dégorgement. On secoue à nouveau les bouteilles, avant de les insérer horizontalement, par le goulot, dans des chevalets perforés — ou pupitres — en forme de «V» inversé, avec le trait blanc placé en bas, les bouteilles se trouvant ainsi en première position comme si le trait marquait six heures sur une montre.

Dès que le sédiment s'est rassemblé sur le flanc inférieur des bouteilles, on les change de position tous les deux ou trois jours. La marque peinte sur le fond de chaque bouteille sert de repère au «remueur»: il les fait savamment tourner sur leur axe, d'un petit tour de main brusque, pour déplacer le dépôt, puis les repose en modifiant l'angle d'une fraction de tour et en les inclinant chaque fois davantage, vers la verticale. Pendant cette période de remuage, qui peut demander six semaines ou quelques mois, selon la vitesse à laquelle le dépôt se rapproche du goulot, les bouteilles effectuent plusieurs tours complets.

Lorsque l'opération prend fin, les bouteilles sont pratiquement verticales, la tête en bas, le dépôt reposant contre le bouchon — c'est «la mise sur pointe». On les entrepose dans cette position jusqu'au dégorgement, que l'on entreprend soit immédiatement, soit des années plus tard, le vin et sa mousse se tenant mieux sur la lie.

De nos jours, le dégorgement se fait en immergeant le col des bouteilles dans une solution réfrigérante: lorsqu'on les débouche, la pression interne expulse l'amas de particules congelées. On compense alors ce vide avec un peu du même vin, le plus souvent adouci avec une solution de sucre de canne, dite «liqueur d'expédition», selon le type de vin désiré.

Après avoir introduit par compression les bouchons définitifs, il ne reste plus qu'à les assujettir avec des muselets afin que la pression ne les fasse pas sauter. Enfin, on secoue les bouteilles pour bien mélanger le contenu, opération appelée «poignetage»; après cette «aventure» elles se reposent quelques mois pour trouver leur équilibre avant d'être habillées et mises en vente.

Millésime

Année de la vendange dont provient un vin. Le millésime est aussi un élément de connaissance du vin, par les aléas qu'il indique en repères. Ce terme n'a aucune connotation de qualité, sauf pour le Porto et le Champagne dont les producteurs millésiment les bouteilles provenant de récoltes d'une distinction suffisante pour mériter d'être signalée. On parle alors de Champagne ou de Porto millésimés.

Minervois voir *Languedoc et Roussillon*

Mis ou mise en bouteilles au château

Cette mention et ses variantes: *Mise en bouteilles au domaine* ou *Mise en bouteilles à la propriété*, ainsi que les abréviations *Mise au château, Mise au domaine* ou *Mise à la propriété*, garantissent au consommateur que le vin qu'il achète a bien été élevé et mis en bouteilles sur son domaine d'origine et correspond exactement aux indications données sur l'étiquette: aucun vin ou élément étranger ne s'est immiscé dans la bouteille. L'équivalent italien se dit *Imbottigliato all' origine*. Le terme allemand correspondant est *Erzeugerabfüllung* (mis en bouteilles par le producteur).

Les mentions *Mise en bouteilles par nos soins, Mise en bouteilles dans nos chais* ou *Imbottigliato nella zona di produzione* (mis en bouteilles dans la région de production), apposées par les négociants sur les étiquettes, offrent une garantie d'authenticité en général moins fiable.

Mittelrhein

Cette petite région productrice de vins du Rhin s'étend du sud de Bonn au nord de Bingen *(carte page 83)*. Ses vins n'ont rien de remarquable et ne s'exportent pratiquement pas. Le Riesling est le cépage prédominant. Trois sous-régions *(Bereiche)* — Rheinburgenau, Siebengebirge et Bacharach — regroupent 11 sections de vignobles *(Grosslagen)*, se subdivisant en 110 vignobles individuels *(Einzellagen)*.

Montagne-Saint-Émilion voir *Saint-Émilion*

Moselle (Sarre et Ruwer)

Cette grande région vinicole d'Allemagne est chère aux yeux de tous. Irriguée par ses affluents (la Sarre et la Ruwer), la Moselle, qui prend sa source en France dans les Vosges, décrit d'innombrables boucles dans une vallée encaissée aux versants couverts de vignobles jusqu'à son confluent avec le Rhin *(carte page 83)*. Ses rives sont exposées au sud selon les courbes.

Les vignobles de la région couvrent moins de 12 000 hectares et fournissent quelque 15 % de toute la production allemande. Ils se partagent entre cinq sous-régions *(Bereiche)*: Mosel Tor (porte de la Moselle), Ober Mosel (Haute Moselle), Saar Ruwer, Bernkastel (Moyenne Moselle) et Zell-Mosel (Basse Moselle).

Le climat y est froid et septentrional, le sol presque partout dur et pauvre — ici, l'homme et la vigne doivent lutter. Dans plus de la moitié de la région, on cultive le Riesling, ailleurs le Müller-Thurgau et l'Elbling. De plus en plus de vignerons tentent des expériences d'encépagement consistant à croiser les cépages afin qu'ils supportent le climat froid.

Dans l'ensemble, les vins de Moselle (toujours vendus dans des bouteilles vertes et élancées, différentes de celles ambrées des vins du Rhin) associent un bouquet fleuri et délicat à l'élégance et à l'aristocra-

tie d'acier typique du cépage Riesling. Ils ont une robe pâle et limpide avec un chatoiement vert. Les vins jeunes sont légers et peu prétentieux. Ceux de la Moyenne Moselle sont parfois de grands vins d'une grâce et d'une complexité dans lesquelles les poètes se plaisent à retrouver des accents schubertiens.

Sur les hauteurs de la vallée de la Moselle, le sol calcaire de marne et de grès donne des vins légers et moelleux. Un peu plus en aval, près du Rhin, il est moins pauvre et produit des vins plus corsés. La réputation des vins de Moselle repose sur les prodigieux vignobles du Bernkastel (Moyenne Moselle), qui s'étendent sur 65 kilomètres de hautes berges d'ardoise entre lesquelles la rivière creuse son lit. Le cépage Riesling est bien adapté à ce sol.

Dans cette longue bande de terre, les rives prennent l'aspect de falaises très escarpées. Le travail de la vigne y est ardu. Aucune charrue, aucune machine ne peut gravir des versants aussi à pic, que seuls peuvent escalader des hommes juchés sur de longues échelles. Les traitements se font par hélicoptères. Malgré ces difficultés, la valeur du sol et la protection contre le froid, assurée par les gorges, sont telles que la moindre terrasse est plantée.

Les vallées de la Sarre et de la Ruwer bénéficient du même sol d'ardoise. Les vins de la petite Ruwer sont extrêmement légers, au point d'être acides les années médiocres. Les meilleures années, en revanche, ils sont délicieux: arachnéens, fins et délicats.

Cultivées dans la partie la plus froide de la région, les vignes de la Sarre ne donnent de bons vins que trois ou quatre années sur dix environ. Les mauvaises années, ils sont tout juste bons à être jetés dans une cuve de vin mousseux. En bonnes années, ils peuvent surclasser les Moselle.

Dans cette région de petits vignerons, la distribution est néanmoins assurée à grande échelle par de gros négociants. Plus de 500 vignobles individuels *(Einzellagen)* sont regroupés en 20 sections de vignobles *(Grosslagen)*. Des coopératives fournissent une partie de la production, dont une quantité importante est vendue au niveau régional directement aux consommateurs, essentiellement des touristes allemands et des étrangers de passage.

Mutage

Un vin est «muté» par l'addition d'une eau-de-vie au moût partiellement fermenté, ce qui arrête l'action des levures, retenant une partie des sucres de raisin dans le vin *(voir Vins vinés)*.

Nahe

C'est l'une des sept régions productrices de vins du Rhin, importante malgré sa faible superficie. Avec moins de 5 000 hectares de vignobles, elle fournit 5 % environ de la production allemande, essentiellement des vins blancs.

Les vignobles, situés sur les rives de la Nahe, le long de ses deux affluents à l'est et à l'ouest et sur tout le secteur qui les sépare *(carte page 83)*, jouissent d'un climat relativement tempéré à l'abri d'une forêt qui se trouve au nord-ouest.

A eux trois, le Müller-Thurgau, le Sylvaner et le Riesling représentent quatre-vingts pour cent de l'encépagement, le reste se répartissant entre le Morio-Muscat et certains nouveaux croisements. Le sol, extrêmement varié, se compose d'ardoise, de grès rouge, de quartzite, de glaise, de loess, d'argile et aussi de quelques roches volcaniques.

Les vins de la Nahe possèdent les meilleures qualités des vins du Rhin et de la Moselle. De couleur pâle, ils équilibrent souvent à la perfection acidité et teneur en sucre. Ils associent le goût franc, racé et vif de certains Moselle à la richesse, la saveur et la complexité des Rheingau.

Deux sous-régions *(Bereiche)* — Kreuznach et Schloss Böckelheim — se partagent sept sections de vignobles *(Grosslagen)* et plus de trois cents vignobles individuels *(Einzellagen)*, dont la majorité appartient à des cultivateurs, le reste se répartissant entre quelques grands domaines. Les coopératives, quant à elles, produisent et commercialisent vingt pour cent environ du vin de la région.

Noble

Les cépages «nobles» sont ceux qui donnent les plus grands vins du monde: Pinot noir, Chardonnay, Cabernet-Sauvignon, Riesling, Altesse (Furmint), etc. Un vin «noble» est un grand vin d'une complexité et d'une nuance qui le placent au-dessus de tous les autres vins.

Nouvelle-Zélande

En Nouvelle-Zélande, des vignes furent plantées dès 1840, mais ce n'est qu'à partir des années 50 que se développa une véritable production vinicole, qui fournit surtout la consommation locale. La plupart des vignobles se trouvent dans l'île du Nord, autour des baies Poverty et Hawke et dans l'Auckland méridional. Dans l'île du Sud, la principale région vinicole est celle qui est située aux alentours de Marlborough.

La majorité des vins de qualité moyenne et courante sont des mélanges de cépages cultivés dans différentes régions. Les vins plus fins, en général, sont faits avec le raisin d'un seul terroir, mais aucune qualité régionale ne s'est encore affirmée.

Le climat frais et les pluies estivales fréquentes sont favorables à la production de vins blancs parfumés et légers, de style allemand. Les principaux cépages cultivés sont le Müller-Thurgau, le Gewurztraminer, le Chasselas, le Pinot gris, le Chenin blanc et le Chardonnay. Les cépages Cabernet-Sauvignon, Pinotage et Pinot noir donnent d'estimables vins rouges. Cette jeune production vinicole utilise une technologie très avancée et tire le meilleur parti possible des méthodes de mécanisation de la vendange et de fermentation contrôlée en cuves d'acier inoxydable — s'assurant par là une grande régularité de qualité.

Palatinat (Pfalz, Rheinpfalz)

Cette grande région productrice de vins du Rhin est l'une des plus importantes et des plus productives d'Allemagne. Situé au sud de la Hesse rhénane, le Pfalz ou Palatinat est encadré par le Rhin à l'est et par l'Alsace au sud et à l'ouest (carte page 83).

Protégée par le massif de la Haardt, dans le prolongement des Vosges, la région jouit d'un climat tempéré encore plus doux que celui du Rheingau. Les étés y sont si secs et ensoleillés que pêches, amandes, figues et même citrons y prospèrent. La plupart des vignes sont plantées sur la Deutsche Weinstrasse (Route allemande du vin), à 15 kilomètres du Rhin.

Plus de 20 000 hectares de vignobles produisent environ 2 millions et demi d'hectolitres de vin. Le sol se compose de grès, de granit, d'ardoise et, dans les meilleurs secteurs, de craie, de calcaire et de basalte. Deux sous-régions (Bereiche) — Mittel-haardt-Deutsche Weinstrasse et Südliche Weinstrasse — regroupent 26 sections de vignobles (Grosslagen) et plus de 300 vignobles individuels (Einzellagen).

Les raisins Müller-Thurgau et Sylvaner représentent la moitié environ de l'encépagement. Une quantité plus restreinte de Riesling (planté principalement dans la Moyenne Haardt) donne les vins les plus élégants. Le Palatinat produit 15 % environ de vins rouges de qualité moyenne avec du Portugieser, surtout dans le sud.

Les vins du Palatinat doivent se diviser en deux groupes. Tout d'abord, les vins jeunes et enivrants aux saveurs agressives très douceureux avec parfois un goût de terroir, produits par les vignes cultivées en abondance aux limites sud et nord de la région, rarement mis en bouteilles, que l'on sert surtout en carafe dans les tavernes et les caves de la région.

Le deuxième groupe de vins du Palatinat provient en quantité nettement moins abondante de la meilleure sous-région — la Moyenne Haardt — où prospère le Riesling. Beaucoup de vins sont élevés pour devenir des Beerenauslese et des Trockenbeerenauslese pleins, au caractère marqué, corsés, avec une profondeur de saveurs, plus soutenus que leurs homologues du Rheingau. Ils se marient à la perfection avec les mets solides et épicés: venaison, voire sanglier, mais la diversité des composantes de leurs saveurs est telle qu'il serait peut-être dommage de ne pas les déguster seuls, car les grands crus du Palatinat sont des vins d'une grande finesse.

Pauillac

Une des quatre plus célèbres communes du Médoc, ayant droit à son appellation propre dans le Bordelais. Voir *Médoc*.

Perlant

S'applique aux vins légèrement pétillants dont une mise en bouteilles précoce a capté une fin de fermentation, produisant du gaz carbonique qui reste dans le vin.

Pomerol

C'est le plus petit des quatre grands secteurs de vins rouges du Bordelais, voisin de Saint-Émilion. En fait, son cru le plus célèbre, le Château Pétrus, est cultivé à quelque 700 mètres du Château Cheval-Blanc à Saint-Émilion. Les vignes de Pomerol occupent un plateau peu élevé, sur un sol d'argile, de gravier et de sable avec un sous-sol ferrugineux dont la teneur en fer varie selon les vignobles.

Ses vins sont d'excellente qualité. Contrairement aux Médoc, aux Graves et aux Saint-Émilion, les Pomerol n'ont jamais été classés officiellement. Il y a encore moins de cinquante ans, on ne les considérait pas comme de grands vins. Ce tort a été réparé: le Château Pétrus a désormais la réputation méritée d'un des huit premiers Bordeaux rouges et se vend même au prix de loin le plus cher, par rapport aux Premiers Crus du Médoc. Juste derrière ce cru hors classe, dix châteaux remarquables soutiennent la comparaison avec les Deuxièmes Crus du Médoc, a juste titre car ils sont superbes: Vieux-Château-Certan, et les Châteaux La Conseillante, Lafleur-Pétrus, Trotanoy, l'Evangile, Gazin, Lafleur, Latour-Pomerol et Petit-Village.

Autres excellents crus également appréciés: Château Beauregard, Château Certan-de-May, Château La Croix-de-Gay, Château La Pointe, Clos l'Eglise, Château Moulinet, Château Nénin, Clos René, Château de Sales, Château du Tailhas. N'oublions pas que toutes les bouteilles vendues sous la simple appellation Pomerol contiennent un vin très honorable et plaisant.

Les Pomerol sont essentiellement produits avec du Merlot, raisin qui leur donne leur rondeur et leur onctuosité, avec un peu de Cabernet franc (20 % environ), que l'on appelle Bouchet dans la région, et un peu de Cabernet-Sauvignon. Le Château Pétrus, quant à lui, est fait à 95 % de Merlot.

Un bon Pomerol atteint en principe sa maturité en cinq ans, trouve sa plénitude entre douze et quinze ans mais peut s'épanouir beaucoup plus longtemps encore. Sa robe est d'un rubis foncé et chatoyant. Un peu moins astringent que le Médoc, le Pomerol a un bouquet très fragrant, suave, rond et profond. Malgré leurs différences, les Pomerol ont un air de famille avec leurs célèbres cousins des communes du Médoc.

Porto

Selon la loi portugaise, le Porto est le vin rouge ou blanc du haut Douro (carte page 83) viné par adjonction, en cours de fermentation, d'eau-de-vie de vin provenant lui-même du haut Douro et expédié de la ville de Porto, qui lui a donné son nom. A l'exception de quelques blancs secs, tous sont des vins de liqueur capiteux. L'addition d'eau-de-vie en cours de fermentation, alors que les sucres naturels du raisin n'ont pas donné plus de 3 à 4% d'alcool, provoque le mutage des levures. Le résidu de sucre non fermenté reste dans le vin. C'est ce procédé qui confère au Porto son caractère bien particulier.

Les négociants britanniques ont joué un rôle capital dans la promotion de ce vin, à laquelle ils sont étroitement associés au Portugal depuis le XVIIIe siècle. L'Angleterre a perdu récemment sa place de premier consommateur au profit de la France.

Le commerce du Porto est réglementé par la législation promulguée par l'*Instituto do Vinho do Porto* qui délimite les régions de production et fixe les critères de classification. Seuls les vins faits avec des raisins cultivés dans la région du Douro et expédiés de Porto sont vendus sous ce nom.

La région portuaire du Douro s'étend de Mesão Frio, à 100 kilomètres environ à l'est de Porto, jusqu'à Barca d'Alva, à la frontière espagnole, dans le nord-est du Portugal, sur un terrain montagneux où la plupart des vignes poussent en terrasse à flanc de falaise et où le sol se compose essentiellement de schiste, excellent pour les cépages rouges et blancs, et d'un peu de granit. Le sol alluvial de la vallée produit des vins assez grossiers et de moindre qualité.

Le centre de la région, autour de Pinhão d'où viennent les vins les plus fins, jouit du climat le plus favorable du pays, à la fois atlantique et méditerranéen, avec une pluviosité satisfaisante, des hivers peu rigoureux et des étés très ensoleillés. Plus en aval, près du littoral atlantique, il fait plus frais. Plus en amont, les étés sont très chauds et les pluies fréquentes.

Parallèlement à tous ces différents climats, il existe aussi un nombre remarquable de microclimats permettant de cultiver plus de 80 cépages spécifiquement adaptés. Pour en simplifier la sélection et améliorer ainsi la qualité des vins, les Portugais ont étudié et expérimenté les variétés indigènes sur différents sols. Les meilleurs cépages rouges comprennent le Bastardo, le Tinto Cão, les Tourigas, le Mourisco et le Donzelinho Tinto. Esgana Cão, Donzelinho, Gouveio

ou Verdelho et Malvasia Fina comptent parmi les principaux cépages blancs.

Des petits vignerons cultivent la plupart des vignes, mais ce sont des entreprises vinicoles modernes appartenant à de grandes firmes de négociants ou à des coopératives qui font presque tout le vin.

La fermentation du Porto se déroule presque toujours dans des cuves à température contrôlée et dure habituellement trente-six heures, selon la teneur en sucre requise. Le moût est alors viné avec une quantité suffisante d'eau-de-vie pour lui donner une teneur en alcool de 18° environ. A ce stade, la fermentation naturelle ralentit et cesse dans les quarante-huit heures.

On conserve les vins dans des fûts en chêne de 522 litres que l'on appelle des pipes. Un hogshead correspond à une demi-pipe. Au bout de six mois environ, on transporte le vin nouveau dans les loges (entrepôts) de Vila Nova de Gaia, près de Porto, où on le goûte pour le classer. Les plus fins deviennent des Porto *Vintage* ou millésimés. Les années exceptionnelles, la plupart des négociants déclarent un millésime, certains préférant garder ce Porto millésimé pour des assemblages de qualité. Entre janvier et septembre, de seize à vingt-quatre mois après les vendanges, ils en soumettent des échantillons à l'*Instituto do Vinho do Porto*. Ceux-ci peuvent provenir d'un seul vignoble ou d'un assemblage de plusieurs *quintas* (domaines). Le Porto millésimé se met en bouteilles entre deux ans et deux ans et demi.

Le Porto *Vintage* (ou millésimé) est vendu sous *Selo de Garantia*, sceau de garantie. Il n'atteint sa pleine maturité qu'au bout de vingt ans au moins. En fait, les Porto de grands millésimes mis en bouteilles précocement s'affinent très lentement et ont besoin de beaucoup plus de temps pour s'épanouir. Leur couleur évolue entre-temps *(page 30)*. Après un siècle, ils frôlent le sublime. En se dépouillant, le Porto dépose toujours une « croûte » que l'on retrouve dans les bouteilles millésimées.

Les Porto des années moyennes, non millésimés, peuvent également vieillir en bouteilles et déposer une croûte. On les appelle *Crusted Port* (Porto croûteux). Ils sont obtenus avec un assemblage de Porto jeunes de différentes années mis en bouteilles tôt. Ils sont prêts à boire bien avant les

millésimés — parfois trois ans seulement après la mise en bouteilles.

Les Porto élevés dans le bois représentent le produit de base des négociants. Généralement moins pleins et moins corsés que les *Vintage* ou *Crusted*, ils se composent d'un assemblage de vins qu'on laisse vieillir en fûts jusqu'à ce qu'ils soient bons à la consommation. Chaque négociant dispose de sa propre marque et assemble plusieurs vins pour en maintenir le style. Les moins chers se font avec des vins jeunes. Les marques plus onéreuses peuvent, en revanche, contenir quelques vins vieux très fins.

Les Porto vieillis en fûts sont classés en fonction de leur couleur: Tawny (roux), Ruby (rubis) et Blanc. Le Porto Ruby corsé, assez doux, mûrit en fûts de bois pendant une durée relativement courte — deux ou trois ans seulement. Il peut être bu jeune car il ne s'améliore pas en bouteille.

Le Tawny Port vieillit en général plus longtemps. Il est plus léger, plus onctueux, plus moelleux mais moins doux que le Porto Ruby. Certains sont de très grands vins. Les meilleurs vieillissent au moins vingt ans avant la mise en bouteilles et ne s'améliorent plus par la suite.

La plupart des Porto Blancs sont aussi des vins de liqueur, mais certains sont vinifiés en secs comme vin d'apéritif.

Portugal

Le plus célèbre et le plus exporté des vins portugais, le Porto *(voir ce mot)*, ne représente qu'une faible part de la production vinicole du pays. On y produit beaucoup plus de vins rouges que de vins blancs, bien que l'exportation des blancs et des rosés soit plus importante.

Le vin portugais vient principalement des régions tempérées situées au nord de Lisbonne *(carte page 83)*. Outre le Douro, pays du Porto, il n'existe que six régions délimitées d'appellation contrôlée, et les vins répondant aux critères de qualité de chaque région portent la mention *Denominação de origem*.

Les *vinhos verdes*, ou vins verts, constituent près de 25% de toute la production portugaise. Ils proviennent des vignobles du Minho, province du nord-ouest située entre les fleuves Douro et Minho. Ces vins sont dits « verts » en raison non de leur couleur (la plupart sont rouges), mais de leur verdeur acidulée. Comme ils perdent vite leur fraîcheur pétillante, on les boit dans l'année qui suit la récolte. Bien que les trois quarts des *vinhos verdes* soient rouges, on n'exporte que les blancs.

Ces vins naissent de nombreux cépages inconnus dans les autres pays. La terre est rare dans ces régions très peuplées, mais encore très rurales, et les vignes y sont traditionnellement cultivées en treilles, sur clôtures ou tonnelles, pour laisser de la place aux autres cultures.

La région montagneuse du Dão, dans le centre nord du Portugal, produit de bons vins rouges et blancs. Là, le raisin des petites propriétés subit une vinification industrielle dans des coopératives. Les rouges, qui sont fortement colorés et astringents à cause d'une cuvaison prolongée, s'améliorent en vieillissant, tandis que les blancs, frais et francs de goût, doivent se boire jeunes.

Les quatre autres régions d'appellation contrôlée — Setúbal, Bucelas, Carcavelos et Colares — se groupent autour de Lisbonne. Leur territoire a beaucoup diminué ces dernières années. De la région de Setúbal, la plus renommée, vient le Moscatel de Setúbal, vin liquoreux de dessert, fait avec du Muscat blanc.

La région de Bucelas produit et exporte des vins blancs frais et secs. Les vins rouges des vignobles réduits de Colares sont fortement tanniques, astringents, avec un taux d'acidité souvent élevé, et ils vieillissent généralement bien.

En dehors de ces régions délimitées, le Ribatejo, dans le centre du pays, a une importante production de vins courants blancs et rouges. Parmi ses vins plus choisis figure le populaire Serradayres, mélange des meilleurs crus du Ribatejo.

Méritent également une mention la Periquita, le Pasmodos et le Camarate, vins rouges des environs de Setúbal, et quelques vins rouges robustes et charpentés provenant de Borba, près d'Evora.

Pourriture noble voir *Botrytis cinerea* (page 16)

Premières-Côtes-de-Bordeaux

Appellation d'origine contrôlée accordée aux vins rouges et blancs d'un secteur important du Bordelais situé sur la rive droite de la Garonne *(carte page 85)*. Les rouges sont coulants et peuvent être bus jeunes. Les blancs sont moelleux et parfois liquoreux, avec une certaine parenté avec le Loupiac et Sainte-Croix-du-Mont.

Premières Côtes de Bordeaux-Cadillac

Petite région et appellation du Bordelais sur la rive droite de la Garonne, en face des Graves et du Sauternais. Elle produit des vins blancs moelleux *(carte page 85)*.

Provence

La Provence est une importante région productrice de bons vins locaux, principalement des rosés et des rouges, et une quantité moindre de blancs. Du Rhône jusqu'à la frontière italienne, un cordon de vignobles produit des vins classés V.D.Q.S., propres à satisfaire tous les goûts et toutes les bourses. La Provence se distingue également par cinq appellations contrôlées pour les vins de Palette, Cassis, Bandol, Bellet et Côtes-de-Provence *(carte page 84)*.

A Palette, outre un vin blanc corsé, on fait aussi un rouge ferme, élégant et séveux, qui vieillit particulièrement bien. Cassis produit des rouges, des blancs et des rosés, encore que cette commune soit mieux connue pour son vin blanc rustique et vigoureux, fidèle compagnon des fruits de mer dans la région de Marseille.

Bandol produit un rosé pâle et élégant, ainsi qu'un vin rouge de bonne longévité, à la belle couleur et au fruité intense dans sa jeunesse, qui évolue en prenant un bouquet d'une grande finesse. Le fruité prononcé du Mourvèdre, cépage qui entre pour moitié dans la vinification des rouges, se reconnaît franchement dans les vins. Quelques vignobles de Bandol produisent également un vin blanc agréable.

Bellet fait des rouges, des blancs et des rosés de bonne qualité et au goût de terroir bien affirmé. L'appellation Côtes-de-Provence, classée V.D.Q.S. jusqu'en 1977, regroupe des rouges, rosés et blancs, ces derniers manquant souvent de caractère.

Puisseguin-Saint-Émilion voir *Saint-Émilion*

Rafle

Ensemble du pédoncule et des pédicelles d'une grappe de raisins.

Rheingau

C'est à la fois la plus petite et la plus réputée des sept terres à vin du Rhin, considérée comme l'une des plus prestigieuses régions vinicoles du monde. Ses vignobles courent le long du Rhin, qui décrit ici une grande courbe de 35 kilomètres sur son parcours entre la Suisse et la mer du Nord, de sorte que les coteaux sont orientés au sud et protégés du vent du nord par les collines du Taunus *(carte page 83)*. Le climat est sans doute le plus doux de toute l'Allemagne. Le Rhin atteint ici sa largeur maximale et réfléchit les rayons du soleil, offrant ainsi une source de chaleur supplémentaire. En outre, les brumes qui se lèvent sur le fleuve en automne favorisent la propagation du *botrytis cinerea (page 16)*.

La plupart des vins du Rheingau sont de la plus haute qualité — superbes Spätlese et Beerenauslese profonds et complexes dans toute leur maturité liquoreuse et dans leur beauté pleine et équilibrée.

Ardoise, glaise, loess, quartzite et schiste se partagent le sol. Le cépage prédominant est le Riesling, avec du Müller-Thurgau, du Sylvaner et un peu de Spätburgunder (Pinot noir) pour l'infime production de vin rouge d'Assmanshausen (moins de 2% environ du total).

Les vins de cette petite région représentent de 2 à 3% de toute la production allemande. La totalité du Rheingau est comprise dans une seule sous-région *(Bereich)* appelée Johannisberg, qui se divise en dix sections de vignobles *(Grosslagen)* composées de 116 vignobles individuels *(Einzellagen)*. Les vignobles appartiennent à de nombreux petits vignerons et à quelques grands domaines, dont certains détenus par la même famille depuis des siècles.

Rheinhessen (Hesse rhénane)

C'est l'une des plus vastes régions d'Allemagne productrices de vins du Rhin, dont elle fournit le quart environ de la production annuelle, avec en moyenne plus de deux millions d'hectolitres, en vins blancs à plus de 90%. C'est également celle qui exporte le plus, surtout en Grande-Bretagne et aux États-Unis. Ses vignobles couvrent plus de 22 000 hectares.

Les crus se trouvent sur la rive gauche du Rhin *(carte page 83)*, où règne un climat doux pour la latitude, relativement préservé des gelées et de la neige. Le sol varié se compose principalement de marne, de loess et de grès rouge avec un peu d'ardoise et de quartzite.

L'ancien cépage traditionnel, le Sylvaner, est désormais supplanté par le Müller-Thurgau. On cultive aussi un peu de Riesling, de Scheurebe et de Morio-Muscat, ainsi que quelques pieds de Portugieser pour la production restreinte de rouges.

Les vins du Rheinhessen sont très réputés et assez agréables bien que la majorité n'ait pas une très grande distinction. Ils sont souples, sans caractère tranché, fleuris, avec une nuance nettement sucrée. Les meilleurs peuvent être ronds, pleins et fruités; quant aux moins bons, leur fadeur risque de lasser. A l'exception des très bons crus — et il y en a quelques-uns —, il vaut mieux boire les vins de cette région sans trop les laisser vieillir.

Le Liebfraumilch est l'un des vins les plus connus et les plus exportés de la région. Il y a un peu plus de cinquante ans, on ne pouvait le faire qu'avec les vignes — pas très exceptionnelles d'ailleurs — de Liebfrauenkirche (Église Notre-Dame) proches de Worms. Depuis, la législation s'est assouplie et accorde le droit à cette appellation à tous les vins ou assemblages provenant d'une des quatre principales régions productrices de vins du Rhin (Rheinhessen, Rheingau, Nahe et Palatinat) et ayant passé avec succès les tests de qualité des QbA (voir *Allemagne*). Cette étiquette ne peut être apposée ni sur les vins de table ordinaires ni sur les QmP supérieurs.

Entre tous les Liebfraumilch, généralement assez moelleux et sans grand caractère, il existe des différences considérables de qualité. La loi interdisant de mentionner les cépages sur les étiquettes, les consommateurs doivent se fier simplement au nom et à la réputation du négociant.

Le Rheinhessen se divise en trois sous-régions *(Bereiche)* — Bingen, Nierstein et Wonnegau — regroupant 24 sections de vignobles *(Grosslagen)* et plus de 400 vignobles individuels *(Einzellagen)*. Il existe aussi quelques domaines assez grands, souvent gérés par des coopératives, qui se partagent la propriété des vignobles avec une majorité de vignerons exploitant d'autres cultures que celle de la vigne.

Autour de la commune de Bingen, qui a

donné son nom au *Bereich*, le sol contient un peu d'ardoise. On y cultive du Riesling, qui donne quelques vins fins et vifs.

Roumanie

L'histoire vinicole de la Roumanie, pays situé à la même latitude que la France, remonte au VIIe siècle avant notre ère. Aujourd'hui, avec une production annuelle supérieure à sept millions d'hectolitres, elle occupe la seconde place, derrière l'Union soviétique, parmi les pays producteurs de vin de l'Europe de l'Est. En outre, contrairement à celle de l'Union soviétique, de la Hongrie et de la Bulgarie, la production vinicole y est largement indépendante de l'État. Sur les 300 000 hectares environ de vignobles que compte le territoire roumain, 50% appartiennent à des coopératives et 34% sont des parcelles privées. Le gouvernement ne gère que le restant, étroitement contrôlé par des centres chargés de veiller à la qualité et à son amélioration.

Les grandes régions vinicoles s'étendent à l'est et au sud de la chaîne montagneuse centrale des Carpates. A l'est, la province de Moldavie possède deux grands secteurs de vignobles. L'un, situé sur les contreforts des montagnes, est surtout connu pour le Cotnari, vin blanc liquoreux. L'autre, plus au sud, se trouve aux alentours de la ville de Focşani, contrée de sols calcaires, limoneux ou sablonneux. C'est la plus grande région viticole roumaine. On y produit divers rouges et blancs; les villes d'Odobeşti, Coeşti, Panciu et Nicoreşti donnent leur nom aux plus connus d'entre eux. Parmi les cépages cultivés dans cette région figurent les classiques Cabernet-Sauvignon et Pinot noir, ainsi que des variétés indigènes de raisin blanc, Feteasca, Grasa et Tamiioasa (Muscat).

Les vignobles ensoleillés de Dealul-Mare, plantés sur les coteaux sud-est des Carpates, produisent pour l'exportation des vins rouges très amples, notamment ceux tirés des cépages Cabernet (franc et Sauvignon) et Pinot noir. Des vignobles d'origine plus récente s'étendent au sud, dans la plaine de la Valachie. Dans le secteur de Dragaşani, on fait des vins blancs agréables, aromatiques; à Sagarcea et Sadova, des rouges et des rosés. Toute une gamme de rouges et de blancs provient des vignobles d'Argecs.

Deux des régions produisant les vins blancs les plus fins sont situées aux extrémités opposées du pays. Au nord-est, dans la zone du Tirnave, sur le plateau de Transylvanie, à 600 m au-dessus du niveau de la mer, on cultive un certain nombre de cépages blancs parfumés, tels le Wälschriesling, le Muscat ottonel, le Traminer et le Feteasca. Au sud-est, près de la mer Noire, sur le plateau ensoleillé de Dobroudja, une petite région vinicole fait un Muscat de dessert, le Murfatlar (du nom de la ville la plus importante), ainsi que des rouges et des blancs vinifiés à partir de cépages d'origine française plantés tout récemment.

Saint-Émilion

L'une des quatre principales régions vinicoles du Bordelais, située sur la rive droite de la Dordogne. Elle entoure la plus vieille agglomération vinicole de France (Saint-Émilion) et le port fluvial de Libourne *(carte page 85)*. Malgré sa faible superficie (le quart environ du Médoc), elle a une production importante — quelque 380 000 hectolitres de vin d'appellation par an, en comptant les communes limitrophes qui contribuent à la production.

Ses vins se caractérisent par leur rondeur, leur fruité, leur plénitude. On les dit plus faciles à apprécier par le néophyte que les Médoc et les Graves rouges, relativement plus réservés et plus astringents.

Dans l'ensemble, les Saint-Émilion ont une maturation plus rapide que les Médoc et les Graves, même si les plus grands vivent parfois jusqu'à un âge avancé. Un Saint-Émilion d'année moyenne sera bon (s'il n'est pas encore à son apogée) au bout de quatre à cinq ans, alors qu'il faut dix ans pour un Médoc comparable.

Le Cabernet franc (que l'on appelle Bouchet dans la région) et le Merlot sont les principaux cépages utilisés, avec une quantité moindre de Cabernet-Sauvignon. On ne plante presque plus de Malbec (appelé Pessac dans la région) à cause de sa sensibilité aux maladies. Le Merlot et le Cabernet franc mûrissent de bonne heure et donnent des vins plus ronds, moins tanniques que le Cabernet-Sauvignon.

Le secteur de Saint-Émilion se divise en deux parties: les coteaux et la plaine, appelée graves en raison de son sol pierreux.

Le sol des coteaux contient de la silice,

de l'argile et de la craie. Le Château Ausone en est le plus beau fleuron. Autres vignobles de grande classe: Château Belair, Château Canon, Château La Gaffelière, Château Magdelaine, Château Pavie et Clos Fourtet.

Les graves, plateau ondulant de croupes graveleuses, produisent plusieurs grands vins dont le Château Cheval-Blanc, incontestablement l'un des plus beaux, et l'excellent Château Figeac.

Les Saint-Émilion ont été officiellement classés en octobre 1954. Ils sont divisés en deux groupes: 12 Premiers Grands Crus (voir *encadré*) et 73 Grands Crus. La liste est donnée dans l'ordre alphabétique, mais s'ouvre sur Château Ausone et Château Cheval-Blanc, qui sont des Premiers Grands Crus Classés. Outre la classification d'origine, une liste établie chaque année après analyses et dégustations officielles cite comme «Saint-Émilion Grand Cru» plus de 500 châteaux, clos et domaines.

Au sud et à l'ouest de l'agglomération, sept communes ont le droit de prendre l'appellation simple Saint-Émilion. S'ils ne sont ni aussi fins ni aussi durables que ceux de l'intérieur, les vins de cette couronne peuvent être ronds, très fruités et agréables à boire, surtout quand ils sont jeunes.

Au nord, quatre communes ont le droit d'ajouter à leur nom celui de Saint-Émilion. Leurs appellations contrôlées sont Lussac-Saint-Émilion, Montagne-Saint-Émilion, Puisseguin-Saint-Émilion et Saint-Georges-Saint-Émilion.

Saint-Émilion

Premiers Grands Crus classés

Château Ausone
Château Cheval-Blanc
Château Beauséjour
(Duffau-Lagarrosse)
Château Beauséjour (Bécot)
Château Belair
Château Canon
Château Figeac
Clos Fourtet
Château La Gaffelière
Château Magdelaine
Château Pavie
Château Trottevieille

Saint-Estèphe

Une des quatre plus célèbres communes du Médoc, ayant droit à son appellation propre dans le Bordelais. Voir *Médoc*.

Saint-Georges-Saint-Émilion voir *Saint-Émilion*

Saint-Julien

Une des quatre plus célèbres communes du Médoc, ayant droit à son appellation propre dans le Bordelais. Voir *Médoc*.

Sainte-Croix-du-Mont voir *Loupiac et Sainte-Croix-du-Mont*

Sainte-Foy-Bordeaux

Petit secteur situé dans l'angle nord-est d'Entre-Deux-Mers, à la périphérie du Bordelais *(carte page 85)*, produisant traditionnellement des vins blancs moelleux et aujourd'hui souvent des vins secs avec un fort pourcentage de Sauvignon, et une bonne production de vins rouges.

Sauternes

La célébrité de Bordeaux vient aussi de ce qu'on y trouve certains des plus grands vins blancs liquoreux produits dans les cinq communes du Sauternais: Barsac, Bommes, Fargues, Preignac et Sauternes. Les Barsac constituent un cas spécial car ils ont droit à deux appellations au choix du producteur: Barsac ou Sauternes.

Le Sauternais se trouve dans une enclave des Graves, où le sol plus ou moins argileux et calcaire contient beaucoup de sable et de gravier. En année propice, le microclimat est chaud et humide avec des brumes matinales et une chaleur douce en automne. Fin septembre, ces conditions climatiques favorisent la pourriture noble, *botrytis cinerea*. La vendange commence lorsque cette moisissure s'est bien développée, mais cela ne va pas sans complication ni raffinement: certaines années, comme la pourriture noble n'attaque pas tous les grains de raisin en même temps et au même rythme, les vignerons passent et repassent pendant des semaines pour cueillir ceux qui sont à point en octobre, jusqu'aux gelées de novembre. C'est une tâche lente, répétitive et hasardeuse qui peut échouer; mais quand elle réussit on a la joie d'obtenir un peu, très peu (le rendement est infinitésimal), de vin

liquoreux et doré avec une infinité de nuances florales et fruitées. La pourriture noble n'attaque pas tous les ans, et en son absence — quand l'automne est frais et dégagé par exemple — on ne peut absolument pas produire de Sauternes.

Le Sauternes est un produit entièrement naturel: sa teneur en alcool élevée (14° en moyenne) ne doit jamais rien à la chaptalisation. On le fait principalement avec du Sémillon, un tiers environ de Sauvignon et très peu de Muscadelle.

Les Sauternes sont les seuls vins à avoir été classés avec les Médoc dans la première classification des crus de Bordeaux de 1855. Le Château d'Yquem a été placé en tête de liste comme Grand Premier Cru. Les autres crus remarquables ont été classés comme Premiers et Deuxièmes. Depuis, certains se sont scindés en deux et d'autres n'existent même plus. Certaines appellations et orthographes ont subi des modifications mineures. Il y a désormais 11 Premiers Crus, 13 Deuxièmes Crus *(voir encadré)* et plus de 300 crus de moindre importance.

La plupart des crus classés font des vins superbes. Le Château d'Yquem en reste l'apogée — le perfectionnisme de la vendange méticuleuse est ici poussé à l'extrême; au besoin, elle se poursuit jusqu'en décembre. Le vin est élevé en fût pendant trois ans et demi et doit être régulièrement ouillé (avec le même vin précieux) pour compenser l'évaporation. Le rendement d'une bonne année équivaut à un verre par pied de vigne. Quand l'année est mauvaise, il n'y a pas de Château d'Yquem.

Les grands Sauternes sont doués d'une extrême longévité. Dans l'idéal, il ne faudrait pas les consommer avant vingt ou trente ans de mise en bouteilles. Ils sont toujours liquoreux, mais dans leur jeunesse leur suavité de miel en masque encore certaines subtilités — un soupçon d'amertume avec une nuance d'amande. Avec l'âge, leur robe fonce et leur bouquet s'accentue. Un Château d'Yquem plus que centenaire est admirable et ceux des «petites» années restent somptueusement vivants.

Traditionnellement, le Sauternes est un vin de dessert, ce qui en limite la consommation. On peut aussi en déguster un petit verre frais mais non glacé en milieu de matinée pour se réconforter le plus agréablement du monde. (Notez que, contrairement à la majorité des vins, une bouteille ouverte de Sauternes peut se conserver une semaine environ au réfrigérateur, à condition d'avoir été rebouchée.)

C'est faire un grand mariage que de boire le Sauternes avec du foie gras, ou de le servir avec du roquefort. Il s'accorde bien avec les entremets sans excès de sucre, de crème ou d'épices, et mieux encore avec un fruit — une poire mûre, des framboises ou quelques amandes. En fait, à lui seul le Sauternes est le summum des desserts.

Savoie

« Francs et rafraîchissants » sont des adjectifs fréquemment appliqués aux vins de Savoie — petite enclave de vignobles située dans les montagnes le long de la frontière franco-suisse, près de Genève *(carte page 84)*. On y produit surtout des vins blancs, soit tranquilles, soit pétillants. Les meilleurs sont secs, avec un goût de pierre à fusil et une saveur exquise, délicate.

L'appellation Vin de Savoie englobe un grand nombre de communes productrices de vins rouges, blancs et rosés; trois autres appellations contrôlées concernent exclusivement des vins blancs: Seyssel et Roussette, de cépage Altesse (dont le nom local est Roussette), et Crépy, vinifié à partir du cépage Chasselas.

Sekt

Vin blanc mousseux fait en Allemagne, qui peut prendre la forme de *Qualitätsschaumwein* (vin mousseux de qualité) ou de vin ordinaire, pas forcément originaire d'Allemagne: rendu mousseux en cuve par fermentation sous pression.

Suisse

La Suisse possède plus de 12000 hectares de vignobles, ce qui est considérable pour un pays si petit et si montagneux. On y pratique généralement la viticulture de façon rationnelle et scientifique, et, naturellement, la plupart des vignes se situent sur les pentes raides des vallées. Les régions vinicoles les plus importantes se trouvent dans les cantons francophones du sud du pays — approximativement le long du Rhône, qui traverse d'est en ouest le canton du Valais, puis remonte vers le nord en direction du lac Léman. Ensuite, dans le canton de Vaud, les vignes suivent l'arc de la rive nord du lac.

Dans le Valais, les vignes escaladent en terrasses vertigineuses les flancs de coteaux ensoleillés exposés au sud. Elles reçoivent l'eau des ruisseaux de montagne et des champs de neige, canalisée au moyen de petits aqueducs en bois, ou « bisses ». Le cépage blanc noble de cette région est le Chasselas — appelé ici Fendant, et Dorin dans le canton de Vaud. Il donne un vin léger, nerveux, rafraîchissant, très légèrement perlant et d'un parfum agréable. En grande majorité, les vins du Valais sont blancs. Le principal vin rouge fruité et coulant, à la robe rubis clair — est le Dôle, qui est à base de Pinot noir et de Gamay.

Environ 40% des vins suisses proviennent de vignes plantées dans le canton de Vaud, le long de la rive nord du lac Léman, et plus spécialement du district de Lavaux, qui s'étend sur seize kilomètres de Lausanne à Montreux. Ici, les vignes étagées exposées au midi profitent pleinement du soleil, que réfléchit également le lac. Le Chasselas, principal cépage, donne un vin sec et léger, qui se boit jeune. Plus au nord, la région du lac de Neuchâtel, dans le canton du même nom, produit de bons vins rouges et rosés faits de Pinot noir, et des blancs perlants et légers, faits de Chasselas.

La plupart des dix-neuf autres cantons helvétiques produisent également des vins, lesquels sont rarement exportés. Au nord, les cantons germanophones font, avec du raisin Müller-Thurgau, des vins blancs parfumés, tandis qu'au sud-est, dans le Tessin

---

Classification des Sauternes

Le nom des communes figure entre parenthèses

Grand Premier Cru

Château d'Yquem
(Sauternes)

Premiers Crus

Château La Tour-Blanche
(Bommes)

Château Lafaurie-Peyraguey
(Bommes)

Clos Haut-Peyraguey
(Bommes)

Château Rayne-Vigneau
(Bommes)

Château Suduiraut
(Preignac)

Château Coutet
(Barsac)

Château Climens
(Barsac)

Château Guiraud
(Sauternes)

Château Rieussec
(Fargues)

Château Rabaud-Promis
(Bommes)

Château Sigalas-Rabaud
(Bommes)

Deuxièmes Crus

Château Doisy-Daëne
(Barsac)

Château Doisy-Dubroca
(Barsac)

Château Doisy-Védrines
(Barsac)

Château d'Arche
(Sauternes)

Château Filhot
(Sauternes)

Château Broustet
(Barsac)

Château Nairac
(Barsac)

Château Caillou
(Barsac)

Château Suau
(Barsac)

Château de Malle
(Preignac)

Château Romer du Hayot
(Fargues)

Château Lamothe (Despujols)
(Sauternes)

Château Lamothe (Guignard)
(Sauternes)

de langue italienne, existent des vins rouges, tendres et fruités, principalement à base de raisin Merlot.

Turquie

Les traditions de viticulture turques, parmi les plus anciennes du monde, remontent à six mille ans au moins. Au VIIIe siècle, quand la Turquie embrassa l'islam, qui interdit à ses fidèles de boire de l'alcool, la production fut interrompue. Elle se développa à nouveau au moment des réformes politiques des années vingt et trente, notamment à la suite du décret de laïcité de l'État. Depuis, la Turquie a délimité ses régions vinicoles, adopté du matériel moderne et s'est constamment efforcée d'améliorer la qualité de ses vins. Malgré la lenteur des progrès réalisés et la faiblesse des exportations, la viticulture turque présente un potentiel de développement considérable.

A l'exception du littoral occidental et de la région autour de la mer de Marmara au nord, la Turquie est un pays rocheux et montagneux. Le climat convient bien à la viticulture, avec ses étés chauds et ensoleillés et ses hivers très pluvieux. Les cépages prédominants sont indigènes, mais l'utilisation des cépages européens (Pinot noir, Chardonnay, Riesling) s'étend de plus en plus. La Turquie produit tous les types de vins rouges et blancs, secs, demi-secs, moelleux, vinés et mousseux. Aucun n'est vraiment de très haute qualité mais la plupart sont bons, plaisants et honnêtes. La majorité sont assez légers et peu acides. Ils peuvent être bus avant un an.

Dans la région verdoyante et fertile de la Thrace et de Marmara, la plus importante du pays, l'influence européenne est plus marquée qu'ailleurs. On y fait de bons vins rouges et blancs de qualité moyenne que l'on vend en général sous le nom de Trakya, qui signifie Thrace en turc. Le cépage local Papazkarasi donne d'honnêtes vins rouges. On cultive également le Cinsault, le Pinot noir et le Cabernet-Sauvignon. Les nouveaux cépages à vin blanc comprennent le Riesling, le Chardonnay et le Sylvaner. Avec le Yapincak (ou Sémillon), on produit un vin blanc de qualité assez moelleux: le Tekirdag.

La région de la mer Égée, qui couvre plus de 240 kilomètres sur le littoral occidental, fournit près du quart de la production de raisins, raisins de table compris, 20% seulement étant transformés en vin. Avec le Bornava Musketi, on fait des rouges et blancs honnêtes, ainsi que de bons vins moelleux ou vinés. Izmir, l'ancienne Smyrne, est le centre de la production vinicole de la région.

Les meilleurs vins turcs viennent de l'Anatolie centrale. Autour d'Ankara, on produit des vins rouges et blancs avec les cépages locaux. Depuis quelques temps, on cultive aussi du Gamay, du Carignan, de la Clairette et du Riesling. Le vin le plus connu de la région, le Buzbag, est un rouge corsé de bonne qualité.

U.R.S.S.

Avec quelque 1 250 000 hectares de vignes et plus de 32 millions d'hectolitres par an, l'U.R.S.S. est un des principaux producteurs de vin du monde. Les vignobles les plus importants s'étendent le long du littoral septentrional de la mer Noire, d'ouest à l'est, de la Moldavie (à la frontière roumaine), en passant par l'Ukraine et la Russie jusqu'à la Géorgie, l'Arménie et l'Azerbaïdjan. Malgré la chaleur des étés, les pluies diluviennes, les gelées tardives, la grêle et l'intensité des hivers rendent la viticulture précaire. La majorité des vins sont moelleux ou liquoreux, mais on y fait aussi des rouges et des blancs secs, mousseux et vinés. Les cépages prédominants en Union soviétique sont indigènes. On plante cependant de plus en plus de vignes d'origine européenne.

L'U.R.S.S. exporte très peu de vin à l'Ouest. La classification russe comporte trois degrés hiérarchiques: *ordinaire* pour les vins sans vieillissement et sans précision d'origine; *nommé* pour les vins qui portent une indication d'origine et *« kollektsionye »* pour les vins vieillis en bouteille pendant deux ans au moins et dont l'étiquette mentionne l'origine et le cépage.

Les vignobles de Crimée, en Ukraine, ont la réputation de fournir les vins les plus fins, moelleux pour la plupart. La région vinicole de Géorgie est protégée des vents froids par les montagnes du Caucase. Ses vins blancs et rouges jouissent d'une certaine réputation. Tbilissi est le centre de la production du mousseux géorgien vendu sous le nom de Champanski (sic).

A l'ouest, la Moldavie produit quelques bons vins rouges dont le Romanesti et le Negrude Purkar faits avec du Cabernet-Sauvignon, du Merlot et du Malbec.

Vin de liqueur

Vin muté par l'addition d'une eau-de-vie au moût avant la fermentation, retenant ainsi une partie des sucres de raisin dans le vin. Souvent ces vins sont également appelés « vins doux naturels ».

Vin doux naturel voir *Vin de liqueur*

V.D.Q.S.

« Vins délimités de qualité supérieure »; label de qualité officielle, moins restrictif que l'Appellation d'origine contrôlée, pour une catégorie de vins provenant de différentes régions de France; il y a une soixantaine d'appellations qui portent la mention V.D.Q.S. sur l'étiquette.

Vin gris voir *Vin rosé*

Vins mousseux

Ces vins se caractérisent par l'effervescence due au gaz carbonique qui se forme pendant la fermentation et se dégage à l'ouverture de la bouteille. Le degré d'effervescence est variable: il s'agit parfois d'un léger picotement dû à la présence d'un résidu de sucre non fermenté au moment de la mise en bouteilles — ce sont les vins *pétillants* — ou d'un pétillement plus accentué résultant de l'action du sucre et de la levure, que l'on a ajoutés pour provoquer une seconde fermentation; celle-ci s'effectue sous pression dans un récipient hermétiquement fermé, afin que le gaz ne s'échappe pas comme cela se produit au cours de la fermentation ordinaire dans des cuves ouvertes.

Les meilleurs mousseux s'obtiennent selon la méthode champenoise (voir ce mot) de fermentation secondaire en bouteille. On en fait aussi beaucoup avec le procédé moins onéreux de fermentation en vrac en cuve close et de mise en bouteilles sous pression. Le procédé qui consiste à diffuser du gaz carbonique dans le vin ne donne pas de très bons résultats.

Vin rosé

Dans certaines régions, on distingue le *vin gris* (rosé très pâle obtenu en pressant des raisins rouges immédiatement après les vendanges et en laissant fermenter le jus sans contact avec les peaux) du *vin rosé* ou *vin clairet*, obtenu en laissant le jus en contact avec les peaux quelques heures après le broyage pour en tirer plus de couleur, en passant le tout au pressoir et en laissant ensuite fermenter le jus. Jusqu'à la fin du XVIIIe siècle, on vinifiait beaucoup de Bourgogne rouges comme des *vins clairets* — on les disait alors œil-de-perdrix.

Vins vinés

Vins moelleux, liquoreux ou secs renforcés par l'addition d'eau-de-vie. On ajoute parfois l'eau-de-vie au moût en cours de fermentation pour muter les levures et arrêter le déroulement naturel de la fermentation en laissant un résidu de sucre naturel non converti en alcool dans le vin. C'est ainsi que l'on produit la plupart des Porto *(voir ce mot)* et le Banyuls (voir *Languedoc et Roussillon*), dont on maîtrise l'évolution de la fermentation en ajoutant l'eau-de-vie progressivement, en plusieurs fois.

Le vinage des Madère *(voir ce mot)* intervient en général lors de la fermentation, parfois même quand elle est terminée, comme c'est le cas pour les vins de liqueur souvent appelés Vins doux naturels dans de nombreux pays.

Par ailleurs, on laisse toujours fermenter les Xérès *(voir ce mot)*, jusqu'à ce que tout leur sucre se soit transformé en alcool.

Wurtemberg

Cette ancienne province allemande, désormais intégrée à l'État fédéral du Bade-Wurtemberg, est l'une des deux seules régions d'Allemagne à produire un peu plus de vin rouge que de vin blanc (voir aussi *Ahr*). Ses vignes s'étendent le long de la vallée du Neckar *(carte page 83)*. Le pays semble peu propice à la production vinicole car il est à la jonction d'un climat continental et d'un climat maritime, situation qui fait toujours peser sur les vignobles la menace d'orages et de gelées printanières.

Les vins du Wurtemberg ne s'exportent pratiquement pas. Le plus connu des vins Allemands, le Schillerwein est un vin rose clair préparé, contrairement à la plupart des rosés, avec des raisins rouges et blancs que l'on presse et fait fermenter ensemble.

Les trois sous-régions *(Bereiche)* du Wurtemberg — Kocher-Jagst-Taubertal,

Württembergisch Unterland et Remstal Stuttgart — se divisent en 15 sections de vignobles *(Grosslagen)* comprenant quelque 200 vignobles individuels *(Einzellagen)*. La plupart des vignes sont cultivées par des petits vignerons, généralement regroupés en coopératives. Le sol y est aussi varié que les cépages: Trollinger, Spätburgunder (Pinot noir) et Portugieser pour les vins rouges; Riesling, Sylvaner et Müller-Thurgau pour les vins blancs.

Xérès

Le Xérès est un assemblage complexe et savant de vins à des stades différents d'évolution. Il est fait à partir du cépage blanc Palomino; les vins sont tantôt pâles, de couleur paille lavée et d'une grande finesse, tantôt bronze foncé, pleins, à la saveur de noix ou de noisette. Ils sont tous secs, et on les boit parfois tels quels en Espagne. Les Xérès sont vinés, suivant leur type, à différents stades de leur évolution — parfois à plusieurs reprises, mais, contrairement aux vins vinés par mutage ou arrêt de fermentation, l'alcool de vinage n'est jamais ajouté au vin avant la fermentation complète. Avant de les mettre en bouteilles pour l'exportation, on y mêle généralement, en petites doses, des vins spécialement vinifiés pour l'assemblage du Xérès, vins liquoreux et de couleur foncée.

Xérès tire son nom de la ville espagnole Jerez de la Frontera, située à 35 km au nord du port de Cadix, en Andalousie *(carte page 83)*. Les vignobles s'étendent à l'intérieur d'un triangle délimité par Jerez et les deux villes côtières, Sanlucar de Barrameda et Puerto de Santa Maria. Les meilleures vignes poussent sur le sol crayeux appelé albariza, qui donne au Palomino sa finesse.

Le sol, de texture fine, régulière, joue un rôle important. Il absorbe les abondantes pluies de printemps et, lorsque celles-ci ont cessé, une croûte dure se forme en surface. Cette croûte empêche l'eau de s'évaporer des couches souterraines: pendant la longue sécheresse de l'été, les vignes pourront y puiser l'humidité nécessaire. Le sol blanc réfléchit la lumière du soleil, ce qui fait mûrir le raisin et en concentre les sucres.

Les raisins destinés à faire les vins secs de Xérès subissent un léger passerillage de quelques heures au soleil sur nattes de paille; ceux destinés au vin de liqueur de

dosage sont passerillés 2 ou 3 semaines.

A maturité complète, le raisin cultivé sous un climat chaud manque d'acidité. Pour renforcer celle du raisin, on saupoudre la vendange de chaux (gypse): c'est le plâtrage. Le gypse réagit avec la crème de tartre contenue dans le raisin et la décompose en acide tartrique et bitartrate de calcium (et sulfate de potasse). Pendant les premiers mois d'entreposage en barriques, les sels ou cristaux de bitartrate se précipitent dans le vin, formant un dépôt.

En raison de la chaleur, le moût commence à fermenter presque immédiatement. Jadis, on le faisait fermenter directement dans des tonneaux en chêne neuf. De nos jours, la fermentation se fait souvent dans des cuves dotées d'un système permettant d'en régler la température; les vins sont ensuite transférés dans des tonneaux.

Au bout de six mois environ en tonneaux, on commence à classer le vin. Si un producteur expérimenté sait approximativement quel type de vin il tirera, nul ne peut dire de façon sûre comment le vin évoluera par la suite. La classification initiale, établie en humant le vin, n'est pas définitive; pour un tonneau donné, elle peut changer à mesure que le vin s'affine.

Les trois grandes catégories de Xérès sont les suivantes: le Fino, qui deviendra soit un vieux Fino, soit un Amontillado; l'Oloroso et le Palo cortado, plus rare. Les Xérès du type Fino sont légers, délicats, très pâles dans leur jeunesse, avec une senteur fraîche, pénétrante. Le Fino doit son caractère à la couche blanche de levures ou « fleur » *(page 15)*, qui se développe en surface et lui donne ce goût bien distinct. La fleur a besoin d'air pour proliférer; contrairement aux autres vins, les Xérès évoluent en présence de l'air: le vide laissé et, par la suite, agrandi par l'évaporation, en haut du tonneau, n'est jamais comblé.

Certains Fino se transforment en s'affinant: on les classe alors Amontillado, Xérès moins austère, plus foncé et plus suave, avec un léger goût de noix. L'Amontillado est de grande qualité; traditionnellement, les meilleurs ne sont pas vinés.

Le Manzanilla, Xérès du type Fino, est fait uniquement à Sanlucar de Barrameda. Les vendanges y ont lieu plus tôt; comme les raisins sont moins mûrs, l'acidité en est plus accentuée. Le Manzanilla se reconnaît à sa saveur imperceptiblement salée : on l'attribue au fait que le vin est entreposé à proximité de la mer.

L'Oloroso, plus plein, soyeux, plus riche quoique moins fin, n'évolue pas, comme le Fino, sous le voile de la fleur. Si elle commence à apparaître sur un vin initialement classé Oloroso, on le vine précocement afin d'en augmenter le degré alcoolique, ce qui rendra inopérantes les levures de la fleur.

Le Palo cortado, élevé sans fleur, est un vin très rare. Plus fin que l'Oloroso, il n'a pas les mêmes qualités que celles conférées par la fleur au Fino. Le Palo cortado possède de la rondeur et une saveur riche. Avant que les vignes ne soient atteintes par le phylloxéra, on produisait beaucoup plus de Palo cortado qu'à l'heure actuelle.

Après la classification initiale, les vins sont soutirés, puis vinés avec de l'alcool distillé, délayé avec du vin. Par cette opération, on renforce la teneur en alcool du Fino, s'il le faut, pour atteindre de 14° à 15°, ce qui stabilise le vin sans détruire la fleur. Pour l'Oloroso, on vine jusqu'à 18°, afin d'empêcher toute formation de la fleur.

A ce stade, il s'agit de vins appelés *añadas*, chaque barrique contenant le vin d'une seule vendange. Au bout de deux à trois ans, ces vins entrent dans le système solera, employé par les producteurs de Xérès pour créer une qualité suivie.

La solera repose sur le principe suivant : lorsqu'on ajoute un vin jeune, en petite quantité, à un vin vieux de même nature, le premier adopte le caractère du second. Par conséquent, après avoir été additionné d'un vin jeune du même type, ce vin acquiert progressivement toutes les caractéristiques du vin vieux. Au bout de six mois environ, l'ensemble des deux vins a repris les qualités du vin vieux.

La solera suppose une échelle de plusieurs rangs de barriques. Toutes les barriques d'une même solera renferment le même type de vin, mais à des stades d'évolution différents. On appelle soleras les tonneaux contenant le vin le plus vieux ; les autres, dans lesquels on conserve des vins de plus en plus jeunes, portent le nom de criaderas ou « pépinières ».

Pour la mise en bouteilles, on ne tire que le vin des tonneaux du rang le plus ancien, c'est-à-dire la solera ; on en prélève une certaine quantité — environ un tiers, par-fois un cinquième seulement. Ensuite, on rafraîchit la solera avec du vin provenant de la première criadera, ou rang, qui à son tour reçoit du vin de la deuxième, et ainsi de suite. Les criaderas où séjourne l'assemblage de vins les plus récents sont rafraîchies avec un *añada*, vin de millésime et de type bien défini, alors introduit dans le système de la solera.

Il existe différentes soleras pour chaque type de Xérès, ainsi que des soleras d'âge divers. Certaines, qui datent du siècle dernier, ont reçu l'empreinte de vins faits cent ans auparavant. Les Xérès issus de ces soleras ont une saveur riche, dense, plus intense que celle des soleras d'installation plus récente. La dernière criadera d'une solera ancienne est parfois rafraîchie avec un vin du même type, provenant d'une solera moins vénérable au lieu d'un *añada*.

Très peu de vins sont mis en bouteilles tels quels, au sortir de la solera : ces Xérès figurent parmi les plus fins mais, en raison de leur goût sec, sont moins recherchés et coûtent fort cher. Normalement, les vins élevés dans les soleras servent à l'élaboration des assemblages ; l'art du producteur repose sur la pratique et le discernement qu'il met en œuvre lors de l'assemblage.

Le Xérès peut se composer d'un mélange de vins provenant de différentes soleras, ou bien d'un certain volume de vin de soleras coupées avec des *añadas*, non éduqués par le système de la solera. Pour cette raison, le Xérès n'est jamais millésimé, et l'étiquette ne mentionne ni date, ni lieu, ni vignoble.

Après assemblage, on aromatise le Xérès avec une quantité de vin liquoreux soigneusement dosée — le Fino légèrement, l'Oloroso davantage. A l'origine, on utilisait un vin noir, très concentré, du cépage Pedro Ximénez ; actuellement, le Dulce Apagado, vin plus fin du Palomino, le remplace de plus en plus. On colore parfois le Xérès en l'additionnant d'un vin obtenu de moût concentré. Il est ensuite viné de 1° à 2° avant la mise en bouteilles.

Yougoslavie

La diversité des vins de Yougoslavie reflète bien la variété des sols, des microclimats et des traditions vinicoles qui influencent la production. Aux blancs secs ou moelleux de Slovénie, succède toute une gamme de vins blancs et rosés se terminant par les rouges rustiques et puissants de la Macédoine. La production est gérée par des coopératives indépendantes de l'État.

Les appellations d'origine et la qualité sont soumises à des contrôles officiels. Les vins portent généralement le nom du cépage prédominant ou de la région de production.

Les vins blancs de Slovénie sont traditionnellement considérés comme les meilleurs de Yougoslavie. Situées près des frontières de l'Autriche et de la Hongrie, les vignes en terrasse du bassin de la Drave poussent sur un sous-sol composé de calcaire, de marne et d'argile, dans un climat tempéré et humide qui donne des vins frais et acidulés. Sylvaner, Traminer, Ruländer, Wälschriesling, Sauvignon, Riesling et Sipon (alias Furmint) produisent divers excellents vins blancs.

Dans le sud de la Slovénie, le bassin de la Save donne des Sylvaner et des Wälschriesling corrects, avec quelques vins rouges et rosés. Les rouges produits à partir du Saint-Laurent, du Gamay et du Portugais sont sombres et fruités, avec une structure assez âpre. Dans l'ouest de la Slovénie, la côte adriatique se compose essentiellement de plateaux calcaires dont le sol pierreux se prête bien à la viticulture. Plusieurs cépages français se joignent aux cépages locaux pour faire les meilleurs vins.

La Serbie et la Croatie fournissent plus des trois quarts des vins. La province serbe la plus productrice est la Vojvodine.

En Croatie, la côte adriatique fournit les vins les plus typiques. Les meilleurs sont des rouges corsés et ardents. La région est aussi célèbre pour son Malvazia, vin de dessert riche, et pour ses mousseux.

Sur la côte dalmate, on produit une grande variété de vins, dont le rouge, à base de cépage local le Plavac, le Proseka, vin liquoreux, et le Prosip, blanc capiteux et corsé issu du cépage qui porte le même nom.

En Macédoine, les cépages rouges indigènes, dont le Prokupac et le Vranak, sont complétés par les nouvelles plantations de cépages rouges français.

La région de Bosnie-Herzégovine est surtout connue pour un vin blanc sec et puissant du cépage Zilavka dont les meilleurs vins sont produits autour de Mostar. Le Monténégro fait très peu de vin ; le plus connu est le Vranak, rouge dense et tannique, qui vieillit bien.

Bibliographie

aron, Sam, et Clifton Fadiman, *The Joys of Wine*. Abrams, New York, 1975

llen, H. Warner, *A History of Wine*. Faber and Faber, Londres, 1961.

llen, H. Warner, *Sherry and Port*. Constable, Londres, 1952.

merine, M. A., et E.B. Roessler, *Wines: Their Sensory Evaluation*. Freeman, San Francisco, 1976.

merine, M. A. et V. Singleton, *Wine: an Introduction*. University of California Press, Berkeley, 1978.

nderson, Burton, *Vino: the Wines and Winemakers of Italy*. Little, Brown and Company, Boston, 1980.

ndrieu, P., *Notre ami le vin*. Albin Michel, Paris, 1961.

rlott, John et Christopher Fielden, *Burgundy: Vines and Wines*. Davis-Poynter, Londres, 1976.

rlott, John, *Krug: House of Champagne*. Davis-Poynter, Londres, 1976.

thénée, *The Deipnosophists*. Heinemann, Londres, 1969.

avard, Abbé E., *Histoire de Volnay*. 1870.

espaloff, Alexis, *The New Signet Book of Wine*. New American Library, New York, 1980.

ourquin, Constant, *Connaissance du vin*. Marabout-Gérard, Verviers, 1970.

roadbent, Michael, *The Great Vintage Wine Book*. Mitchell Beazley, Londres, 1980.

roadbent, Michael, *Wine Tasting*. Cassell, Londres, 1979.

réjoux, Pierre, *Les Vins de la Loire*. Paris, 1957.

réjoux, Pierre, *Les Vins de Bourgogne*. Revue du vin de France, Paris.

urroughs, David, et Norman Bezzant, *The New Wine Companion*. Wine and Spirit Education Trust, Londres, 1980.

urroughs, David, et Norman Bezzant, *Wine Regions of the World*. Wine and Spirit Education Trust, Londres, 1979.

habot, G., *La Bourgogne*. Armand Colin, Paris, 1945.

hampagne: Wine of France. Comité interprofessionnel du vin de Champagne, Lallemand, Paris, 1968.

hancrin, E., *Le vin*. Hachette, Paris, sans date.

haptal, Comte J.A., *L'Art de faire le vin* (1819). Laffitte Reprints, Marseille, 1981.

ocks et Féret, *Bordeaux et ses vins, classés par ordre de mérite*, 12e édition, Féret, Bordeaux, 1969.

olumelle, *De Re Rustica*. Heinemann, Londres, 1977.

onstantin-Weyer, M., *L'âme du vin*. Rieder, Paris, 1932.

ooper, D., *Wine with Food*. Artus Books, Londres, 1980.

roft-Cooke, Rupert, *Madeira*. Putnam, Londres, 1961.

roft-Cooke, Rupert, *Sherry*. Putnam, Londres, 1955.

anguy et Aubertin, *Les Grands Vins de Bourgogne* (1892). Laffitte Reprints, Marseille, 1978.

ion, Roger, *Histoire de la vigne et du vin en France des origines au XIXe siècle*. Flammarion, Paris, 1959.

ormontal, Charles, *Florilège des grands vins de Bordeaux*. Éditions des Roses, Bordeaux, 1931.

ormontal, Charles, *Sauternes, pays d'or et de diamant*. Bière, Bordeaux, 1930.

ovaz, Michel, *Encyclopédie des crus classés du Bordelais*. Julliard, Paris, 1981.

umay, Raymond, *Guide du vin*. Stock, Paris, 1967.

uyker, Hubert, *Grands Bordeaux rouges*. Fernand Nathan, Paris, 1979.

uyker, Hubert, *Grands Vins de Bourgogne*. Fernand Nathan, Paris, 1980.

scritt, L.B., *The Small Cellar*. Herbert Jenkins, Londres, 1960.

ans, Len, *Australia and New Zealand: the Complete Book of Wine*. Paul Hamlyn, Sydney. 1974.

ith, Nicholas, *The Winemasters*. Hamish Hamilton, Londres, 1978.

ret (rédacteur), *Dictionnaire du vin*. Bordeaux, 1962.

ret, Édouard, *Dictionnaire-manuel du négociant en vins et spiritueux et du maître de chai* (1896). Laffitte Reprints, Marseille, 1981.

rré, Louis, *Traité d'œnologie bourguignonne*. Institut national des appellations d'origine, Paris, 1958.

etcher, Wyndham, *Port*. Sotheby, Londres, 1978.

rbes, Patrick, *Champagne: the Wine, the Land and the People*. Gollancz, Londres, 1967.

rgeot, Pierre, *Guide de l'amateur de Bourgogne*. Presses Universitaires de France, Paris, 1967.

alet, P., *Cépages et vignobles de France*, 4 vol. Dehan et Imprimerie de Paysan du Midi, Montpellier, 1958-64.

Galet, P., *Précis de viticulture*. Dehan, Montpellier, 1970.

Gaudilhon, René, *Naissance du Champagne*. Hachette, Paris, 1968.

Goffard, Robert, *Le Service des vins*. Cahiers de l'Académie internationale du vin, n° 1, Genève, 1980.

Got, Norbert, *Le Livre de l'amateur de vins*. Causse, Montpellier, 1967.

Grands Vins de Bordeaux. Société d'action et de gestion publicitaire, Bordeaux, 1973.

Great Book of Wine, The, Patrick Stephens, Cambridge, 1970.

Guide des vins européens d'appellation d'origine contrôlée. Éditions Vilo, Lausanne, 1980.

Halasz, Zoltan, *The Book of Hungarian Wines*. Corvino Kiado, Budapest, 1981.

Hallgarten, F., *Alsace and its Wine Gardens*. Wine and Spirits Publications, Londres, 1974.

Hallgarten, Peter, *Guide to the Wines of the Rhône*. Pitman, Londres, 1979.

Hallgarten, S.F., *German Wines*. Faber and Faber, Londres, 1976.

Hallgarten, S.F., *Rhineland, Wineland*. Arlington Books, 1965.

Hallgarten, S.F. et F.L., *The Wines and Wine Gardens of Austria*. Argus Books, Watford, 1979.

Harveys Pocket Guide to Wine. Octopus Books, Londres, 1981.

Hésiode, *Les Travaux et les Jours*, trad. Paul Mazon, Les Belles Lettres, Paris 1928.

Higounet, Charles (direction); H. Enjalbert; J.-B. Marquette; J. Cavignac; Chr. Huetz de Lemps; ·P. Butel; R. Pijassou et P. Guillaume: *La Seigneurie et le Vignoble de Château Latour*, Fédération Historique du Sud-Ouest, Bordeaux, 1974.

Jacquelin, Louis, et Poulain, René, *The Wines and Vineyards of France*. Paul Hamlyn, Londres, 1962.

Jeffs, Julian, *Sherry*. Faber and Faber, Londres, 1970.

Johnson, Hugh, *Wine*. Mitchell Beazley, Londres, 1974.

Johnson, Hugh, *L'Atlas mondial du vin*. Robert Laffont, Paris, 1981.

Jullien, A., *Topographie de tous les vignobles connus*. Paris, 1832.

Laborde, J., *Cours d'œnologie*. Féret, Bordeaux, 1907.

Lacoste, P.-Joseph, *La Route du vin en Gironde*. Delmas, Bordeaux, 1948.

Lacoste, P.-J., *Le vin de Bordeaux*. Delmas, Bordeaux, 1947.

Lafforgue, G., *Le Vignoble girondin*. Larmat, Paris, 1947.

Lamalle, Jacques, *Les Côtes-du-Rhône*. Balland, 1981.

Langenbach, Alfred, *German Wines and Vines*. Vista Books, Londres, 1962.

Léglise, M., *Une Initiation à la dégustation des grands vins*. Défense et illustration des vins d'origine, Lausanne, 1976.

Lichine, Alexis, *Guide to the Wines and Vineyards of France*. Weidenfeld and Nicolson, Londres, 1979.

Lichine, Alexis, *Encyclopédie des vins et des alcools*. Robert Laffont, 1982.

Livingstone-Learmouth, Melvyn C. H. John et Master, *Wines of the Rhône*. Faber and Faber, Londres, 1978.

Marrison, L. W., *Wines and Spirits*. Penguin Books, Londres, 1957.

Mathieu, L., *Vinification*. La Maison Rustique, Paris, 1925.

Meinhard, Heinrich, *The Wines of Germany*. Oriel Press, Londres, 1971.

Meredith, Ted, *Northwest Wine*. Nexus Press, Kirkland, Washington, 1980.

Nègre, E., et Françot, P., *Manuel pratique de vinification et de conservation des vins*. Flammarion, Paris, 1941.

Olken, Charles E., Earl G. Singer et Norman S. Roby, *The Connoisseurs' Handbook of California Wines*. Alfred A. Knopf, New York, 1980.

Ordish, George, *Vineyards of Britain and Wales*. Faber and Faber, Londres, 1977.

Pama, C., *The Wine Estates of South Africa*. Purnell, Le Cap, 1979.

Penning-Rowsell, Edmund, rédacteur, *German Wine Atlas*. Mitchell Beazley, Londres, 1977.

Penning-Rowsell, Edmund, *The Wines of Bordeaux*. Michael Joseph, Londres, 1969.

Peynaud, Emile, *Connaissance et travail du vin*. Dunod, Paris, 1971.

Peynaud, Émile, *Le Goût du vin*. Dunod, Paris, 1980.

Pfitzinger, Paul, *Précis de vinification pratique*. Baillière, Paris, 1960.

Pijassou, R., *Un grand vignoble de qualité: le Médoc*. Tallandier, Paris, 1980.

Poupon, P., *Nouvelles Pensées d'un dégustateur*. Confrérie des Chevaliers du Tastevin, Nuits-Saint-Georges, 1975.

Poupon, P., *Pensées d'un dégustateur*. Confrérie des Chevaliers du Tastevin, Nuits-Saint-Georges, 1957.

Poupon, P., et P. Forgeot, *Les Vins de Bourgogne*. Presses Universitaires de France, Paris, 1952.

Puisais, J., *Le Vin se met à table*. Valtat, Paris, 1981.

Puisais, Jacques, A. Chabanon, R. L. Guiller et J. Lacoste, *Précis d'initiation à la dégustation*. Institut technique du vin, Paris, 1969.

Rainbird, George, *Sherry and the Wines of Spain*. Michael Joseph, Londres, 1966.

Ramain, Paul, *Les Grands Vins de France* (1931). Laffitte Reprints, Marseille, 1981.

Ray, Cyril, *Bollinger*. Peter Davies, Londres, 1971.

Ray, Cyril, *The Wines of Germany*. Penguin Books, Londres, 1971.

Ray, Cyril, *The Wines of Italy*. Penguin Books, 1979.

Read, Jan, *Guide to the Wines of Spain and Portugal*. Pitman, Londres, 1977.

Redding, Cyrus, *A History and Description of Modern Wines*. Londres, 1836.

Renaud, Jean, *Biologie du vin*. PUF, Paris, 1950.

Revue du vin de France. Paris, 1964-1979.

Ribéreau-Gayon, J., et E. Peynaud, *Traité d'œnologie*, 2 vol. Béranger-Dunot, Paris, 1961.

Ribéreau-Gayon, J., et E. Peynaud, *Conseils pratiques pour la préparation et la conservation des vins*. Conseil interprofessionnel du vin de Bordeaux, 1952.

Ribéreau-Gayon, J., E. Peynaud et P. Sudraud, *Sciences et techniques du vin*. Dunod, Paris, 1975.

Roberge, E., *Napa Wine Country*. Balding, Portland, 1975.

Rodier, Camille, *Le Clos de Vougeot* (1949). Laffitte Reprints, Marseille, 1980.

Rodier, Camille, *Le vin de Bourgogne* (1948). Laffitte Reprints, Marseille, 1981.

Roger, J.-R., *Les Vins de Bordeaux*. Compagnie Parisienne d'Éditions Techniques et Commerciales, Paris, s.d.

Roncarati, Bruno, *Viva Vino Doc: Wines of Italy*. Wine and Spirits Publication, Londres, 1976.

Rouget, Charles, *Les Vignobles du Jura et de la Franche-Comté* (1897). Laffitte Reprints, Marseille, 1981.

Saintsbury, George, *Notes on a Cellar-Book*. MacMillan, Londres, 1963.

Schoonmaker, Frank, *Encyclopaedia of Wine*. Adam and Charles Black, Londres, 1979.

Shand, P. Morton, *A Book of French Wines*. Londres, 1928. Revu et corrigé par Cyril Ray, Penguin Books, Londres, 1964.

Sichel, Allan, *The Penguin Book of Wine*. Penguin Books, Londres, 1971.

Siegel, Hans, *Guide to the Wines of Germany*. Pitman, Londres, 1978.

Simon, André L., *Know Your Wines*. Coram, Londres, s.d.

Simon, André L., *The Noble Grapes and the Great Wines of France*, Londres, 1957.

Simon, André L., *Port*. Constable, Londres, 1934.

Simon, André L., *The Wines, Vineyards and Vignerons of Australia*. Paul Hamlyn, Londres, 1967.

Sutcliffe, Serena, rédacteur, *André Simon's Wines of the World*. Macdonald Futura, Londres, 1981.

Thompson, Bob, *Pocket Encyclopedia of California Wines*. Mitchell Beazley, Londres, 1980.

Todd, William, *A Handbook of Wine*. Jonathan Cape, Londres, 1922.

Turpin, Emile, *Les Vignes et les vins du Berry* (1907). Laffitte Reprints, Marseille, 1981.

Vandyke Price, Pamela, *The Taste of Wine*. Macdonald, Londres, 1976.

Les Vins du Rhône et de la Méditerranée. Éditions Montalba, Paris, 1979.

Wasserman, Sheldon, *The Wines of Italy*. Stein and Day, New York, 1976.

Yoxall, H.W., *The Wines of Burgundy*. Pitman, Londres, 1968.

Aleatico
Cépage rouge de la famille du Muscat, cultivé en Italie pour faire un vin rouge moelleux très parfumé.

Alicante-Bouschet
Cépage rouge de haut rendement donnant des vins ordinaires titrant beaucoup, issu d'un croisement de Grenache et de Petit Bouschet réalisé au XIXe siècle. Raisin teinturier le plus cultivé, surtout dans le Midi de la France, en Algérie et en Californie.

Aligoté
Cépage blanc de Bourgogne qui donne d'agréable vins secs à boire jeunes de préférence.

Altesse
Cépage blanc appelé Roussette en Savoie et Furmint en Hongrie, où il représente le cépage prédominant du Tokay.

Aramon
Cépage rouge de fort rendement, qui donne des vins de couleur médiocre. On le cultive dans le Midi de la France pour les vins ordinaires, mais il est de plus en plus remplacé par des croisements améliorés.

Barbarossa
Cépage rouge italien cultivé spécialement en Ligurie.

Barbera
Cépage rouge italien originaire du Piémont, cultivé désormais dans toute l'Italie et en Californie.

Biancone
Cépage blanc corse.

Bleu portugais
Cépage rouge d'origine autrichienne cultivé en Allemagne, en Autriche et en Europe centrale.

Bourboulenc
Cépage blanc de Provence.

Braquet
Cépage rouge français entrant dans la composition du Bellet, un des meilleurs vins de la région de Nice.

Brunello di Montalcino voir *Sangiovese*

Bual
Cépage blanc de Madère qui donne un vin du même nom, plus sec que la Malvoisie, mais plus liquoreux que le Verdelho ou le Sercial.

Cabernet franc voir *page 20*

Cabernet-Sauvignon voir *page 21*

Calabrese
Cépage rouge sicilien.

Canaiolo
Cépage rouge italien entrant dans la composition du Chianti.

Cannonau
Cépage rouge sarde.

Carignan
Cépage rouge d'origine espagnole qui donne de bons vins robustes. On le cultive dans le Midi de la France, en Espagne et en Californie, où l'on écrit son nom Carignane.

Carricante
Cépage blanc sicilien.

Chardonnay voir *page 18*

Chasselas
Raisin de table et à vin blanc européen connu sous le nom de Gutedel en Allemagne et de Fendant en Suisse. Il donne des vins légers et agréables, à boire jeunes de préférence, comme le Pouilly-sur-Loire et le Crépy de Savoie.

Chenin blanc voir *page 19*

Cinsault (ou Cinsaut)
Cépage rouge cultivé dans la vallée du Rhône (où il entre dans la composition du Châteauneuf-du-Pape), en Provence (où on l'utilise dans le Bandol rouge) et également en Espagne.

Clairette
Cépage blanc cultivé dans le sud de la France.

Colombard (Blanquette, Pied-Tendre, Bon Blanc)
Cépage blanc très productif, cultivé dans le Dauphiné, en Charente (où on l'utilise aussi pour la production du Cognac), en Californie et en Afrique du Sud.

Concord
Raisin bleu-noir originaire d'Amérique du Nord, de l'espèce *vitis labrusca*. Très largement cultivé aux États-Unis, il ne donne que des vins médiocres.

Cortese
Cépage blanc italien, cultivé surtout dans le Piémont.

Corvina
Cépage rouge italien, entrant dans la composition du Valpolicella et du Bardolino.

Cot
Un des cépages rouges du Bordelais, où on

l'appelle Malbec (et Pressac à Saint-Émilion). Il disparaît progressivement de la région à cause de sa vulnérabilité aux maladies, mais reste néanmoins le principal cépage du Cahors.

Dolcetto
Cépage rouge italien cultivé dans le Piémont. Il donne un vin rouge souple qui porte le même nom.

Douce noire (Dolcetto Nero)
Cépage rouge cultivé surtout en Savoie et en Suisse.

Elbling (Kleinberger)
Cépage blanc cultivé en Alsace, au Luxembourg et en Allemagne où on l'utilise pour faire le vin mousseux Sekt. On pense que ce cépage aurait été importé par les Romains, ce qui pourrait être vrai dans la mesure où il est différent des autres cépages allemands indigènes.

Erbaluce
Cépage blanc italien, cultivé dans le Piémont.

Folle blanche
Cépage blanc cultivé dans la vallée de la Loire. Dans la région de Nantes, où on l'appelle Gros Plant, il produit un vin léger, nerveux et légèrement acidulé qui porte le même nom. Il prospère également dans le Midi de la France et en Californie où il donne des vins généralement légers, tranquilles ou mousseux.

Freisa
Cépage rouge italien, cultivé dans le Piémont et en Corse.

Fuella (Folle, Fuolla, ou Beletto nero)
Cépage rouge entrant dans la composition des rouges et des rosés de Bellet, près de Nice.

Furmint voir *Altesse*

Gamay
Parallèlement au cépage du Beaujolais connu sous le nom de Gamay noir à jus blanc, il y a plusieurs Gamay *teinturiers* à pulpe rouge. Voir *page 20*.

Garganega
Cépage blanc italien, cultivé dans la région de Vérone et utilisé dans les vins de Soave généralement avec du Trebbiano (Ugni blanc).

Genove (Genovese)
Cépage blanc italien, également cultivé en Corse.

Gewurztraminer voir *page 19*

Grenache voir *page 21*

Grignolino

Cépage rouge italien, cultivé dans le Piémont et en Californie.

Grillo

Cépage blanc sicilien, entrant dans la composition du Marsala.

Gropello

Cépage rouge italien de Lombardie.

Groslot (ou Grolleau)

Cépage rouge de la vallée de la Loire.

Gros Plant voir *Folle blanche*

Grüner Veltliner

Cépage blanc cultivé en Autriche et dans le Haut-Adige italien. On en trouve aussi un peu en Californie.

Gutedel voir *Chasselas*

Hárslevelü

Cépage blanc hongrois utilisé pour faire le Tokay avec du Furmint et un peu de Muscat jaune.

Inzolia

Cépage blanc sicilien.

Klevner voir *Pinot blanc*

Lagrein

Cépage rouge donnant des vins rouges et rosés, cultivé en Italie dans le Trentin et dans le Tyrol.

Lemberger

Cépage rouge allemand cultivé dans le Wurtemberg.

Malbec voir *Cot*

Malvoisie (Malvasia)

Autrefois raisin à vin blanc de la Grèce et de la mer Égée, toujours cultivé en Grèce, et actuellement à Madère, en Afrique du Sud et en Californie. Il produit le plus liquoreux et le plus durable des Madère, connu sous le nom de Malvasia.

Marsanne

Cépage blanc utilisé avec le Roussanne pour faire l'Hermitage et le Saint-Joseph qui comptent parmi les meilleurs Côtes-du-Rhône blancs.

Marzemino

Cépage rouge italien de Lombardie.

Melon voir *Muscadet*

Merlot voir *page 20*

Morio Muscat

Cépage blanc allemand, issu d'un croisement entre le Sylvaner et le Pinot blanc, souvent utilisé dans les vins parfumés du Rhin.

Mourvèdre voir *page 20*

Müller-Thurgau

Cépage blanc allemand, issu d'un croisement entre le Riesling et le Sylvaner, de plus en plus cultivé en Allemagne, Angleterre, Afrique du Sud et Europe centrale.

Muscadelle

Cépage blanc utilisé parcimonieusement dans les Graves et les Sauternes.

Muscadet

Cépage blanc transplanté de Bourgogne autour de Nantes où il produit le vin du même nom. En Bourgogne, où on ne le cultive plus guère aujourd'hui, on l'appelait autrefois Melon de Bourgogne.

Muscat

Nom générique de plusieurs cépages blancs, parfois rouges, au parfum très typé, le plus souvent utilisés pour faire des vins moelleux ou liquoreux. Le Muscat de Frontignac, ou Muscat blanc, déjà connu des Grecs et des Romains du monde antique, est probablement le plus ancien des cépages utilisés aujourd'hui.

Nebbiolo

Cépage rouge italien, c'est le cépage noble du Piémont. On l'utilise pour produire le Barolo, le Gattinara et le Barbaresco. Dans certaines parties du Piémont, on l'appelle Spanna et on donne le même nom aux vins qu'il produit.

Negrara Trentina

Cépage rouge italien cultivé en Vénétie et utilisé dans la composition du Valpolicella et du Bardolino.

Nerello Mascalese

Cépage rouge de Sicile et d'Italie du Sud.

Nielluccio

Cépage rouge corse.

Nocera

Cépage rouge cultivé en Sicile.

Nosiola

Cépage blanc italien cultivé dans le Trentin.

Nuragus

Cépage blanc sarde qui donne le Nuragus di Cagliari de couleur paille.

Pagadebit

Cépage blanc cultivé en Italie et en Corse, extrêmement productif, d'où son nom qui signifie «payeur de dettes».

Palomino

Cépage blanc le plus utilisé en Espagne dans la production du Xérès.

Pamid

Cépage rouge bulgare qui produit des vins ordinaires.

Pascal-Blanc

Cépage blanc de Provence utilisé dans les vins de Cassis.

Pedro Ximénez

Cépage blanc espagnol utilisé pour produire les vins liquoreux et dans les assemblages d'élaboration du Xérès.

Perle

Cépage blanc allemand utilisé dans les vins secs de Franconie.

Petit Bouschet

Cépage rouge teinturier créé au XIXe siècle par croisement entre l'Aramon très productif mais de couleur médiocre et le Teinturier du Cher.

Petit-Verdot

Cépage rouge tannique et acide, utilisé parcimonieusement dans le Médoc et dans les Graves où il apporte une pointe de dureté et d'acidité.

Picpoul (Picpoule ou encore Piquepoul)

Cépage blanc du Midi de la France.

Pineau d'Aunis

Cépage rouge utilisé avec d'autres cépages pour produire les rosés d'Anjou et, de moins en moins, les rouges de la vallée de la Loire.

Pineau de la Loire voir *Chenin blanc*

Pinot blanc

Mutation naturelle du Pinot noir, appellé Klevner ou Weissburgunder en Allemagne. Ce cépage est peu cultivé en Bourgogne mais donne de très bons résultats en Italie et en Californie.

Pinot gris (Tokay d'Alsace)

Mutation du Pinot noir qui donne de bons vins blancs en Alsace et en Italie. En Allemagne, on l'appelle Ruländer.

Pinot noir voir *page 21*

Pinotage

Cépage rouge d'Afrique du Sud, issu d'un croisement entre Pinot noir et Cinsault.

Plan droit

Cépage rouge français semblable au Cinsault, entrant dans la composition du

Châteauneuf-du-Pape.

Poulsard
Cépage rouge du Jura également utilisé pour produire des rosés.

Primitivo
Cépage rouge italien, cultivé dans le Sud, produit un vin fortement coloré et alcoolisé qui fait office de vin médecin pour les vins du Nord. Il est sans doute à l'origine du cépage californien Zinfandel.

Prosecco
Cépage blanc italien de Vénétie, souvent utilisé pour les vins mousseux.

Raboso
Cépage rouge de Vénétie.

Riesling voir *page 19*

Riesling gris
Cépage blanc de qualité mineure, cultivé en Californie, en Autriche, en Italie, en Europe centrale, en Afrique du Sud et en Australie. Sans rapport avec le vrai Riesling, on l'appelle également Wälschriesling et Riesling italien.

Riminese
Cépage blanc corse.

Rolle
Cépage blanc cultivé en Provence, notamment autour de Grasse, dans les Alpes-Maritimes.

Rondinella
Cépage rouge italien cultivé en Vénétie et utilisé dans la production du Valpolicella et du Bardolino.

Rossese
Cépage rouge italien de Ligurie.

Roussanne
Un des cépages blancs les plus fins, utilisé dans les Côtes du Rhône septentrionales, particulièrement pour l'Hermitage.

Ruby Cabernet
Cépage rouge à grand rendement, croisement de Cabernet-Sauvignon et de Carignan cultivé en Californie.

Ruländer voir *Pinot gris*

Saint-Émilion voir *Ugni blanc*

Sangiovese
Cépage rouge italien utilisé comme cépage principal, dans le Chianti surtout, parmi d'autres vins. Avec la lignée Sangiovese grosso, on compose le Brunello di Montalcino toscan.

Sauvignon voir *page 19*

Savagnin
Blanc, c'est le seul cépage utilisé pour les vins jaunes et partiellement dans le vin de paille. Voir *Traminer*.

Scheurebe
Cépage blanc allemand, issu d'un croisement entre le Sylvaner et le Riesling.

Schiave
Cépage rouge cultivé en Italie du Nord.

Sciaccarello
Cépage rouge corse.

Sémillon voir *page 18*

Sercial
Cépage blanc qui produit le Madère du même nom. Identique au Riesling.

Shiraz
Nom australien et sud-africain du Syrah.

Spanna voir *Nebbiolo*

Sylvaner
Cépage blanc cultivé en Alsace, en Allemagne, en Europe centrale, en Afrique du Sud, etc.

Syrah voir *page 21*

Teinturier
A la différence de presque tous les cépages rouges dont seule la peau est colorée, les Teinturiers ont une pulpe rouge. Ils donnent donc des vins d'une teinte profonde et forte et sont utilisés pour accentuer la couleur des vins courants plus pâles.

Tempranillo
Cépage principal des vins rouges de Rioja, dans le Nord de l'Espagne.

Teoulier
Cépage rouge de Provence.

Teroldego
Cépage rouge du trentin, dans le Nord de l'Italie.

Tibouren
Cépage rouge du Midi de la France.

Tinta Cao, Tinta Francesca
Cépage blanc italien cultivé dans le Nord-Est de la péninsule.

Tocai
Cépage blanc italien cultivé dans le Nord-Est de la péninsule.

Tokay d'Alsace voir *Pinot gris*

Touriga
Cépage rouge portugais cultivé dans la région de Dão. Il entre aussi dans la composition du Porto.

Traminer
Cépage blanc cultivé en Alsace et en Allemagne, connu sous le nom de Savagnin dans le Jura et maintenant toujours appelé Gewurztztraminer en Alsace.

Trebbiano voir *Ugni blanc*

Ugni blanc
Cépage blanc. Dans le Cognac, on l'appelle Saint-Émilion. On le cultive aussi en Italie où est connu sous le nom de Trebbiano.

Vaccarèse
Cépage rouge cultivé dans la vallée du Rhône où il entre dans la composition du Châteauneuf-du-Pape.

Verdelho
Cépage blanc utilisé au Portugal pour la production du Porto blanc et à Madère pour le Madère Verdelho.

Verdesse
Cépage blanc du Dauphiné, probablement le même que le Verdiso.

Verdiso
Cépage blanc du Nord-Est de l'Italie.

Verdot
Cépage rouge surtout utilisé pour les vins ordinaires, connu sous le nom de Gros-Verdot dans le Bordelais.

Verduzzo
Cépage blanc du Nord-Est de l'Italie.

Vernaccia
Cépage blanc italien, surtout utilisé dans le Vernaccia di San Gimignano; avec un cépage sarde appelé également Vernaccia, on produit aussi un vin puissant, le Vernaccia di Gristano.

Viognier
Cépage noble blanc uniquement cultivé dans les Côtes du Rhône septentrionales. C'est le seul cépage du Condrieu et du Château Grillet. On l'associe à la Syrah dans la composition des Côte-Rôtie.

Viura
Cépage blanc cultivé dans le Rioja, dans le nord de l'Espagne.

Weissburgunder voir *Pinot blanc*

Zinfandel
Cépage rouge probablement d'origine italienne issu du Primitivo, extrêmement répandu en Californie où il produit toute une variété de vins rouges puissants et fruités. On le cultive aussi en Hongrie et en Yougoslavie sous d'autres noms locaux.

Anthologie
de recettes

En sélectionnant à votre intention les recettes de cette Anthologie, les rédacteurs et les conseillers techniques de cet ouvrage se sont inspirés des traditions culinaires de nombreux pays. Dans tous les cas, ils ont arrêté leur choix sur des plats authentiques, préparés avec des produits frais et d'excellente qualité et allant des préparations simples comme les pêches au vin rouge dites à la bordelaise à des plats raffinés comme la soupe au Meursault, délicieuse harmonie de poisson, de fruits de mer et de vin.

Cette Anthologie, qui embrasse quatre siècles, présente des recettes de 42 auteurs, de l'Anglais Will Rabisha, qui rédigea des ouvrages culinaires du XVIIe siècle, à Prosper Montagné, Michel Oliver et Jean et Pierre Troisgros, ces éminents représentants de la gastronomie contemporaine. Un certain nombre sont extraites de livres rares et épuisés appartenant à des collections privées et qui, pour quelques-uns, n'ont encore jamais été publiés en français.

Bien des recettes anciennes ne donnant aucune indication de quantités, de temps ou de température de cuisson, il nous a semblé opportun d'ajouter ces précisions et, le cas échéant, de les faire précéder d'une note introductive en italique. Dans cette note, nous présentons parfois des suggestions de vins autres que ceux proposés par l'auteur et qui risquent d'être difficiles à trouver. Nous avons parfois substitué aux termes archaïques leur équivalent moderne. Néanmoins, afin de respecter les lois du genre et de préserver le caractère original des textes, nous avons dans l'ensemble limité ces modifications autant que possible.

Pour des raisons d'ordre pratique, nous avons classé les recettes par catégories correspondant aux différents services d'un menu. Les préparations de base — fonds, bouillons, fumet de poisson, sirop de sucre — et certains plats plus raffinés recommandés au *Chapitre 3: Le vin dans un menu* (estouffade printanière, salade de queues d'écrevisses à l'aneth et cervelas de fruits de mer aux pistaches) figurent à la fin de l'Anthologie. Pour chaque recette, nous avons énuméré les ingrédients dans leur ordre d'utilisation en commençant par l'ingrédient principal ou par celui dont le nom apparaît dans le titre. Les quantités exprimées en cuillerées doivent toujours s'entendre cuillerées « rases ».

Les Soupes

Soupe au Meursault

L'auteur conseille de préparer cette soupe avec du Meursault; vous pouvez aussi utiliser un Bourgogne blanc ou tout autre vin blanc assez corsé.

Pour 6 à 8 personnes

Bouteilles de Meursault	2
Eau	75 cl
Sel et poivre	
Céleri-rave émincé	1
Carottes émincées	10
Poireaux émincés	6
Echalotes pelées	7 ou 8
Oignons coupés en 4	2
Ecrevisses vivantes lavées	24 à 40
Bouteille de vin blanc sec	1
Vinaigre de vin blanc	15 cl
Tranche de lard fumé de 4 à 5 cm d'épaisseur	1
Belle anguille dépouillée, coupée en tronçons de 5 cm et désarêtée	1
Belle(s) truite(s) saumonée(s) nettoyée(s), coupée(s) en morceaux de 5 à 6 cm et désarêtée(s)	1 ou 2
Belle carpe nettoyée, coupée en morceaux de 5 à 6 cm et désarêtée	1
Persil grossièrement haché	4 cuillerées à soupe

Mettre dans un grand faitout les 2 bouteilles de Meursault, l'eau, sel, poivre. Y faire cuire très doucement, de façon à ce qu'il reste suffisamment de bouillon après cuisson, 1 heure 30 minutes à 2 heures, le céleri-rave, 7 à 8 carottes, les poireaux, 4 échalotes et les oignons. Lorsque tous ces légumes sont cuits, passer le tout au mixeur puis au tamis très fin pour que la soupe soit très onctueuse. (Indispensable.)

Faire cuire les écrevisses dans un court-bouillon très relevé (la bouteille de vin blanc, vinaigre de vin, le reste d'échalotes et de carottes, sel, poivre portés à ébullition et laisser frémir 30 minutes à couvert) jusqu'à ce qu'elles deviennent rouges. Et les tenir au chaud dans ce court-bouillon.

Faire cuire à part (10 minutes environ) dans une casserole le morceau de lard fumé (couvert d'eau). Changer l'eau une fois, en cours de cuisson, pour qu'il ne soit pas trop salé. Le couper en morceaux de 3 ou 4 cm d'épaisseur (un morceau par personne).

Tenir au chaud. Quelques minutes avant de passer à table, pocher dans la soupe bien chaude, sans les faire bouillir, les poissons en commençant par l'anguille, qui est la plus longue à cuire, la truite, puis la carpe. Quand les poissons sont cuits (anguille: 8 à 10 minutes, truite: 5 minutes), introduire les morceaux de lard et les écrevisses dans la soupe. Goûter et rectifier l'assaisonnement s'il y a lieu, avec le court-bouillon dans lequel ont cuit les écrevisses.

Verser dans les assiettes en faisant bien attention de répartir les poissons, le lard et les écrevisses dans chacune d'elles le plus joliment possible. Saupoudrer de persil. Servir bien chaud.

LALOU BIZE-LEROY
LE NOUVEAU GUIDE GAULT MILLAU, CONNAISSANCE DES VOYAGES

Soupe de pêches
Peach Soup

Pour 4 personnes

Pêches émincées	350 g
Eau	50 cl
Clous de girofle	2
Cannelle en poudre	1 pincée
Vin blanc	50 cl
Sucre en poudre	
Croûtons	

Dans une casserole, faites cuire les pêches avec l'eau, les clous de girofle et la cannelle, jusqu'à ce qu'elles soient tendres. Jetez les clous de girofle et passez le liquide au tamis en écrasant les pêches avec une cuillère en bois. Remettez le liquide passé et la purée de pêches obtenue dans la casserole et faites bouillir quelques minutes. Incorporez le vin et sucrez, selon le goût. Faites chauffer juste en dessous du point d'ébullition et servez dans des assiettes à soupe chaudes, en garnissant de croûtons.

CORA, ROSE ET BOB BROWN
THE WINE COOKBOOK

Soupe de vin blanc

White Wine Bisque

Vous pouvez remplacer le Chablis par un autre vin blanc sec. L'auteur recommande de servir cette soupe avec des mouillettes de pain de seigle beurré.

Pour 6 personnes

Chablis	1 litre
Raisins blancs égrappés, 72 grains pelés, épépinés et réservés pour la garniture	1 kg
Sucre en poudre	75 à 125 g
Bâton de cannelle	2,5 cm
Clous de girofle	2
Tapioca	2 cuillerées à soupe
Jaunes d'œufs	3
Sel	½ cuillerée à café

Mettez les raisins non épépinés dans une casserole, couvrez-les d'eau froide et sucrez selon la douceur des fruits. Ajoutez la cannelle et les clous de girofle et portez progressivement à ébullition. Baissez le feu et laissez frémir de 20 à 25 minutes. Passez le contenu de la casserole au chinois au-dessus d'une casserole propre et foulez les raisins. Tenez au chaud, en mettant la casserole dans une terrine d'eau chaude.

Faites cuire le tapioca dans 25 cl d'eau 20 minutes environ, jusqu'à ce qu'il soit limpide et transparent. Incorporez les jaunes d'œufs un par un, en battant rapidement après chaque addition et en ajoutant le sel avec le dernier jaune. Battez vigoureusement cette préparation avec le mélange aux raisins à l'aide d'un batteur rotatif ou réduisez les deux mélanges en purée au mixeur. Portez le vin à ébullition, jusqu'à ce que des perles apparaissent à la surface mais ne le laissez pas bouillir. Incorporez-le à la soupe, en battant vigoureusement. Servez dans des assiettes à soupe chaudes, en garnissant chaque portion d'une douzaine de grains de raisins réservés.

LOUIS P. DE GOUY
THE SOUP BOOK

Soupe de fruits au vin blanc mousseux

Sparkling White Wine Fruit Soup

Pour 8 personnes

Vin blanc mousseux	75 cl
Groseilles équeutées	125 g
Framboises équeutées	185 g
Sucre en poudre	2 cuillerées à soupe
Citron, zeste râpé et jus passé	1
Consommé *(page 166)*	75 cl
Jaunes d'œufs légèrement battus	3
Sel	
Muscade fraîchement râpée	
Crème fraîche salée et fouettée (facultatif)	

Mettez les groseilles, les framboises et le sucre dans un tamis fin, au-dessus d'une casserole, et passez-les. Portez à ébullition à feu doux pour en extraire tout le jus. Tamisez encore la pulpe dans une casserole propre. Ajoutez deux cuillerées à soupe de jus de citron et le zeste et incorporez le consommé et le mousseux. Portez à ébullition mais ne laissez pas bouillir. Hors du feu, liez avec les jaunes d'œufs et ajoutez une pincée généreuse de sel, selon le goût. Réchauffez cette soupe sans la laisser bouillir et sans cesser de remuer le fond avec une cuillère en bois. Servez-la chaude, dans des assiettes à soupe chaudes, en saupoudrant chaque part de noix de muscade râpée.

Vous pouvez également la laisser refroidir, la mettre au réfrigérateur et la servir dans des tasses rafraîchies en la couvrant d'une cuillerée de crème fraîche.

LOUIS P. DE GOUY
THE SOUP BOOK

Poissons et Coquillages

Dorade au four

Besugo al horno

Pour 4 personnes

Dorade nettoyée et enduite de sel à l'intérieur et à l'extérieur	1,250 kg
Tomates	3
Citron coupé en 2 tranches	½
Citron, jus passé	1
Vin blanc sec	20 cl
Huile	8 cl
Gousses d'ail	4
Persil haché	2 cuillerées à soupe
Amandes blanchies et grillées	2 cuillerées à soupe
Pignons	1 cuillerée à soupe
Poivre	
Paprika	

Faites griller les tomates sur toutes leurs faces 5 minutes au four préchauffé à 220°C (7 au thermostat) ou 7 minutes sous le gril, jusqu'à ce que la peau se boursoufle et noircisse. Couvrez-les d'une serviette humide pour que la peau se détache facilement. Laissez-les tiédir puis pelez-les, épépinez-les et réservez.

Faites deux incisions dans la dorade, le long de l'arête dorsale et insérez-y les tranches de citron. Mettez la dorade dans un plat à four graissé et mouillez avec le jus de citron, 10 cl de vin et l'huile. Faites-la cuire pendant 10 à 15 minutes environ au four préchauffé à 180°C (4 au thermostat).

Pendant ce temps, pilez l'ail en pâte fine avec le persil, les amandes et les pignons dans un mortier. Ajoutez les tomates et versez le reste de vin par petites quantités, en pilant vigoureusement. Ajoutez du poivre et du paprika. Versez ce mélange sur la dorade, baissez la température du four à 170°C (3 au thermostat) et laissez-la cuire encore de 15 à 20 minutes environ, en l'arrosant de sauce de temps en temps.

MARÍA DOLORES CAMPS CARDONA
COCINA CATALANA

Sardines à la portugaise

Sardinhas de Cascais

Pour 7 personnes

Grosses sardines vidées	14
Oignons hachés menu	4
Huile	10 cl
Vin blanc sec	10 cl
Tomates pelées, épépinées et hachées	5
Sel et poivre	
Mie de pain émiettée	30 g

Mettez les oignons dans une casserole, couvrez-les d'eau et portez à ébullition. Enlevez la casserole du feu et égouttez soigneusement les oignons. Faites-les dorer 7 minutes environ dans une poêle contenant l'huile chaude. Mouillez avec le vin, ajoutez les tomates et assaisonnez. Laissez réduire d'un quart à feu doux pendant 10 minutes. Mettez cette garniture dans un plat à four et couchez les sardines dessus. Parsemez-les de miettes de pain et faites-les cuire 15 minutes au four préchauffé à 220°C (7 au thermostat).

MARIA ODETTE CORTES VALENTE
COZINHA REGIONAL PORTUGUESA

Matelote blanche namuroise

Pour 4 personnes

Poissons de Meuse (carpes ou brochetons) nettoyés et coupés en morceaux égaux	1 kg
Oignon	1
Carotte	1
Branche de céleri	1
Brin de thym	1
Feuille de laurier	1
Poivre noir du moulin	1 pincée
Racine de persil	1
Bouteille de vin blanc	1
Bon Cognac	8 cl
Sel et poivre	
Beurre	1 cuillerée à soupe
Farine	1 cuillerée à soupe
Jaune d'œuf	1
Citron, jus passé	1
Croûtons de pain frits au beurre	

Mettez les morceaux de poisson dans une casserole. D'autre part, mettez dans une autre casserole, l'oignon, la carotte, le céleri, le thym et le laurier, le poivre moulu, la racine de persil et le vin blanc et laissez cuire pendant 30 minutes environ (à feu doux). Passez ce bouillon sur les poissons, ajoutez le Cognac, assaisonnez légèrement et faites cuire à couvert en plein feu (15 minutes environ). Dès que le poisson est cuit, retirez les morceaux dans un grand plat creux.

Pétrissez le beurre et la farine, délayez ce beurre manié dans la sauce et faites épaissir. Retirez du feu et ajoutez le jaune d'œuf et le jus de citron. Rectifiez l'assaisonnement et versez sur les poissons. Entourez de croûtons de pain et servez.

GASTON CLÉMENT
GASTRONOMIE ET FOLKLORE

Loup de mer à la mode du Brabant

Zeewolf op zijn Brabants

Cette recette, du restaurant « Au Vigneron » à Ostende, est sans doute flamande mais aurait subi des influences wallonnes.

Pour 4 personnes

Loup de mer nettoyé	500 g
Chicorée hachée	250 g
Pommes de terre hachées	250 g
Beurre	100 g
Echalotes hachées menu	2
Sel et poivre	
Vin blanc sec	20 cl
Fumet de poisson *(page 166)*	20 cl

Assaisonnez la chicorée et les pommes de terre et faites-les revenir dans la moitié du beurre. Enlevez-les du feu. Graissez un plat à four avec une noix de beurre et foncez-le avec les échalotes. Couchez le poisson sur ce lit, mouillez-le avec le vin et le fumet, couvrez-le d'une feuille de papier d'aluminium et faites-le cuire 10 minutes au four préchauffé à 190°C (5 au thermostat). Mettez les pommes de terre et la chicorée dans un autre plat à four, placez le poisson dessus et tenez au chaud pendant que vous préparez la sauce.

Passez le jus de cuisson du poisson dans une casserole et faites-le réduire à feu vif. Liez avec le reste de beurre et rectifiez l'assaisonnement. Versez cette sauce sur le poisson et remettez le plat au four quelques minutes pour glacer la sauce.

ALAN DAVIDSON
NORTH ATLANTIC SEAFOOD

Truite au vin blanc

Trotelle al vino bianco

Pour 4 personnes

Truites nettoyées	4
Vin blanc sec	45 cl
Oignons émincés	2
Cèpes séchés trempés 3 heures dans de l'eau chaude, égouttés et émincés	15 g
Sel et poivre	
Huile	4 cuillerées à soupe
Beurre coupé en dés	30 g
Anchois dessalés, levés en filets, rincés et épongés, pilés en pâte avec 15 g de farine et 15 g de beurre	2
Persil haché	2 cuillerées à soupe
Citron, jus passé	½

Foncez une casserole assez grande pour contenir les truites côte à côte avec les oignons. Ajoutez les cèpes et posez les truites dessus. Assaisonnez. Arrosez d'huile et ajoutez le beurre. Mouillez avec le vin. Couvrez et mettez 15 minutes à feu doux — la sauce doit à peine frémir. Enlevez les truites et disposez-les en éventail, têtes vers le haut, dans un plat de service peu profond. Délayez la pâte d'anchois dans la sauce que vous faites réduire à feu plus vif 2 minutes environ. Ajoutez le persil haché et le jus de citron. Nappez les truites de sauce et servez.

GIORGIO GIOCO
LA CUCINA SCALIGERA

Harengs frais au vin rouge

Pour 4 personnes

Beaux harengs bien frais avec laitance	4
Vin rouge	20 cl
Persil haché	1 cuillerée à soupe
Estragon haché	1 cuillerée à soupe
Oignons nouveaux hachés	2
Moutarde	1 cuillerée à café
Sel et poivre	
Beurre coupé en petits morceaux	45 g
Mie de pain émiettée ou biscottes écrasées et réduites en poudre	4 cuillerées à soupe

Nettoyez les harengs, supprimez la tête et les nageoires et ouvrez-les le long du ventre pour en retirer la laitance. Hachez ensemble le persil, l'estragon et les oignons, mélangez à ce hachis les laitances préalablement écrasées et mélangées à la moutarde. Assaisonnez les harengs et placez à l'intérieur de chacun la farce préparée. Beurrez un plat creux allant au feu, rangez-y les harengs et versez par-dessus le vin rouge, semez les morceaux de beurre sur le tout et mettez à cuire au four (préchauffé à 200°C, 6 au thermostat). Au bout d'une dizaine de minutes, saupoudrez copieusement de mie de pain ou de biscotte en poudre, et faites cuire encore durant quelques minutes (5) pour faire griller la chapelure.

Servez dans le plat de cuisson en même temps que des pommes de terre cuites en leur robe des champs.

GASTON CLÉMENT
GASTRONOMIE ET FOLKLORE

Saumon au vin rouge

Vous pouvez préparer la sauce au vin plusieurs heures à l'avance, mais faites cuire le saumon au dernier moment car il se dessèche quand on le réchauffe.

Pour 6 personnes

Darnes de saumon de 2,5 cm d'épaisseur	6
Bouteille de vin rouge	1
Echalotes émincées	6
Feuille de laurier	1
Thym séché	2 pincées
Brins de persil	4
Sel et poivre	
Beurre coupé en dés	90 g

Dans une petite casserole à fond épais, portez à ébullition le vin avec les échalotes, les herbes, du sel et du poivre. Baissez le feu, couvrez et laissez mijoter pendant 20 minutes environ. Passez la sauce obtenue dans une terrine.

Rangez les darnes de saumon dans un plat à four assez grand pour les contenir, sans qu'elles chevauchent. Salez, poivrez légèrement et mouillez avec 20 cl de sauce au vin. Couvrez et mettez au four préchauffé à 190°C (5 au thermostat) de 10 à 15 minutes, jusqu'à ce que le poisson s'effeuille facilement. Ne le laissez pas trop cuire.

Pendant que le saumon cuit, faites réduire le reste de sauce au vin en la faisant rapidement bouillir à découvert dans la casserole. Hors du feu, incorporez progressivement le beurre avec un fouet. Tenez la sauce au chaud sur feu très doux, sans laisser reprendre l'ébullition. Dressez le saumon sur un plat de service chaud. Si la sauce semble un peu épaisse, délayez-la avec une cuillère à soupe de vin du plat de cuisson. Nappez chaque darne de sauce et servez aussitôt.

CAROL CUTLER
THE SIX-MINUTE SOUFFLÉ AND OTHER CULINARY DELIGHTS

Filets de poisson à l'espagnole

Tumbet de pescado

Pour 4 personnes

Bar, lotte ou colin vidé, dépouillé et coupé en petits filets	500 g
Sel	
Citron, jus passé	1
Huile	25 cl
Vin blanc sec	10 cl
Pommes de terre moyennes coupées en rouelles	4
Grosses aubergines pelées et coupées en rouelles	2
Farine	30 g
Gros poivrons verts	2
Oignon moyen haché	1
Gousse d'ail hachée	1
Feuille de laurier	1
Grosses tomates pelées et concassées	3
Cannelle en poudre	1 pincée
Sucre en poudre	1 cuillerée à café

Mettez les filets de poisson dans un plat à four peu profond, salez-les et mouillez-les avec le jus de citron, 4 cuillerées à soupe d'huile et le vin blanc. Faites-les cuire pendant 20 minutes au four préchauffé à 180°C (4 au thermostat). Sortez-les du plat et réservez le liquide de cuisson.

Dans une poêle contenant 4 cuillerées à soupe d'huile chaude, faites cuire les pommes de terre préalablement salées 20 minutes à couvert. Sortez-les de la poêle, ajoutez 4 cuillerées à soupe d'huile, farinez les aubergines, secouez-les pour ôter l'excédent de farine et faites-les revenir 5 minutes, jusqu'à ce qu'elles soient tendres. Passez les poivrons sous le gril chaud, en les tournant de temps en temps, jusqu'à ce que la peau se boursoufle. Pelez-les, épépinez-les et coupez-les en gros bâtonnets. Salez-les et faites-les revenir pendant 4 minutes.

Versez le reste d'huile dans une casserole ou utilisez le reste d'huile de cuisson des légumes. Faites dorer l'oignon avec l'ail et le laurier. Ajoutez les tomates, la cannelle et le sucre. Laissez cuire cette sauce 20 minutes à feu doux, en ajoutant de temps en temps un peu de liquide de cuisson du poisson. Tamisez — à ce stade, la sauce doit être assez épaisse.

Foncez un plat de service allant au four d'une couche de pommes de terre, couvrez d'une couche de poisson puis d'un lit de poivrons et d'aubergines et continuez à alterner les couches jusqu'à épuisement du poisson et des légumes. Nappez le tout de sauce et mettez 20 minutes au four préchauffé entre 190 et 200°C (5 à 6 au thermostat). Servez chaud, dans le plat de cuisson.

NESTOR LUJAN ET JUAN PERUCHO
EL LIBRO DE LA COCINA ESPAÑOLA

———————◆———————

Sole au vin rouge

Sole in Red Wine

Pour pocher un poisson dans du vin, reportez-vous aux explications données à la page 70.

Pour 8 personnes

Soles, filets levés et trempés dans de l'eau glacée, arêtes, têtes et parures réservées	Quatre de 500 g
Bouteille de vin rouge	1
Branche(s) de fenouil	1 ou 2
Carotte émincée	1
Oignon émincé	1
Brins de thym	4
Feuille de laurier	1
Brins de persil à feuilles plates	4
Gousses d'ail non pelées écrasées	2 ou 3
Sel et poivre	
Beurre, 50 g ramollis et le reste coupé en dés	300 g

Hachez ou cassez les arêtes et les parures en morceaux plus ou moins égaux, mettez-les dans un fait-tout avec les têtes et ajoutez les légumes, les herbes et l'ail. Versez le vin, salez et ajoutez une quantité suffisante d'eau froide pour couvrir le contenu du fait-tout de 2,5 cm. Portez lentement à ébullition, à découvert et à feu assez doux, en écumant jusqu'à ce que le liquide approche de l'ébullition. Cela prendra 15 minutes. Baissez le feu, couvrez à moitié et laissez frémir ce fumet 30 minutes. Passez le fumet dans une terrine à travers une passoire garnie de plusieurs couches de mousseline humide. Jetez les parures, les arêtes, les têtes, les légumes et les herbes. Remettez le fumet passé dans le fait-tout et portez-le à ébullition en écumant si besoin est. Laissez-le bouillir jusqu'à ce qu'il ait réduit des deux tiers environ puis enlevez du feu et laissez refroidir.

Beurrez le fond et les parois d'une cocotte. Sortez les filets de sole de l'eau glacée et épongez-les entre deux serviettes. Incisez la membrane qui se trouve à la surface de chaque filet six fois en diagonale. Salez, poivrez et enduisez les filets de beurre ramolli. Pliez-les en deux de sorte que la membrane incisée se trouve à l'intérieur. Mettez-les dans la cocotte.

Vérifiez si le fumet est froid. S'il est encore tiède, faites-le refroidir en remuant dans une terrine d'eau glacée. Versez-le sur le poisson, en ajoutant du vin rouge si besoin est pour le couvrir. Placez une feuille de papier sulfurisé beurré sur les filets, couvrez hermétiquement la cocotte et portez à ébullition à feu modéré, en vérifiant la cuisson de temps en temps. Au premier bouillon, éteignez le feu et attendez de 8 à 10 minutes avant d'ouvrir la cocotte. Couvrez une plaque d'une grille en métal. Détachez le papier sulfurisé des filets que vous posez délicatement sur la grille. Recouvrez-les avec le papier sulfurisé et laissez-les égoutter.

Pour la sauce, passez le liquide de cuisson au tamis placé au-dessus d'une casserole à fond épais et ajoutez le liquide égoutté des filets. Faites-le réduire à feu vif jusqu'à ce qu'il ait une consistance sirupeuse. Baissez le feu sur très doux et mettez une plaque isolante sous la casserole. Incorporez progressivement au fouet les dés de beurre. Dressez les filets sur un plat de service et nappez-les légèrement de sauce. Servez le reste à part, dans une saucière chaude.

PETITS PROPOS CULINAIRES II

Dorade de Louisiane

Red Snapper Louisiana

Vous pouvez remplacer la dorade par du pagre.

Pour 8 à 10 personnes

Dorade nettoyée, étêtée et débarrassée de l'arête dorsale	2 kg
Oignons hachés menu	2
Poivrons verts hachés menu	2
Champignons hachés menu	2
Gousse d'ail écrasée	1
Huile d'olive	2 cuillerées à soupe
Tomates pelées	6
Safran en poudre	½ cuillerée à café
Vin blanc sec	25 cl
Sel et poivre	
Persil haché	1 cuillerée à soupe

Faites revenir les oignons, les poivrons, les champignons et l'ail quelques minutes dans l'huile d'olive, à feu modéré. Ajoutez les tomates et laissez cuire 30 minutes. Ajoutez le safran. Mettez la dorade dans un plat à four beurré. Mouillez avec le vin et assaisonnez très légèrement. Ajoutez la sauce et faites cuire 30 minutes au four préchauffé à 180°C (4 au thermostat). Garnissez de persil avant de servir.

RUTH MOUTON HAMILTON
FRENCH ACADIAN COOK BOOK

Moules « Poulette »

Mussels « Poulette »

Pour faire ouvrir les moules, reportez-vous à la page 72.

Pour 8 à 10 personnes

Moules vivantes grattées et dégorgées 30 minutes dans de l'eau salée	3 litres
Vin blanc sec	
Branche de céleri haché	1
Feuille de laurier	1
Persil à feuilles plates haché	2 cuillerées à soupe
Brins de thym	2
Gousses d'ail écrasées	2
Jaunes d'œufs	6
Crème fraîche épaisse	20 cl

Mettez les moules dans un fait-tout, versez une rasade généreuse de vin blanc et ajoutez le céleri, les herbes et l'ail. Couvrez et faites ouvrir les moules à feu vif, en secouant souvent le fait-tout de 3 à 5 minutes environ. Garnissez une passoire de plusieurs

couches de mousseline humide et versez les moules dedans. Goûtez la cuisson — si elle est trop salée, ne la faites pas réduire et utilisez-en une partie seulement pour la sauce. Avec le reste, vous préparerez une soupe ou un bouillon.

Quand les moules ont légèrement refroidi, séparez les coquilles et jetez les moitiés vides. Disposez les moules dans leur demi-coquille dans une grande casserole peu profonde. Fouettez les jaunes d'œufs avec la crème et délayez progressivement au fouet avec 10 à 15 cl de cuisson. Versez la sauce obtenue sur les moules et faites-la épaissir 10 minutes environ à feu doux, en agitant doucement la casserole de gauche à droite. Ne la laissez pas bouillir. Dressez les moules et la sauce dans des assiettes à soupe avec une louche et servez aussitôt.

PETITS PROPOS CULINAIRES II

Fricassée aux asperges, coquilles Saint-Jacques et huîtres

Vous pouvez remplacer les asperges par des petits pois ou des pois gourmands. Ce plat, une fois terminé, peut être agrémenté du parfum d'une plante aromatique fraîche, hachée: menthe, basilic, cerfeuil, ciboulette, ou encore de caviar ou d'une julienne de truffes qui personnalisera votre recette.

L'auteur conseille de servir ce plat avec un Pouilly-Fuissé.

Pour 4 personnes

Asperges assez grosses (600 g environ)	12
Coquilles Saint-Jacques décortiquées	8
Huîtres (fines de claire ou belons)	8
Vin blanc sec	20 cl
Echalotes moyennes (50 g)	2
Beurre, 70 g coupés en noisettes et réservés au frais	80 g
Vinaigre de vin (blanc)	3 cuillerées à soupe
Gros sel et poivre noir du moulin	
Crème fraîche liquide	20 cl
Poivre de Cayenne	
Fines herbes hachées (facultatif)	

Éliminez environ un tiers de la longueur de chaque asperge. Épluchez-les au couteau économe sans atteindre la pointe (les asperges auront 8 à 9 cm de long), lavez-les et réservez-les dans la passoire. Épluchez les échalotes, hachez-les finement. Réservez-les. Allumez une plaque électrique, thermostat 4, et une autre thermostat 6. Sur la première, placez une casserole dans laquelle vous faites fondre 10 g de beurre (à feu modéré). Quand il est chaud, ajoutez les échalotes, mélangez à la cuillère en bois et faites-les chauffer dans le beurre pendant environ 2 minutes pour qu'elles deviennent transparentes sans cependant se colorer. Versez alors le vinaigre de vin et le vin blanc. Mélangez et laissez réduire l'ensemble pendant 10 minutes environ.

Pendant ce temps, posez une grande casserole contenant 3 litres d'eau sur la plaque thermostat 6. Ajoutez 3 cuillerées à café de gros sel et amenez l'eau à ébullition.

Lavez la noix et le corail de chaque coquille dans plusieurs eaux (pour en éliminer le sable) et faites-les égoutter soigneusement sur un linge absorbant. Ouvrez les huîtres, décollez-les de la coquille inférieure et réservez la chair sur une assiette. Escalopez les noix de Saint-Jacques en deux ou trois escalopes (suivant grosseur). Réservez-les avec les coraux.

Lorsque l'eau bout dans le poêlon, plongez-y les asperges, laissez reprendre l'ébullition et comptez 13 minutes de cuisson. Lorsqu'elles sont cuites, déposez-les sur un linge absorbant.

Dans la casserole contenant la réduction, ajoutez la crème fraîche liquide. Mélangez. Baissez le thermostat à 2 et laissez cuire pendant 5 minutes, en fouettant de temps en temps. Les échalotes parfumeront la crème. Mettez les assiettes de service à chauffer. Assaisonnez les noix et coraux des Saint-Jacques de deux pincées de sel et de trois tours de moulin de poivre. Lorsque la sauce est réduite, assaisonnez de trois pincées et demie de sel, de deux tours de moulin de poivre et d'une pointe de cayenne. Retirez la casserole de la plaque (que vous laissez allumée thermostat 2) et incorporez à la sauce le beurre frais, noisette par noisette, en fouettant. Mettez un poêlon sur la plaque thermostat 2 et versez-y la sauce en la filtrant à travers un chinois. Laissez frémir à nouveau doucement 3 minutes.

A ce moment, mettez les noix de Saint-Jacques, les coraux et les huîtres (sans eau de mer) à pocher dans la sauce. Veillez bien à ce que la sauce recouvre l'ensemble. Lorsque la sauce frémit de nouveau, les huîtres et Saint-Jacques sont pochées. Dans chaque assiette, disposez trois asperges bien égouttées. Répartissez les coquilles Saint-Jacques et les huîtres, et arrosez raisonnablement l'ensemble de sauce. Vous pouvez parsemer de fines herbes hachées. Servez aussitôt.

ALAIN ET EVENTHIA SENDERENS
LA CUISINE RÉUSSIE

Seiches au vin blanc

Seppie al vino bianco

Pour 6 personnes

Seiches nettoyées, épongées et coupées en petits morceaux	2 kg
Vin blanc sec	50 cl environ
Sel et poivre	
Huile d'olive	10 cl
Gousses d'ail écrasées	3
Jus de citron	1 cuillerée à café
Persil haché	2 cuillerées à soupe

Salez et poivrez les seiches, mettez-les dans une terrine, arrosez-les d'huile d'olive, couvrez et laissez mariner 1 heure. Passez l'huile dans une casserole, ajoutez l'ail et faites chauffer jusqu'à ce qu'il commence à dorer. Jetez l'ail. Mettez les seiches dans la casserole et faites-les cuire à feu modéré en les mouillant de temps en temps de cuillerées à soupe de vin, car le liquide réduit à la cuisson. Quand les seiches sont cuites, au bout de 45 minutes environ, dressez-les sur un plat de service et ajoutez le jus de citron. Parsemez de persil haché.

VINCENZO BUONASSISI ET PINO CAPOGNA
IL VINO IN PENTOLA

Pagre aux moules

Cette recette peut se faire avec plusieurs poissons de la famille de la daurade ainsi qu'avec du mulet cabot.

Pour nettoyer les moules, reportez-vous à la page 72.

Pour 4 à 6 personnes

Pagre écaillé, étêté et vidé	800 g à 1,200 kg
Petites moules vivantes nettoyées	1 kg
Vin blanc sec	15 cl
Huile d'olive	3 cuillerées à soupe
Blanc de poireau haché menu	1
Tomates pelées, épépinées et concassées	3
Persil haché	4 cuillerées à soupe
Gousses d'ail hachées	1 ou 2
Feuilles de fenouil hachées	2
Sel et poivre	
Quartiers de citron	

Dans un fait-tout, faites ouvrir les moules avec le vin à feu assez vif. Enlevez-les dès qu'elles s'ouvrent. Passez la cuisson à la mousseline et sortez les moules de leurs coquilles. Dans une petite poêle contenant l'huile d'olive chaude, faites fondre le poireau. Ajoutez les tomates, le persil, l'ail et le fenouil. Salez et poivrez. Dès que le mélange commence à ressembler à une purée, délayez-le avec un peu de cuisson des moules passée. Hors du feu, ajoutez les moules.

Enduisez une grande feuille de papier d'aluminium ou de papier sulfurisé d'une pellicule d'huile d'olive. Posez le pagre dessus. Entourez-le de sauce. Enveloppez-le dans la feuille en tordant les bords pour que le jus ne s'échappe pas. Mettez-le dans un plat et faites-le cuire pendant 40 minutes environ au four préchauffé à 180°C (4 au thermostat). Pour servir, renversez le pagre sur un plat chaud, avec le jus et la sauce autour. Ajoutez les quartiers de citron.

ALAN DAVIDSON
MEDITERRANEAN SEAFOOD

Volaille et Gibier

Poulastron aux citrons

L'auteur conseille d'utiliser du Patrimonio blanc, vin de Corse que vous pouvez remplacer par n'importe quel vin blanc sec.

Pour 4 personnes

Poulet coupé en morceaux avec les abattis, sauf le foie	1,750 kg
Bouteille de Patrimonio	1
Citrons, jus passé et zestes taillés en fine julienne	2
Huile d'olive	20 cl
Belle carotte	1
Blanc de poireau	1
Echalotes	4
Feuille de laurier	1
Thym, sauge, marjolaine, romarin, menthe, sarriette et basilic	1 brin de chaque
Sel et poivre	
Crème fraîche épaisse	30 cl
Jaunes d'œufs	4

Faire rissoler les morceaux de poulet et les abattis à la poêle avec 10 cl d'huile d'olive. Dans le fond d'une cocotte en fonte noire verser le reste d'huile d'olive; y mettre la carotte, le blanc de poireau, les échalotes et les abattis du poulet. Compléter avec les épices et les aromates: laurier, thym, sauge, marjolaine, romarin, menthe, sarriette, basilic (ce qu'on appelle les « herbes du maquis »). Mouiller alors avec le vin blanc; porter à ébullition, saler et poivrer. Ajouter les morceaux de poulet assaisonnés de sel et de poivre et rissolés avec les abattis. Couvrir et faire cuire doucement pendant une heure environ.

Après cuisson, retirer les morceaux de poulet et les abattis; faire réduire le liquide de cuisson (de moitié environ à feu vif); y incorporer ensuite (hors du feu et après l'avoir laissé tiédir) la crème mélangée avec les jaunes d'œufs; cuire sans bouillir (à feu doux, sans cesser de remuer, jusqu'à ce que la sauce nappe à peine la cuillère); terminer avec le jus des citrons et la julienne fine des zestes de ces derniers. Remettre les morceaux de poulet et les abattis; faire chauffer sans bouillir (5 minutes environ à feu doux); servir avec de la polenta.

ROGER LALLEMAND
LE COQ AU VIN

Foies de volaille aux oignons et au Madère

Geflügelleber mit Zwiebeln und Madeira

Les foies d'oie sont très appréciés pour ce plat. Assaisonnez-les avant de les servir pour qu'ils ne durcissent pas.

Pour 4 personnes

Foies de volaille émincés	600 g
Oignons moyens hachés menu	2
Madère	12 cl
Farine	2 cuillerées à soupe
Graisse d'oie ou saindoux	80 g
Sel et poivre	

Farinez les foies. Faites dorer les oignons dans la graisse à feu modéré. Ajoutez les foies et faites-les rapidement revenir à feu vif pour qu'ils ne sèchent pas — ils sont meilleurs quand ils sont roses à l'intérieur. Mettez-les sur un plat chaud et tenez-les au chaud. Versez le Madère dans la poêle et portez à ébullition. Assaisonnez les foies avant de les napper de sauce au Madère.

HANS GUSTL KERNMAYR
SO KOCHTE MEINE MUTTER

Poulet sauté basquaise

Servir avec des cèpes et des pommes de terre, le tout sauté à l'huile d'olive ou à la graisse de volaille. Dans le pays basque, certains ajoutent à la sauce en même temps que les tomates des gousses d'ail cuites entières, non pelées; mais il faut les débarrasser de leur peau avant de les mettre avec le poulet.

Le vin blanc d'Irouléguy recommandé par l'auteur est un vin basque de la région de Bayonne. Vous pouvez le remplacer par un autre vin blanc sec.

Pour 4 personnes

Poulet coupé en morceaux	1,750 kg
Sel et poivre	
Graisse fraîche de porc ou saindoux	60 g
Petits oignons nouveaux pelés	250 g
Jambon de Bayonne (ou jambon cru) coupé en lardons	45 g
Gros poivron rouge coupé en grosse julienne	1
Vin blanc d'Irouléguy	30 cl
Fond de veau *(page 166)*	20 cl
Tomates pelées, épépinées et concassées	1 ou 2

Faire blondir les morceaux de poulet après les avoir assaisonnés dans de la graisse fraîche de porc ou du saindoux. Ajouter les oignons, le jambon et le poivron. Remuer et laisser étuver

15 minutes. Égoutter alors le maximum de graisse et mouiller à moitié de vin. Porter à ébullition, couvrir et laisser cuire 30 minutes environ (à feu très doux). En fin de cuisson, ajouter le fond de veau et les tomates. Laisser mijoter quelques minutes. Rectifier l'assaisonnement.

ROGER LALLEMAND
LE COQ AU VIN

Les poulets aux deux sauces au Sauternes

Gardez tout le reste des poulets, carcasse comprise, pour votre jus réduit de volaille.

Vous pouvez remplacer le Sauternes par d'autres Bordeaux blancs liquoreux comme le Cérons et le Sainte-Croix-du-Mont.

Pour 6 personnes

Poulets, cuisses et poitrines seulement	3
Sauternes	40 cl
Beaux navets coupés en 12 bâtonnets de 3 cm de long	3 ou 4
Carottes tendres coupées en 12 bâtonnets de 3 cm de long	3 ou 4
Pieds de céleri non filandreux, côtes détachées et laissées entières	2
Jeunes poireaux coupés en 12 bâtonnets de 3 cm de long	3 ou 4
Huile (d'olive)	4 cuillerées à soupe
Echalote	1
Moutarde	1 cuillerée à café
Jus de volaille réduit	20 cl
Armagnac	4 cuillerées à soupe
Raisins « gros verts » épépinés à l'aiguille mais pas pelés	12
Sel et poivre	

Cuisez les légumes à l'eau bouillante salée ou, mieux, au cous-coussier, de façon qu'ils restent fermes.

Faites sauter les six cuisses (dans l'huile à feu modéré) sans trop les colorer, 15 minutes après retirez-les, éliminez le gras de

la casserole, jetez-y l'échalote hachée, plus la moutarde, un tour de feu, avant de déglacer avec le Sauternes et de mouiller avec votre jus réduit de volaille. On laissera mijoter 10 minutes après avoir remis les cuisses dans la sauce. Réservez les cuisses au chaud et terminez votre sauce en la réduisant jusqu'à la consistance voulue, passez au chinois, puis, si possible, à l'étamine.

Par ailleurs, faites compoter dans l'Armagnac les raisins (à feu très doux quelques minutes); l'Armagnac va sans doute s'enflammer; il s'éteindra tout seul et vous récupérerez les raisins, puis ajoutez au peu de liquide restant la moitié de votre sauce. Réservez les deux moitiés dans deux récipients différents.

Vos poitrines sont salées, poivrées et disposées sur une plaque sans se chevaucher: vous les passez à la rôtissoire 2 minutes de chaque côté et commencez le dressage.

Ce dressage doit être rapidement exécuté pour éviter le refroidissement. Dans chaque assiette, la côte de céleri comme diamètre, dans son creux et alternés, carottes, navet, poireaux en bâtonnets, d'un côté l'aile, de l'autre la cuisse, chacune nappée de leur sauce, les raisins sur l'aile au dernier moment.

ANDRÉ DAGUIN
LE NOUVEAU CUISINIER GASCON

Coq au vin jaune

Vous pouvez remplacer le vin jaune par un mélange de vin blanc sec et de Xérès sec.

Pour 4 personnes

Jeune coq découpé en morceaux	2 kg
Vin jaune du Jura	30 cl
Sel et poivre	
Farine	
Beurre	60 g
Morilles blanchies	200 g
Crème fraîche	20 cl

Assaisonner les morceaux de coq de sel et de poivre et les rouler dans la farine. Les faire revenir en cocotte avec le beurre, presque sans coloration. Égoutter le beurre, mouiller avec le vin; rectifier l'assaisonnement, laisser cuire doucement à couvert 30 à 40 minutes. Ajouter alors les morilles blanchies; laisser cuire encore une quinzaine de minutes. Retirer les morceaux de coq; faire réduire la sauce (à feu plus vif); incorporer la crème; faire encore réduire pour obtenir une sauce liée et onctueuse. Remettre les morceaux de coq; donner un bouillon et servir.

ROGER LALLEMAND
LE COQ AU VIN

Cailles ivres

Codornices emborrachadas

Pour 4 personnes

Cailles nettoyées	8
Sel	
Saindoux	30 g
Lard maigre coupé en lardons de 2 cm de côté	100 g
Vin blanc sec	50 cl
Cognac	17 cl
Œuf battu avec 1 cuillerée à café de sucre en poudre	1
Lait	10 cl

Salez l'intérieur et l'extérieur des cailles. Dans un poêlon contenant le saindoux préalablement chauffé à feu modéré, faites-les revenir sur toutes leurs faces avec les lardons. Jetez l'excédent de graisse. Versez le vin et le Cognac. Couvrez d'une feuille de papier de cuisine et posez le couvercle dessus. Faites réduire le liquide de moitié à feu modéré, pendant 15 minutes environ. Sortez les cailles et tenez-les au chaud. Liez le jus de cuisson avec l'œuf préalablement mélangé avec le lait, en tournant le poêlon. La sauce épaissira légèrement. Remettez les cailles dans la sauce et servez dans le poêlon.

NESTOR LUJAN ET JUAN PERUCHO
EL LIBRO DE LA COCINA ESPAÑOLA

Perdrix au vin

Pernici al vino

Pour 4 personnes

Perdrix plumées et nettoyées	4
Vin rouge	35 cl
Beurre	60 g
Sel et poivre	
Sauge et romarin hachés	½ cuillerée à café de chaque
Poireaux émincés	250 g
Echalotes épluchées	4
Cèpes, têtes séparées des pieds et pieds émincés	125 g
Beurre manié avec 2 cuillerées à soupe de farine	30 g

Dans une cocotte, faites chauffer 30 g de beurre. Ajoutez les perdrix et assaisonnez. Ajoutez la sauge, le romarin et les poireaux et faites-les revenir 20 minutes. Enlevez les perdrix, mettez-les dans un plat de service allant au feu et tenez-les au

chaud. Dans une petite casserole contenant le reste de beurre chaud, faites cuire les échalotes avec une pincée de sel et le sucre 15 minutes à feu doux. Ajoutez les têtes de cèpes et laissez cuire encore 15 minutes. Entourez les perdrix de cette garniture.

Déglacez la casserole à feu vif avec le vin en remuant vigoureusement avec une cuillère en bois. Ajoutez les pieds de cèpes et faites bouillir jusqu'à ce que la sauce ait réduit du quart environ. Incorporez progressivement au fouet le beurre manié, baissez le feu et laissez cuire 5 minutes. Passez la sauce dans une autre casserole et laissez-la refroidir quelques minutes avant de la dégraisser et d'en napper les perdrix. Couvrez le plat de service et faites réchauffer 10 minutes à feu doux.

GEORGIO GIOCO
LA CUCINA SCAGLIERA

Fricassée de lapin

L'auteur conseille de servir cette fricassée avec des pommes gaufrettes, c'est-à-dire coupées en tranches fines et en croisillons avec la lame cannelée d'une mandoline et frites.

Pour 5 personnes

Jeune lapin tendre coupé en 8 morceaux, foie réservé	1,500 kg
Huile d'arachide	2 cuillerées à soupe
Beurre	1 cuillerée à soupe
Sel et poivre	
Echalotes hachées menu	3
Crème fraîche	8 cuillerées à soupe
Moutarde forte	2 cuillerées à café
Vin blanc sec	10 cl
Ciboulette hachée menu	1 cuillerée à soupe

Posez une grande cocotte épaisse sur feu moyen et mettez-y l'huile et le beurre. Quand le beurre grésille, mettez-y les huit morceaux de lapin salés et poivrés et faites-les dorer des deux côtés (environ 5 minutes). Ajoutez les échalotes hachées dans la cocotte, mélangez, couvrez la cocotte, baissez le feu (doux) et laissez cuire doucement 3 minutes.

Pendant ce temps, mettez la crème fraîche dans un bol, ajoutez la moutarde forte et mélangez bien. Découvrez la cocotte, ajoutez le vin blanc sec, montez le feu (fort) et attendez l'ébullition. Ajoutez alors la crème fraîche moutardée, mélangez soigneusement, baissez le feu (doux), couvrez la cocotte et laissez cuire 10 minutes tout doucement.

Pendant ce temps, dénervez le foie du lapin, mettez-le dans un mixeur et réduisez-le en purée. Au bout de 10 minutes, rangez les morceaux de lapin dans le plat de service, éteignez le feu sous la cocotte et versez-y le foie en purée tout en mélangeant bien avec un fouet à main. La sauce se lie immédiatement, versez-la dans une passoire fine sur les morceaux de lapin. Saupoudrez de ciboulette hachée.

MICHEL OLIVER
MES RECETTES À LA TÉLÉ

Le magret de canard mariné

De larges rondelles de céleri-rave, épaisses de 2 à 3 millimètres, ébouillantées, égouttées, puis cuites au beurre une dizaine de minutes, feraient, une fois nappées de votre reste de sauce, un légume somptueux.

Le vin des Côtes de Buzet est un vin rouge du Sud-Ouest à base de Cabernet-Sauvignon, Cabernet franc et Merlot. Vous pouvez le remplacer par un Bordeaux.

Pour 6 personnes

Ailes de canard pelées, dégraissées, parées et dénervées s'il y a lieu	6
Oignon émincé	1
Carotte émincée	1
Brin de thym	1
Quatre-épices	
Gousses d'ail pilées	2
Bouteille de Côtes de Buzet	1
Graisse d'oie	30 g
Beurre	90 g
Armagnac	4 cuillerées à soupe

Disposez vos six ailes dans un récipient de verre avec l'oignon et la carotte en rondelles, thym, quatre-épices et gousses d'ail, le tout mouillé de la bouteille de vin de Buzet.

Le lendemain, égouttez vos magrets et faites-les sauter vivement dans la graisse d'oie et 30 g de beurre, 5 minutes de chaque côté, puis réservez-les au chaud où ils finiront de cuire. Dégraissez votre casserole, déglacez-la avec l'Armagnac, suivi immédiatement de la marinade et de sa garniture, laissez réduire largement (au moins de 15 à 20 minutes), puis passez au chinois et faites bouillir de nouveau en incorporant sans cesser de fouetter cinq ou six noix de 10 g de beurre chacune. Cette sauce doit napper parfaitement vos magrets et vous devez en avoir un peu de reste pour assaisonner les légumes d'accompagnement.

ANDRÉ DAGUIN
LE NOUVEAU CUISINIER GASCON

Civet de colvert

A servir avec un Volnay 64, ou un grand vin de la Côte-de-Nuits. Servir le tout bien chaud, avec une purée de carottes, de céleri-rave ou des pâtes fraîches.

Pour 4 personnes

Canards bien frais et non faisandés	2
Bouteille de très bon vin rouge	1
Vinaigre de vin rouge	15 cl
Echalotes émincées	5 ou 6
Oignons émincés	2
Feuille de laurier	1
Carottes émincées	5 ou 6
Gros poireaux émincés	3
Branche de céleri émincée	1
Céleri-rave émincé	1
Bouquet garni	1
Beurre (ou 4 cuillerées à soupe d'huile d'olive)	50 g

Découper les filets (des canards) et les mettre de côté avec les foies. D'autre part, découper les pattes, les ailes et les morceaux de carcasses et les mettre à mariner une nuit dans la marinade faite avec le vin rouge (et le vinaigre, les échalotes, les oignons, le laurier et le bouquet garni.). Il faut que les morceaux de viande soient bien recouverts.

Le lendemain, égoutter les morceaux de viande et faire cuire la marinade avec le reste de légumes très doucement, de façon à ce que le vin garde son bouquet, son goût (seul l'alcool doit disparaître à la cuisson). Lorsque les légumes sont cuits, passer au mixeur en incorporant la quantité de légumes désirée pour lier la sauce, puis passer au tamis très fin pour que la sauce soit belle et très onctueuse. Rectifier l'assaisonnement.

Les morceaux de viande étant bien égouttés, les faire revenir dans le beurre ou l'huile d'olive (à feu vif, 5 minutes de chaque côté), saler, poivrer. Les égoutter de nouveau afin de n'introduire aucune graisse dans la sauce où ils vont finir de cuire très lentement (5 minutes). Avant de passer à table, faire griller à feu vif, dans une poêle, les filets et le foie (2 minutes environ de chaque côté), saler, poivrer. Ils doivent rester saignants. Les incorporer dans la sauce ainsi que le jus de cuisson.

LALOU BIZE-LEROY
LE NOUVEAU GUIDE GAULT MILLAU, CONNAISSANCE DES VOYAGES

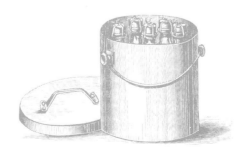

Les Viandes

Bœuf bourguignon

Les morceaux de bœuf qui conviennent le mieux pour le braisage sont le jarret, la macreuse et le gîte.

Pour 8 personnes

Bœuf à braiser coupé en cubes de 5 cm	1,500 kg
Gros oignon émincé	1
Branches de persil hachées	4
Branche de thym	1
Feuille de laurier émiettée	$\frac{1}{2}$
Poivre noir concassé	1 pincée
Huile (d'olive)	2 cuillerées à soupe
Bouteille de vin rouge	1
Lard de poitrine maigre demi-sel blanchi et coupé en gros dés	200 g
Saindoux	20 g
Marc	3 cuillerées à soupe
Farine	20 g
Bouillon *(page 166)*	50 cl
Gousse d'ail (écrasée)	1
Très petits oignons pelés	24
Beurre	20 g
Sel	

Mettez les morceaux de viande dans un plat creux; ajoutez l'oignon, le persil, les feuilles du thym, le laurier, le poivre, l'huile et le vin. Laissez mariner pendant 3 heures en retournant quatre ou cinq fois.

Faites fondre le lard en cocotte dans le saindoux, sur feu doux, pendant 10 minutes. Égouttez les cubes de viande, mettez-les dans la cocotte à feu moyen, laissez dorer sur toutes les faces; arrosez avec le marc enflammé. Baissez le feu à doux, poudrez avec la farine, mélangez, ajoutez le bouillon, la marinade et l'ail; couvrez, laissez mijoter 2 heures.

Pendant ce temps, faites colorer les petits oignons sur feu doux dans une casserole, avec le beurre; introduisez-les dans la cocotte au bout des 2 heures de mijotage, rectifiez l'assaisonnement en sel; poursuivez la cuisson pendant 1 heure, récipient couvert. (Dressez la viande, le lard et les oignons sur un plat de service et tenez-les au chaud. Tamisez la sauce dans une casserole et réchauffez-la sur le coin du feu en la dépouillant jusqu'à ce qu'elle ne contienne plus de graisse ni d'impuretés. Versez-la sur la viande et servez.)

CÉLINE VENCE
ENCYCLOPÉDIE HACHETTE DE LA CUISINE D'HIER ET D'AUJOURD'HUI

Goulasch Tarhonyia

Tarhonyia Goulash

Les morceaux de bœuf qui conviennent le mieux pour le braisage sont le jarret, la macreuse et le gîte. L'auteur conseille de servir cette goulash avec des pommes de terre cuites au four.

Pour 4 personnes

Bœuf à braiser coupé en morceaux de 5 cm de côté	1 kg
Vin rouge	75 cl environ
Farine	60 g
Sel	2 pincées
Poivre noir	
Oignons hachés	4
Huile	2 cuillerées à soupe
Tomates coupées en 4	4
Orge perlé	2 cuillerées à soupe
Feuilles de laurier	2
Gros pruneaux	4
Gousse d'ail hachée	1
Paprika doux	1 cuillerée à café
Crème fraîche épaisse (facultatif)	2 cuillerées à soupe

Mettez la farine dans un sac en papier avec le sel et beaucoup de poivre. Ajoutez la viande, fermez le sac hermétiquement et secouez vigoureusement à plusieurs reprises jusqu'à ce que la viande soit uniformément enrobée de farine. Faites-la rapidement revenir avec les oignons dans une poêle contenant l'huile chaude. Mettez la viande et les oignons dans une cocotte fermant hermétiquement. Ajoutez les tomates, l'orge, le laurier, les pruneaux, l'ail et le paprika. Mouillez avec 50 cl de vin, couvrez et mettez au four préchauffé à 180°C (4 au thermostat). Au bout de 20 minutes, baissez la température du four au minimum — de 130 à 140°C (½ ou 1 au thermostat) — et laissez cuire la goulasch de 4 à 5 heures au moins. A mi-cuisson, remuez-la délicatement et ajoutez 15 cl de vin si elle semble sèche. Continuez à ajouter un peu de vin de temps en temps, sans en mettre trop pour que la sauce n'épaississe pas.

Selon le goût, incorporez la crème fraîche juste avant de servir, ne la faites pas cuire au four car elle caillerait.

LESLEY BLANCH
ROUND THE WORLD IN EIGHTY DISHES

Bœuf haché au vin rouge

Tapôlon

Tapôlon vient du mot italien *tapôlé* qui signifie «coupé en morceaux minuscules avec un couteau». D'une manière générale, on mange le *tapôlon* en entrée.

Les vins recommandés par l'auteur pour la cuisson — Gattinara, Ghemme ou Boca — sont tous des vins rouges italiens du Piémont que vous pouvez remplacer par n'importe quel vin rouge jeune et robuste.

Pour 8 personnes

Bœuf maigre coupé en petits dés	1 kg
Gattinara, Ghemme ou *Boca*	50 cl
Huile d'olive	2 cuillerées à soupe
Beurre	30 g
Gousses d'ail écrasées	4
Romarin haché	1 cuillerée à café
Feuille de laurier	1
Sel	

Dans une grande casserole contenant l'huile et le beurre chauds, faites revenir l'ail avec le romarin et le laurier jusqu'à ce qu'il soit tendre mais pas doré. Ajoutez le bœuf et faites-le revenir à feu plus vif. Assaisonnez. Baissez le feu, versez un peu de vin et couvrez. Laissez mijoter de 2 heures à 2 heures 30 minutes, en ajoutant des petites quantités de vin à intervalles réguliers, à mesure que le liquide de cuisson réduit.

FELICE CÙNSOLO
LA CUCINA DEL PIEMONTE

Bœuf au Jus

Les morceaux de bœuf qui conviennent le mieux pour le braisage sont le jarret, la macreuse et le gîte.

Pour 4 personnes

Bœuf à braiser	1 kg
Bardes de lard	3 ou 4
Beurre	15 g
Vin rouge	20 cl
Eau	20 cl
Echalotes émincées	100 g
Ecorce de citron	1
Brin de basilic	1
Mie de pain émiettée	2 cuillerées à soupe

Il faut battre fortement la pièce de bœuf (avec un maillet sur les deux faces) et la mettre sur les bardes de lard avec le beurre (dans une casserole à fond épais), couvrez bien et faites-lui prendre couleur des deux côtés (à feu doux), mouillez avec le vin et l'eau, ajoutez les échalotes, l'écorce de citron, le basilic et faites cuire (2 heures 30 minutes environ à feu très doux et à couvert) jusqu'à ce qu'il soit tendre (dégraissez le jus), mettez-y le pain et faites cuire encore 15 minutes.

MARGUERITE SPOERLIN
LA CUISINIÈRE DU HAUT-RHIN

Ragoût de bœuf au Barbera

Stufato di manzo al Barbera

L'auteur conseille d'utiliser du Barbera (vin rouge italien du Piémont), mais vous pouvez le remplacer par un autre vin rouge jeune de votre choix. Les morceaux de bœuf qui conviennent le mieux pour le braisage sont le paleron, le jarret, la macreuse, le gîte et la pointe de culotte ou pièce de bœuf.

Pour 4 personnes

Bœuf coupé en morceaux de 100 g	1 kg
Bouteille de Barbera	1
Oignons émincés	500 g
Carotte émincée	1
Branche de céleri émincée	1
Feuilles de laurier	2
Gousses d'ail écrasées	3
Baies de genévrier	4
Clous de girofle	6
Bâtons de cannelle de 2,5 cm de long	2
Beurre	50 g
Huile	4 cuillerées à soupe
Sel et poivre	
Pommes de terre coupées en 4	500 g

Mettez la viande dans une cocotte en terre avec les oignons, la carotte, le céleri, le laurier, l'ail, les baies de genévrier, les clous de girofle et la cannelle. Couvrez avec le vin. Couvrez la cocotte et laissez la viande mariner pendant deux jours au frais, en la retournant de temps en temps.

Sortez la viande de la marinade et égouttez-la. Dans une cocotte, faites chauffer le beurre et l'huile. Dès que le beurre commence à mousser, ajoutez la viande et faites-la légèrement dorer 20 minutes environ, en la retournant. Ajoutez la marinade. Salez et poivrez selon le goût. Couvrez et faites cuire 4 heures à petit frémissement, à feu doux.

Au bout de 3 heures de cuisson, ajoutez les pommes de terre. A la fin de la cuisson, enlevez la viande et les pommes de terre, dressez-les dans un plat de service creux chauffé et tenez au chaud. Tamisez la sauce dans une casserole propre. Dégraissez-la et faites-la réduire à feu vif quelques minutes, si besoin est. Versez-la sur la viande et les pommes de terre.

LAURA GRAS PORTINARI
CUCINA E VINI DEL PIEMONTE E DELLA VALLE D'AOSTA

L'épaule de veau farcie du gourmet

Stuffed Shoulder of Veal Gourmet

Elle est excellente froide, coupée en tranches fines et garnie de sa propre gelée, de noix confites au vinaigre et de cresson. Si vous la servez chaude, utilisez le liquide chaud en guise de sauce en le liant avec un jaune d'œuf délayé dans de la crème fraîche.

Pour 6 personnes

Epaule de veau désossée	3 kg
Foie de veau	250 g
Jambon	250 g
Mie de pain émiettée	45 g
Basilic et thym haché	½ cuillerée à soupe de chaque
Ciboulette hachée	1 cuillerée à soupe
Persil haché	2 cuillerées à soupe
Oignon moyen haché	1
Gousse d'ail hachée	1
Beurre	45 g
Pistaches salées	75 g
Œuf battu avec un jaune d'œuf	1
Sel et poivre	
Chablis ou autre vin blanc sec	60 cl
Fond de veau gélatineux *(page 166)*	50 cl
Carottes émincées	2
Feuille de laurier	1
Brins de persil	2

Passez le foie de veau et le jambon à la grille moyenne du hachoir à viande, en récupérant soigneusement le jus. Mettez ce hachis avec son jus dans une terrine. Ajoutez le pain et les herbes. Faites revenir l'oignon et l'ail dans 15 g de beurre 5 minutes et ajoutez-les à la farce avec le beurre de cuisson. Ajoutez les pistaches. Liez avec l'œuf battu. Assaisonnez. Farcissez l'épaule, reconstituez-la et cousez-la hermétiquement avec un fil solide. Saisissez-la dans une sauteuse contenant le reste de beurre 5 minutes, jusqu'à ce qu'elle soit uniformément dorée.

Dans une marmite, faites chauffer le vin avec le fond de veau, les carottes, le laurier et le persil. Ajoutez l'épaule farcie en jetant le beurre dans lequel vous l'avez saisie. Assaisonnez. Couvrez et laissez mijoter 4 heures, jusqu'à ce que la viande soit tendre, en la tournant de temps en temps pour qu'elle cuise uniformément. Laissez-la refroidir dans son jus. Sortez-la de la marmite et dressez-la sur un plat. Versez le liquide dans un bol. Mettez le tout au réfrigérateur. Le liquide se transformera en une gelée limpide, dorée et délicieusement parfumée sous une couche de graisse solidifiée. Le lendemain, coupez la viande en tranches fines et dégraissez la gelée.

JEANNE OWEN
A WINE LOVER'S COOK BOOK

Bœuf mariné braisé au vin rouge

Marinated Beef Braised in Red Wine

Pour préparer une marinade aux herbes et aux légumes, reportez-vous aux explications données à la page 66.

Pour 4 personnes

Gîte coupé en morceaux de 90 g	1 kg
Lard gras coupé en lardons de 5 mm de large sur 5 cm de long	60 g
Huile d'olive	4 cuillerées à soupe
Oignons grossièrement hachés	250 g
Carottes grossièrement hachées	250 g
Farine	3 cuillerées à soupe
Cognac	3 cuillerées à soupe
Bouillon de bœuf ou fond de veau *(page 166)*	25 cl environ
Bouquet garni avec du céleri et du poireau	1
Persillade :	
Gousse d'ail	1
Gros sel	
Persil haché menu	1 cuillerée à soupe
Assortiment d'herbes séchées	1 pincée

Marinade :

Gros oignon émincé	1
Carotte émincée	1
Branche de céleri	1
Gousses d'ail écrasées	3 ou 4
Brins de persil	3 ou 4
Brin de thym	1
Feuilles de laurier	2
Bouteille de vin rouge	1
Huile d'olive	2 cuillerées à soupe

Garniture :

Huile d'olive	3 cuillerées à soupe
Lard maigre coupé en lardons, blanchis 2 ou 3 minutes, rincés à l'eau froide et égouttés	150 g
Petits oignons pelés	20 à 25
Petits champignons	250 g

Pour la persillade, écrasez et pilez l'ail dans un mortier avec un peu de gros sel. Incorporez le persil haché et les herbes. Roulez les lardons dans cette persillade et réservez-les. Commencez à préparer la marinade : mettez l'oignon et la carotte émincés dans une terrine et ajoutez céleri, ail, persil, thym et laurier.

Avec un petit couteau, faites des incisions profondes et étroites dans les morceaux de viande, dans le sens du fil. Insérez un lardon dans chaque incision. Mettez la viande dans la terrine contenant les légumes et les herbes de la marinade et versez le vin et l'huile d'olive par-dessus. Couvrez et laissez mariner de 5 à 6 heures, ou une nuit, en retournant la viande de temps en temps. Mettez les morceaux de viande dans une passoire placée au-dessus d'une terrine, égouttez-les bien, posez-les sur une serviette et épongez-les avec une autre serviette. Jetez les légumes et herbes aromatiques et réservez la marinade passée.

Pour la garniture, faites dorer les lardons blanchis dans une braisière contenant l'huile chaude, à feu modéré. Sortez-les et mettez-les dans un tamis placé au-dessus d'une terrine. Remettez l'huile égouttée dans la braisière, ajoutez les petits oignons, faites-les dorer à feu doux et égouttez-les dans le tamis. Faites sauter les champignons à feu plus vif et ajoutez-les dans le tamis. Réservez le tout. Réglez le feu entre modéré et doux et faites sauter les oignons et les carottes hachés pendant 30 minutes environ, jusqu'à ce qu'ils aient légèrement doré. Enlevez-les de la braisière et réservez. A feu modéré, faites revenir la viande sur toutes ses faces pendant 30 minutes environ, jusqu'à ce qu'elle soit uniformément dorée. Remettez les carottes et les oignons dans la braisière, baissez le feu, singez et remuez jusqu'à ce que la farine ait blondi.

Mettez à feu plus vif, versez le Cognac et ajoutez la marinade réservée et le bouillon ou le fond. Raclez le fond de la braisière avec une cuillère en bois pour en détacher les sucs caramélisés et les dissoudre dans le liquide. Ajoutez le bouquet garni, couvrez et faites braiser 2 heures 30 minutes environ à feu doux ou au four préchauffé à 150°C (2 au thermostat).

Quand la viande est tendre, sortez-la et mettez-la dans une cocotte. Ajoutez la garniture et tenez au chaud. Passez le reste du contenu de la braisière au chinois, dans une petite casserole. Enlevez les carottes et le bouquet garni et foulez les oignons. Faites frémir cette sauce sur le coin du feu 30 minutes environ, en la dépouillant et en jetant la peau qui se forme sur le côté de la casserole qui se trouve hors du feu quatre ou cinq fois, jusqu'à ce qu'elle ne contienne plus ni graisse ni impuretés et ait légèrement épaissi. Versez-la sur la viande et la garniture et faites réchauffer 15 minutes à feu doux, en secouant la cocotte de temps en temps pour bien mêler les différents arômes.

RICHARD OLNEY
SIMPLE FRENCH FOOD

Ragoût de mouton à la paysanne
Spezzato di montone allacontadina

Pour 4 personnes

Epaule de mouton ou d'agneau coupée en 4	1 kg
Sel et poivre	
Farine	2 cuillerées à soupe
Huile (d'olive, de préférence)	15 cl
Oignons émincés	2
Gousse d'ail écrasée	1
Baies de poivre de la Jamaïque concassées	6
Clous de girofle concassés	4
Vin rouge	50 cl
Pommes de terre coupées en tranches de 5 mm d'épaisseur	500 g
Bouillon *(page 166)*	45 cl

Assaisonnez les morceaux de mouton et roulez-les dans la farine. Faites-les revenir dans une poêle contenant l'huile chaude. Mettez-les dans une cocotte et ajoutez les oignons, l'ail et les épices. Mouillez avec le vin rouge, couvrez et faites mijoter 1 heure à feu doux. Faites rissoler les pommes de terre dans l'huile et ajoutez-les à la viande. Laissez cuire encore 30 minutes à feu doux, jusqu'à ce que les pommes de terre soient cuites et la viande tendre, en mouillant de temps en temps avec le bouillon pour remplacer le liquide qui s'évapore à la cuisson.

ANDREAS HELLRIGL
LA CUCINA DELL'ALTO ADIGE

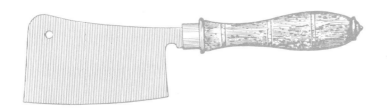

Jambonneau aux herbes de jardin

Varkensfricandeau met tuinkruiden

Pour 4 personnes

Jambonneau	750 g
Feuilles de romarin	6
Estragon haché menu	1 cuillerée à café
Persil haché menu	1 cuillerée à soupe
Cerfeuil haché menu	1 cuillerée à soupe
Sel et poivre blanc du moulin	
Citron, jus passé et zeste râpé	1
Beurre	100 g
Lard gras ou maigre haché	50 g
Vin blanc	25 cl
Fond de veau ou de volaille *(page 166)*	25 cl
Echalote hachée	1
Petit oignon haché	1
Grains de poivre concassés	7 ou 8
Farine	1 cuillerée à soupe
Paprika	1 cuillerée à café
Crème fraîche épaisse	10 cl

Avec un petit couteau, faites des incisions dans le jambonneau et insérez-y les feuilles de romarin. Enduisez la surface du jambonneau de sel, de poivre et de la moitié du jus de citron. Dans une grande casserole, faites fondre 75 g de beurre avec le lard. Ajoutez le jambonneau et faites-le revenir sur toutes ses faces, à feu plus vif. Baissez le feu, ajoutez 15 g de beurre et laissez cuire encore 45 minutes, en mouillant soigneusement de temps en temps avec quelques gouttes de vin.

Pendant ce temps, faites réduire le vin et le fond avec l'échalote, l'oignon et le poivre à 30 cl. Sortez le jambonneau de la casserole. Jetez la graisse de la casserole, ajoutez le reste de beurre avec la farine et délayez le roux obtenu avec le liquide réduit, en écrasant l'oignon et l'échalote en purée. Portez à ébullition. Incorporez le paprika mélangé avec la crème, en remuant vigoureusement. Arrosez l'estragon avec le reste de jus de citron et laissez-le macérer un moment. Ajoutez-le à la sauce avec le persil, le cerfeuil et le zeste de citron râpé. Servez cette sauce dans une saucière, avec le jambonneau.

WINA BORN
HEERLIJKE GERECHTEN

Sauté de porc aux pruneaux

Pour 6 personnes

Echine ou épaule de porc coupée en cubes de 80 g pièce	1,500 kg environ
Pruneaux mis à tremper une nuit dans de l'eau froide	40
Huile d'arachide	10 cl
Gros oignons coupés en 2 puis en tranches fines	4
Citron, zeste paré	1
Gousse d'ail coupée en 2 et écrasée	1
Bâton de cannelle	5 cm
Farine	2 cuillerées à soupe
Porto	20 cl
Vin rouge corsé	40 cl
Sel et poivre	

Posez une grande cocotte épaisse sur feu fort et versez l'huile d'arachide. Quand l'huile est très chaude, ajoutez neuf cubes de porc, faites-les dorer sur tous les côtés et égouttez-les sur un plat. Refaites la même opération avec les neuf autres cubes de porc que vous égouttez également. Dans la cocotte qui est toujours sur le feu avec l'huile chaude, mettez les tranches d'oignons, baissez le feu (doux), mélangez et laissez cuire jusqu'à ce que les oignons deviennent transparents.

Pendant ce temps, mettez le zeste de citron et l'ail au centre d'un carré de gaze, ajoutez le bâton de cannelle, repliez les quatre coins du carré de gaze et ficelez-le tout comme un baluchon en laissant un long morceau de ficelle.

Sept minutes après, ajoutez les dix-huit cubes de porc dorés dans la cocotte ainsi que le jus qu'ils ont rendu. Saupoudrez-les avec la farine et mélangez bien avec la cuillère en bois 3 minutes pour bien sécher la farine qui s'est accrochée sur la viande. Montez le feu (fort), ajoutez le Porto, le vin rouge corsé, une cuillerée et demie à café de sel, poivrez largement, mélangez et attendez l'ébullition. A ébullition, glissez doucement dans la cocotte le baluchon de gaze et accrochez l'autre extrémité de la ficelle à une poignée de la cocotte. Baissez le feu (doux), couvrez la cocotte et laissez cuire doucement pendant 1 heure.

Égouttez les pruneaux qui ont trempé dans l'eau et séchez-les bien dans un linge. Une heure après, répartissez les pruneaux sur la viande et couvrez à nouveau la cocotte pour 1 heure (soit 2 heures de cuisson en tout). Servez dans la cocotte de cuisson après avoir enlevé le baluchon de gaze. En garniture, je vous conseille des pâtes fraîches.

MICHEL OLIVER
MES RECETTES À LA TÉLÉ

Les Légumes

Courgettes en éventail

Selon l'auteur, ce plat est bon chaud ou froid. Il recommande cependant vivement de le servir tiède, en hors-d'œuvre, avec un vin blanc sec rustique, frais.

Pour 4 à 6 personnes

Petites courgettes	1 kg
Grosses tomates fermes et bien mûres non pelées, débarrassées de la partie centrale conique, coupées en 2 dans le sens de la hauteur et finement émincées	3
Huile d'olive	6 cuillerées à soupe
Gros oignons doux coupés en 2 et très finement émincés	2
Gousses d'ail taillées en lamelles	4 ou 5
Brins de thym, de sarriette et d'origan (ou une pincée de chaque herbe séchée)	3 ou 4
Graines de coriandre	½ cuillerée à café
Sel et poivre	
Vin blanc sec	15 cl

Rincez les courgettes, épongez-les, parez les extrémités et partagez-les en deux dans le sens de la longueur. Posez chaque moitié sur une planche, côté peau vers le haut, et découpez des tranches longitudinales de 5 mm d'épaisseur sans les séparer du côté de la tige afin de pouvoir les écarter légèrement en éventail en les conservant intactes. Glissez une ou deux tranches de tomates entre les « branches » des éventails.

Huilez légèrement un grand plat à four peu profond et foncez-le avec la moitié de l'oignon et de l'ail. Disposez les éventails côte à côte dans le plat, côté peau vers le haut, en les serrant légèrement. Insérez les brins d'herbes çà et là dans les interstices ou saupoudrez-en la surface. Parsemez uniformément de coriandre, salez, poivrez, répartissez le reste d'oignon et d'ail à la surface, pressez fermement avec la paume, arrosez généreusement d'huile d'olive et mouillez avec le vin blanc. (Le contenu du plat doit baigner dans l'huile et le vin un peu plus qu'à mi-hauteur.) Couvrez d'une feuille de papier d'aluminium et portez à ébullition (si votre plat est en terre, protégez-le de la flamme par une plaque isolante). Mettez ensuite le plat au four préchauffé à 190°C (5 au thermostat) 30 minutes environ, jusqu'à ce que les courgettes soient juste tendres (elles resteront légèrement fermes à cause de l'acidité du vin blanc). Laissez reposer 30 bonnes minutes au chaud (dans le four éteint, par exemple) et servez directement dans le plat.

RICHARD OLNEY
SIMPLE FRENCH FOOD

Chou rouge au vin rouge

Rotkraut

L'auteur recommande de servir ce plat avec du jambon fumé cuit au four, du porc rôti ou des saucisses de porc et conseille de le cuire le matin ou la veille et de le réchauffer soigneusement.

Pour 6 à 8 personnes

Chou rouge débarrassé des grosses feuilles extérieures	1 à 1,500 kg
Vin rouge	30 cl
Saindoux	90 g
Petit oignon haché menu	1
Vinaigre de vin	2 cuillerées à soupe
Sel et poivre	
Pommes à cuire pelées, évidées et émincées	2
Sucre en poudre	2 cuillerées à soupe
Feuille de laurier	1
Lanière de zeste de citron	1

Ciselez le chou et mettez-le dans une passoire. Mettez la passoire sous le robinet d'eau froide, lavez le chou et laissez-le égoutter. Dans une casserole à fond épais contenant le saindoux fondu à feu modéré, faites cuire l'oignon 2 minutes environ sans le laisser dorer. Ajoutez le vinaigre et le chou. Assaisonnez selon le goût. Faites cuire le chou quelques minutes en remuant délicatement. Ajoutez les pommes et saupoudrez de sucre.

Mouillez avec le vin et ajoutez le laurier et le zeste de citron. Baissez le feu, couvrez hermétiquement et laissez cuire pendant 1 heure à feu doux ou de 2 à 3 heures au four préchauffé à 150°C (2 au thermostat). Jetez le laurier et le zeste de citron et vérifiez l'assaisonnement avant de servir.

ROSL PHILPOT
VIENNESE COOKERY

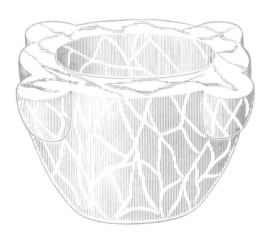

Choucroute au vin blanc

Weinkraut

N'importe quel vin blanc, plutôt léger et sec, d'un modeste non millésimé à un très bon Riesling, fait de la choucroute un plat presque noble.

Pour 4 personnes

Choucroute	750 g
Vin blanc sec	20 cl
Beurre	30 g
Saindoux	30 g
Petit oignon haché menu	1
Graines de carvi écrasées	½ cuillerée à café
Petite feuille de laurier	1
Sel et poivre	
Bouillon *(page 166)*	20 cl
Pomme de terre	1

Égouttez soigneusement la choucroute. Dans une casserole contenant le beurre et le saindoux préalablement fondus à feu modéré, faites fondre l'oignon 2 minutes sans le laisser dorer. Ajoutez deux cuillerées à soupe de vin et laissez frémir de 1 à 2 minutes. Ajoutez la choucroute, le carvi, le laurier et une pincée de sel. Baissez le feu et mélangez intimement avec une cuillère en bois. Ajoutez encore deux cuillerées à soupe de vin et autant de bouillon et laissez cuire à feu doux et couvert de 1 heure à 2 heures. Continuez à mouiller avec du vin et du bouillon toutes les dix minutes, jusqu'à ce qu'il n'en reste plus. Râpez la pomme de terre et ajoutez-la 20 minutes avant la fin de la cuisson. L'oignon, le carvi et la pomme de terre doivent pratiquement se dissoudre. Enlevez le laurier avant de rectifier l'assaisonnement. Empilez la choucroute sur un plat de service chaud.

ROSL PHILPOT
VIENNESE COOKERY

Brocolis de Romagne

Broccoli alla romagna

Dans cette recette, vous pouvez préparer des bouquets de chou-fleur de la même manière.

Pour 4 à 6 personnes

Brocolis	750 g
Gousses d'ail écrasées	2
Huile d'olive	7 cuillerées à soupe
Sel et poivre noir du moulin	
Vin blanc sec	30 cl

Faites dorer l'ail dans l'huile chaude, à feu modéré. Ajoutez les brocolis un par un et faites-les revenir de 4 à 5 minutes, en remuant de temps en temps. Assaisonnez selon le goût. Ajoutez le vin et une quantité d'eau suffisante pour couvrir à peine les légumes. Portez à ébullition, couvrez et laissez cuire 25 minutes environ. Jusqu'à ce que les brocolis soient juste tendres. Égouttez-les soigneusement avant de les servir.

AUDREY ELLIS
WINE LOVERS COOKBOOK

Matelote de pommes de terre

Pour 4 personnes

Pommes de terre coupées en rondelles	750 g
Petits oignons	250 g
Beurre	30 g
Farine	1 cuillerée à soupe
Vin blanc sec	15 cl
Bouillon *(page 166)*	15 cl
Bouquet garni	1

Mettez dans une poêle les petits oignons que vous faites revenir au beurre (à feu doux), farinez. Mouillez de vin blanc et de bouillon, ajoutez les pommes de terre, le bouquet garni, cuisez environ 25 minutes (à couvert) et servez.

MAURICE ET GERMAINE CONSTANTIN WEYER
LES SECRETS D'UNE MAÎTRESSE DE MAISON

Les Desserts

Poires au vin, au four

Baked Fresh Pears Vin

Pour 4 personnes

Poires	4
Vin blanc sec	25 cl
Sirop d'érable	2 cuillerées à soupe
Sucre en poudre	1 cuillerée à soupe

Coupez les poires en deux dans le sens de la longueur sans les peler. Évidez-les et mettez-les dans une cocotte, côté peau vers le bas. Remplissez de vin la partie évidée de chaque poire et nappez-les de sirop d'érable. Saupoudrez-les de sucre et mettez-les au four préchauffé à 180°C (4 au thermostat) 20 minutes environ, jusqu'à ce qu'elles soient tendres.

FRANCES D. ET PETER J. ROBOTTI
FRENCH COOKING IN THE NEW WORLD

Poires au vin rouge

Pere al vino rosso

Pour réussir cette recette, il est essentiel de prendre des poires de bonne qualité, juste mûres.

Pour 6 personnes

Poires	6
Vin rouge	50 cl
Sucre en poudre	75 g
Cannelle en poudre	1 pincée
Orange, zeste paré	1
Citron, zeste paré	1
Clous de girofle	4

Mettez les poires dans une casserole profonde. Saupoudrez-les de deux cuillerées à soupe de sucre. Ajoutez la cannelle, le zeste d'orange et de citron et les clous de girofle. Versez le vin sur les fruits et ajoutez le reste de sucre. Faites cuire à découvert et à feu doux jusqu'à ce que tout le vin se soit évaporé. Servez.

LEONE BOSI
DOLCI PER UN ANNO

Salade de fruits rouges, accompagnée de sorbet melon au Porto

L'auteur conseille d'utiliser des melons de Cavaillon.

Pour 6 personnes

Framboises	600 g
Groseilles	200 g
Baies de cassis	50 g
Fraises des bois	200 g
Fraises	200 g
Cerises	200 g
Sucre en poudre	200 g environ
Citrons, jus passé	2
Melons chair évidée	800 g
Porto	10 cl
Feuilles de menthe	

Prendre les framboises, les passer au mixer avec 100 g de sucre et le jus d'un citron. Passer au tamis ou chinois. Laver les autres fruits sans les laisser séjourner dans l'eau, égrapper les groseilles, équeuter les fraises, dénoyauter les cerises, mélanger tous les fruits au coulis de framboise. Mettre au réfrigérateur.

Dans une casserole, mettre 70 g ou 100 g de sucre selon la qualité du melon (avec le melon), ajouter le Porto. Lorsque le tout commence à frémir, laisser cuire 5 minutes. Une fois refroidi, mixer avec le jus d'un citron. Mettre dans la sorbetière, ou bac à glace en inox si vous n'avez pas de sorbetière.

Présenter en coupes individuelles ou dans un saladier, ce qui est aussi très joli, disposer de belles boules de sorbet sur le dessus des fruits, piquer 2 feuilles de menthe sur chaque boule.

DANIEL BOUCHÉ
INVITATION À LA CUISINE BUISSONNIÈRE

Pêches au Recioto

Pesche al Recioto

Le Recioto di Valpolicella recommandé par l'auteur pour cette recette est un vin rouge assez doux, de dessert, que vous pouvez remplacer par un autre vin doux.

Pour 4 personnes

Pêches mûres pelées	4
Recioto di Valpolicella	35 cl
Sucre semoule	60 g
Citron, jus passé	½

Coupez les pêches en quartiers, mettez-les sur un plat de service, saupoudrez-les de sucre et arrosez-les de jus de citron. Mettez-les au réfrigérateur pendant 2 heures 30 minutes. Versez le vin sur les pêches avant de les servir.

GIORGIO GIOCO
LA CUCINA SCALIGERA

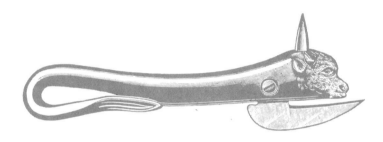

Gelée au Bordeaux

Claret Jelly

Pour 6 personnes

Bordeaux jeune ou autre vin rouge	25 cl
Gelée de groseilles	250 g
Sucre en poudre	125 g
Lanière de zeste de citron	1
Eau bouillante	25 cl
Gélatine en poudre ramollie dans 4 cuillerées à soupe d'eau froide pendant 5 minutes	2 cuillerées à soupe
Cognac	2 cuillerées à soupe

Dans une casserole, faites fondre la gelée de groseilles avec le sucre, le zeste de citron et l'eau bouillante à feu doux, en remuant. Portez à ébullition. Hors du feu, incorporez la gélatine en remuant jusqu'à ce qu'elle soit complètement dissoute. Passez le mélange et ajoutez le Cognac et le Bordeaux. Rincez un moule à l'eau froide, versez-y le mélange et mettez-le au réfrigérateur jusqu'à ce qu'il ait pris en gelée. Démoulez et servez.

CORA, ROSE ET BOB BROWN
THE WINE COOKBOOK

Pêches et amandes au Brouilly

Les amandes fraîches sont des amandes jeunes cueillies pendant que l'écorce est encore tendre et verte. Vous pouvez les remplacer par des amandes effilées, mais le résultat sera moins bon.

Pour 4 personnes

Pêches blanches mûres, pelées	1 kg
Amandes fraîches décortiquées, mondées et coupées en 2	24
Beaujolais (Brouilly de préférence)	25 cl
Framboises réduites en purée au tamis	200 g
Sucre semoule	150 g

Couper les pêches en huit en partant de l'extérieur vers le noyau. Les réunir dans un saladier. Verser le vin rouge additionné de la purée de framboises sur les pêches, ajouter le sucre et réserver au frais 1 heure environ. Répartir en portions égales les pêches dans quatre grands verres à bourgogne très frais. Parsemer les amandes fraîches sur le dessus et consommer avec des cuillères à dessert. Si l'on n'a pas de grand verre, on peut les dresser dans des ramequins encastrés dans de la glace pilée.

JEAN ET PIERRE TROISGROS
CUISINIERS À ROANNE

Pêches au vin rouge dites à la bordelaise

Servir avec des tranches de brioche saupoudrées de sucre, vivement glacées au four.

Pour peler des pêches et les faire pocher dans du vin rouge, reportez-vous aux explications données à la page 76. Dans cette recette, on fait bouillir le vin avec le sucre avant d'y mettre les pêches à pocher. Vous pouvez obtenir le même résultat en mélangeant tous les ingrédients en même temps.

Pour 4 personnes

Pêches pelées et coupées en 2	4
Bordeaux rouge	30 cl
Sucre en poudre	100 g
Bâton de cannelle	2,5 cm

Saupoudrer les moitiés de pêches de sucre et les faire macérer pendant 1 heure dans ce sucre. Mettre à bouillir, dans un poêlon de cuivre, le vin rouge additionné du reste de sucre et de la cannelle. Baisser le feu et mettre à pocher dans ce vin les moitiés de pêche (30 minutes environ). Dès que les fruits sont cuits, les égoutter, les dresser dans une coupe en cristal.

Les arroser avec le sirop de cuisson réduit. Laisser refroidir.

PROSPER MONTAGNÉ
NOUVEAU LAROUSSE GASTRONOMIQUE

Sorbet au Mercurey et au cassis

L'auteur de cette recette recommande de choisir un Mercurey. A défaut, prenez un autre Bourgogne rouge. Pour congeler le sorbet selon une méthode différente, reportez-vous aux explications données à la page 77.

Pour 6 à 8 personnes

Bouteille de Mercurey	1
Baies de cassis, 20 réservées	330 g
Sucre en poudre	200 g
Orange, zeste finement paré et jus passé	1
Citron, zeste finement paré et jus passé	1
Feuilles de cassissier	3 à 5
Liqueur de cassis (facultatif)	

Mettre dans une casserole le vin, ajouter les 200 g de sucre, le zeste de l'orange et citron. Faire bouillir; ajouter 300 g de grains de cassis et les feuilles de cassissier, remettre à bouillir pendant 5 minutes. Passer à la grille moyenne (utiliser votre moulinette à purée) de façon que les pépins et peaux puissent filtrer, laisser ainsi pendant quelques heures. Passer au chinois en pressant bien, il ne doit plus rester qu'une petite boule de peaux et de pépins dans le fond du chinois. Ajouter le jus de citron et de l'orange, vérifier que ce mélange n'est pas trop sucré, sinon ajouter un verre d'eau. Mettre la préparation dans la sorbetière. Dès qu'elle est prise, ajouter les grains de cassis réservés. Si vous aimez, arroser de liqueur de cassis.

DANIEL BOUCHÉ
INVITATION À LA CUISINE BUISSONNIÈRE

Sorbet au Champagne

Champagne Water Ice

À défaut de Champagne, vous pouvez choisir pour cette recette un vin mousseux ou pétillant.

Pour faire un sorbet au Champagne, reportez-vous page 77.

Pour 6 à 8 personnes

Bouteille de Champagne rafraîchie	1
Morceaux de sucre	6
Citrons non traités	6
Sirop de sucre préparé avec 250 g de sucre en poudre et 15 cl d'eau et refroidi *(page 167)*	25 cl

Frottez les morceaux de sucre contre les citrons pour les imprégner de l'huile et du parfum des zestes. Pressez les citrons, passez le jus obtenu dans une terrine et faites fondre les morceaux de sucre parfumé dedans. Ajoutez le Champagne et le sirop refroidi, selon le goût. Versez la composition dans des bacs à glace en métal peu profonds que vous mettez 30 minutes environ au congélateur. Sortez les bacs. Avec une fourchette ou une cuillère, ramenez les bords glacés vers le centre, en brisant les gros cristaux qui se sont formés. Remettez les bacs au congélateur et répétez cette opération toutes les heures. Après 3 à 4 heures de congélation, raclez le sorbet dans une terrine et fouettez-le légèrement: il doit avoir une texture assez liquide. Servez-le dans des verres rafraîchis.

G.A. JARRIN
THE ITALIAN CONFECTIONER

Sorbet aux capucines

Nasturtium Ice

Pour 6 personnes

Fleurs de capucine	30
Sucre en poudre	500 g
Eau	1 litre
Citrons, jus passé	3
Bordeaux ou autre vin rouge	4 cuillerées à soupe

Dans un mortier, pilez vingt-quatre fleurs de capucine avec deux ou trois cuillerées à soupe de sucre. Faites bouillir le reste de sucre dans l'eau 5 minutes. Hors du feu, incorporez le jus de citron et la pâte de capucines au sirop obtenu. Laissez refroidir ce mélange puis passez-le et mettez-le au congélateur jusqu'à ce qu'il soit partiellement gelé. Ajoutez le Bordeaux et remettez au congélateur, en remuant de temps en temps. Servez ce sorbet dans des verres et garnissez avec le reste de capucines.

CORA, ROSE ET BOB BROWN
THE WINE COOKBOOK

Crêpes riches

Rich Pancakes

A l'origine, on faisait cette recette avec du vin des Canaries, vin de liqueur du bassin méditerranéen, très répandu en Grande-Bretagne du XVe au XVIIe siècle. Vous pouvez le remplacer par du Xérès doux ou un autre vin doux naturel.

Pour 10 personnes

Crème fraîche épaisse	60 cl
Xérès doux	30 cl
Jaunes d'œufs	18
Sucre en poudre	250 g
Cannelle en poudre	1 cuillerée à café
Noix de muscade râpée	¼
Macis en poudre	2 pincées
Farine	250 g
Beurre clarifié fondu ou huile	250 g

Dans une terrine, battez vigoureusement la crème avec le Xérès, les jaunes d'œufs, le sucre et les épices. Incorporez progressivement la farine: la pâte doit être fluide. Dans une poêle à fond épais, faites chauffer 15 g de beurre ou d'huile. Versez-y une louche de pâte. Faites dorer cette crêpe sur chaque face. Répétez l'opération jusqu'à épuisement de la pâte.

WILL RABISHA
THE WHOLE BODY OF COOKERY DISSECTED

Sabayon froid

Zabaione freddo

Vous pouvez remplacer l'extrait de vanille par 1 ou 2 cuillerées de sucre vanillé que vous obtiendrez en conservant du sucre en poudre avec une gousse de vanille dans un bocal fermé.

Pour 6 personnes

Jaunes d'œufs	6
Sucre en poudre	180 g
Vin de Marsala	20 cl
Citron, zeste râpé	½
Cannelle en poudre	1 pincée
Extrait de vanille	
Crème fraîche fouettée	30 cl
Biscuits à la cuillère ou biscuits aux amandes	
Fraises ou cerises	

Dans une casserole placée au bain-marie, fouettez les jaunes d'œufs avec le sucre, le Marsala, le zeste de citron, la cannelle et une goutte d'extrait de vanille, à feu modéré, jusqu'à ce que le mélange commence à épaissir. A feu plus vif, continuez à fouetter jusqu'à ce que le mélange ait une consistance crémeuse, pendant 10 minutes environ. Enlevez du feu et laissez refroidir. Incorporez alors 20 cl de crème fouettée au sabayon froid et versez-le dans des coupes. Disposez des biscuits autour de chacune des coupes et couvrez chaque sabayon d'un peu de crème fouettée surmontée d'une fraise ou d'une cerise.

LEONE BOSI
DOLCI PER UN ANNO

Tarte à l'ananas

Tart of the Ananas or Pineapple

A l'origine, on confectionnait cette recette avec du vin des Canaries, vin de liqueur du bassin méditerranéen, très répandu en Grande-Bretagne du XVe au XVIIe siècle. Il peut être remplacé par du Xérès doux ou un autre vin doux naturel.

Pour 6 personnes

Gros ananas épluché et débarrassé du cœur dur, coupé en tranches de 1 cm d'épaisseur	1
Madère	1 cuillerée à soupe
Sucre en poudre	60 g
Crème fraîche (facultatif)	20 cl

Pâte sucrée:

Farine	250 g
Sucre semoule	30 g
Beurre raffermi coupé en dés	125 g
Lait	2 cuillerées à soupe
Xérès doux	1 cuillerée à soupe
Cognac	1 cuillerée à soupe

Pour la pâte, mettez la farine et le sucre dans une terrine. Amalgamez le beurre jusqu'à ce que la préparation ait l'apparence de miettes de pain. Incorporez le lait, le Xéres et le Cognac en mélangeant avec une fourchette. Travaillez la pâte en boule et enveloppez-la dans un film de plastique ou dans une feuille de papier paraffiné et mettez-la 1 heure au réfrigérateur ou 20 minutes au congélateur, jusqu'à ce que la surface soit gelée.

Abaissez la pâte et foncez un moule à tarte graissé de 23 cm de diamètre. Faites-la cuire à blanc 15 minutes au four préchauffé à 200°C (6 au thermostat).

Faites chauffer les tranches d'ananas avec le Madère et le sucre à feu doux pendant 10 minutes, jusqu'à ce que le vin soit parfumé. Enlevez du feu et laissez refroidir avant de verser le tout sur le fond de tarte. Mettez au four préchauffé à 200°C (6 au thermostat) 20 minutes environ, jusqu'à ce que la surface de l'ananas commence à dorer. Sortez la tarte du four et nappez-la de crème, selon le goût. Servez-la chaude ou froide.

RICHARD BRADLEY
THE COUNTRY HOUSEWIFE AND LADY'S DIRECTOR

Crème au Sauternes

Sauternes Custard Sauce

Dans cette recette, vous pouvez remplacer le Sauternes par d'autres vins blancs liquoreux de Bordeaux comme le Cérons et le Sainte-Croix-du-Mont.

Pour 4 personnes

Sauternes	18 cl
Sucre en poudre	
Jaunes d'œufs battus	4
Crème fraîche	6 cl
Kirsch	2 cuillerées à café

Versez le vin dans une casserole placée au-dessus d'une autre casserole d'eau chaude et sucrez selon le goût. Mettez à feu doux. Quand le vin est chaud, incorporez peu à peu les jaunes d'œufs avec une cuillère en bois. Continuez à remuer sur feu doux jusqu'à ce que la crème nappe le dos de la cuillère. Ne la laissez surtout pas bouillir car les œufs se décomposeraient en grumeaux. Enlevez la casserole de dessus. Incorporez la crème puis le Kirsch, en remuant. Servez sur des fruits cuits ou au sirop.

JEANNE OWEN
A WINE LOVER'S COOK BOOK

Crème au vin du Rhin

Rhenish Wine Cream

Pour 6 personnes

Vin du Rhin (ou, à défaut, d'Alsace)	60 cl
Bâton de cannelle	1
Sucre en poudre	250 g
Œufs	7
Citron, jus passé	1
Eau de fleur d'oranger	4 cuillerées à soupe
Ecorces confites (ou 2 cuillerées à soupe de sucre semoule, ou 60 g de biscuits à la cuillère émiettés)	60 g

Faites bouillir le vin avec la cannelle et le sucre 10 minutes. Pendant ce temps, fouettez vigoureusement les œufs. Retirez le mélange au vin du feu, laissez-le tiédir quelques minutes pour qu'il ne coagule pas les œufs et incorporez-le progressivement aux œufs avec un fouet. Fouettez rapidement, jusqu'à ce que la crème obtenue soit assez épaisse pour être soulevée avec la pointe d'un couteau, sans la laisser faire de grumeaux. Ajoutez le jus de citron et l'eau de fleur d'oranger. Versez cette crème au vin dans un plat de service et garnissez-la d'écorces confites, de sucre semoule ou de biscuits émiettés avant de servir.

P. LAMB
ROYAL COOKERY: OR THE COMPLEAT COURT COOK BOOK

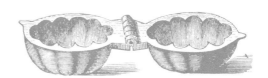

Bagatelle

Trifle

Pour 10 à 12 personnes

Macarons	125 g
Biscuits aux amandes	125 g
Vin blanc doux ou Xérès	15 cl
Gelée de groseilles, ou fruits, ou fleurs confits	

Syllabub:

Crème fraîche	25 cl
Vin blanc sec	15 cl
Citron ou bigarade, jus passé	1
Citron, zeste râpé	1
Sucre semoule	250 g

Crème anglaise:

Lait ou crème fleurette	60 cl
Sucre semoule	100 g
Jaunes d'œufs battus	4

Mettez les ingrédients du *syllabub* dans une terrine et fouettez vigoureusement. Quand une mousse se forme à la surface, enlevez-la avec une écumoire et faites-la égoutter dans un tamis. Continuez à fouetter jusqu'à ce que tout l'appareil ait été transformé en mousse ferme et mettez-le à égoutter. Réservez au frais. Disposez les macarons et les biscuits aux amandes au fond d'une grande coupe en verre et arrosez-les de vin blanc doux ou de Xérès. Réservez.

Pour la crème anglaise, faites chauffer le lait ou la crème juste en dessous du point d'ébullition et enlevez du feu. Ajoutez le sucre, incorporez les jaunes d'œufs et faites épaissir de 10 à 15 minutes à feu très doux, sans cesser de remuer. Versez la crème sur les biscuits et laissez refroidir. Avec une cuillère, coiffez l'entremets du *syllabub* égoutté et garnissez de gelée de groseilles, ou de fruits ou de fleurs confits.

RICHARD BRIGGS
THE ENGLISH ART OF COOKERY

Préparations de base

Fond de veau

Pour obtenir un fond plus gélatineux, ajoutez un pied de veau nettoyé, fendu, blanchi 5 minutes à l'eau bouillante et rincé, ainsi que 250 g environ de couennes de porc blanchies et rincées.

Pour 2 à 3 litres

Jarret de veau scié en morceaux de 5 cm	1
Parures de veau charnues (collet, jarret ou tendrons)	2 kg
Dos, cous, pattes et ailerons de volaille	1 kg
Eau	3 à 5 litres
Bouquet garni avec du poireau et du persil	1
Tête d'ail	1
Oignons moyens dont 1 piqué de 2 clous de girofle	2
Grosses carottes	4
Sel	

Mettez une grille ronde au fond d'une marmite pour que les ingrédients n'attachent pas. Placez les os, les parures de veau et les morceaux de volaille dans la marmite et couvrez-les de 5 cm d'eau environ. Portez lentement à ébullition et écumez avec une cuillère, en ajoutant un verre d'eau froide de temps en temps, pendant 10 à 15 minutes environ, jusqu'à ce qu'il n'y ait plus d'écume qui monte à la surface.

Ajoutez ensuite le bouquet garni, l'ail, les oignons, les carottes et du sel et écumez encore une fois à la reprise de l'ébullition. Baissez le feu, couvrez à moitié et laissez frémir pendant au moins 6 heures.

Passez le bouillon dans une passoire garnie d'une mousseline humide et placée au-dessus d'une terrine. Laissez-le entièrement refroidir avant d'enlever les dernières traces de graisse avec une écumoire puis d'éponger avec une serviette en papier. Si vous avez mis le bouillon au réfrigérateur, enlevez délicatement la couche de graisse solidifiée.

Bouillon de bœuf: ajoutez 2 kg de queue de bœuf, de gîte ou de macreuse et laissez frémir de 6 à 7 heures.

Fond de volaille: doublez les quantités de volaille ou pochez une poule dans du fond de veau de 1 heure 30 minutes à 3 heures, selon l'âge du volatile.

Consommé: Ajoutez au bouillon de bœuf ou au fond de volaille une quantité égale d'eau.

Fumet de poisson

Pour 2 litres environ

Têtes, arêtes et parures de poisson rincées et hachées ou coupées en morceaux	1 kg
Gros oignon émincé	1
Carotte émincée	1
Poireau émincé	1
Branche de céleri émincée	1
Brin de thym	1
Feuille de laurier	1
Eau	2 litres environ
Sel	
Vin blanc	50 cl

Mettez les légumes et les herbes aromatiques au fond d'une grande casserole et posez les morceaux de poisson dessus. Couvrez d'eau et salez légèrement. Portez à frémissement à feu doux, en dépouillant avec une grande cuillère peu profonde, jusqu'à ce qu'il n'y ait plus d'écume qui monte à la surface. Couvrez la casserole à moitié et laissez frémir 15 minutes.

Ajoutez le vin, faites reprendre l'ébullition et laissez frémir encore 15 minutes, à demi-couvert. Passez le fumet obtenu à travers une passoire garnie d'une mousseline humide et placée au-dessus d'une terrine. Laissez-le égoutter mais ne pressez pas les matières solides car elles troubleraient le liquide. Vous pouvez utiliser ce fumet comme liquide de pochage.

Beurre blanc

Pour 30 à 40 cl environ

Vin blanc sec	6 cuillerées à soupe
Vinaigre de vin blanc	6 cuillerées à soupe
Echalotes hachées menu	3
Sel et poivre	
Beurre frais, raffermi et coupé en noisettes	250 à 400 g

Dans une casserole à fond épais, en inox ou en émail, faites bouillir le vin et le vinaigre avec les échalotes et une pincée de sel jusqu'à évaporation presque totale. Laissez refroidir quelques minutes hors du feu. Poivrez. Mettez la casserole sur une plaque d'amiante, à feu très doux, et incorporez le beurre en battant au fouet, par fractions, jusqu'à ce que la sauce commence à prendre une consistance crémeuse. Enlevez la casserole du feu dès que tout le beurre a été incorporé.

Sirop de sucre

Avec les proportions ci-dessous, vous obtiendrez un sirop léger. Si vous le voulez épais, comptez 350 g de sucre pour 60 cl d'eau et plus épais encore, mettez 500 g de sucre pour 60 cl d'eau.

Pour 75 cl environ

Sucre en poudre	250 g
Eau	60 cl

Dans une casserole, faites fondre le sucre dans l'eau à feu doux, en remuant de temps en temps. Portez à ébullition à feu plus vif et laissez cuire quelques secondes sans remuer. Si les parois de la casserole ont été éclaboussées pendant la cuisson, enlevez les cristaux qui se sont collés à l'aide d'un pinceau trempé dans de l'eau chaude.

Sauté de morue, pommes de terre et œufs durs persillade

Pour 4 personnes

Morue dessalée 24 heures au moins dans de l'eau renouvelée plusieurs fois, pochée dans de l'eau fraîche avec 1 feuille de laurier et 1 brin de thym puis effeuillée, arêtes et peau jetées	750 g
Pommes de terre cuites à l'eau dans leur peau, pelées et coupées en tranches épaisses pendant qu'elles sont encore chaudes	1 kg
Œufs durs coupés en morceaux	4
Gousses d'ail pilées en purée	2 ou 3
Persil haché	4 cuillerées à soupe
Huile d'olive	25 cl
Poivre et sel (facultatif)	

Mélangez intimement l'ail avec le persil, ajoutez les œufs et incorporez délicatement la moitié de l'huile d'olive. Mettez les pommes de terre chaudes dans le reste d'huile à feu vif, mélangez avec la morue et incorporez délicatement la sauce aux œufs. Poivrez généreusement, salez légèrement si la morue n'est pas trop salée, dressez sur un plat chaud et servez.

Salade de queues d'écrevisses à l'aneth

Pour 4 à 6 personnes

Belles écrevisses vivantes lavées	36
Aneth haché menu	1 cuillerée à soupe
Sel et poivre	
Citron moyen, jus passé	1
Crème fraîche épaisse	25 cl
Laitue moyenne	1

Court-bouillon au vin blanc:

Vin blanc sec	50 cl
Eau	50 cl
Sel marin	1 cuillerée à soupe
Poivre de Cayenne	1 pincée
Assortiment d'herbes	½ cuillerée à café
Feuille de laurier	1
Bouquet garni avec du persil et de l'aneth frais	1
Gros oignon émincé	1
Carotte moyenne émincée	1
Grains de poivre	8 à 10

Pour le court-bouillon, portez le vin et l'eau à ébullition dans un fait-tout. Ajoutez le sel, le cayenne, les herbes, le laurier, le bouquet garni, l'oignon et la carotte. Couvrez et laissez frémir 30 minutes à feu modéré en ajoutant le poivre au bout de 20 minutes. Ajoutez la moitié des écrevisses, couvrez hermétiquement et laissez-les cuire 8 minutes, en secouant le fait-tout de temps en temps. Avec une écumoire, mettez-les dans une terrine et faites cuire l'autre moitié. Faites refroidir toutes les écrevisses dans le court-bouillon.

Réservez les six écrevisses les plus grosses et les mieux formées pour la garniture, dans un peu de court-bouillon. Détachez la queue des autres, décortiquez-les et réservez-les en les immergeant dans du court-bouillon.

Dans un mortier, pilez les têtes, les pinces et le corail de quatre ou cinq écrevisses à la fois. Passez chaque lot de pâte obtenu à la grille moyenne du moulin à légumes et, quand tout le jus a été extrait, jetez les débris. Quand vous avez tout pilé et réduit en purée, passez au tamis fin par petites quantités.

Réservez le tiers de l'aneth pour la garniture et mélangez le reste avec du sel, du poivre et le jus de citron. Ajoutez la crème, mélangez intimement et incorporez au fouet la purée d'écrevisses. Goûtez l'assaisonnement et salez et citronnez davantage si besoin est. Tapissez entièrement un grand saladier de service avec les feuilles de laitue. Égouttez les queues d'écrevisses et répartissez-les sur la laitue. Versez la sauce sur cette salade, disposez symétriquement les écrevisses entières réservées tout autour et parsemez du reste d'aneth.

Cervelas de fruits de mer aux pistaches

Pour nettoyer les boyaux après les avoir fait tremper, glissez un entonnoir à une extrémité et faites-y couler de l'eau froide ou fixez le boyau au robinet d'eau froide et rincez. Servez ces cervelas avec un beurre blanc *(recette page 166)*.

Pour 4 à 6 personnes

Petit filet de sole coupé en dés passés quelques secondes au beurre jusqu'à ce qu'ils soient fermes	1
Queues de crevettes roses, queue de langouste ou coquilles Saint-Jacques pochées et coupées en dés	100 g
Grains de poivre vert	1 cuillerée à soupe
Pistaches décortiquées et concassées	30 g
Boyaux de bœuf trempés pendant 2 heures dans de l'eau tiède citronnée ou vinaigrée, renouvelée plusieurs fois	

Mousseline de poisson :

Filets de poisson à chair blanche (merlan, brochet ou lotte) hachés	250 g
Sel et poivre	
Gros blanc d'œuf	1
Crème fraîche	25 cl

Pour la mousseline, pilez le poisson avec un pilon pour former une purée homogène. Salez et poivrez. Incorporez peu à peu le blanc d'œuf, en pilant après chaque addition. Vous pouvez aussi passer le poisson au mixeur, ajouter l'assaisonnement et le blanc d'œuf et mixer encore. Passez la purée au tamis par petites quantités. Tassez-la dans un récipient en métal et couvrez-la d'un film de plastique. Mettez le récipient dans une terrine remplie de glace pilée 1 heure au moins au réfrigérateur.

Sortez la purée du réfrigérateur. Videz la glace fondue de la terrine et renouvelez-la. Avec une cuillère en bois, incorporez un peu de crème fraîche à la purée, en battant vigoureusement. Remettez le tout 15 minutes au réfrigérateur. Continuez à incorporer ainsi la moitié environ de la crème, en remettant chaque fois la purée 15 minutes au réfrigérateur et en renouvelant la glace pilée fondue. Dès que l'appareil est assez souple, battez-le vigoureusement et remettez-le quelques minutes au réfrigérateur avant d'incorporer le reste de crème légèrement fouetté. Réservez cette mousseline au réfrigérateur et n'attendez pas trop longtemps avant de l'utiliser.

Laissez refroidir la sole et les crevettes. Sortez la mousseline du réfrigérateur et mettez-la sur une terrine de glace pilée. Incorporez la sole, les crevettes, le poivre vert et les pistaches. Mélangez intimement.

Remplissez de mousseline une poche à douille et faites glisser sur l'embout un boyau de bœuf, en laissant 7,5 cm à l'extrémité. Remplissez le boyau sans trop tasser pour obtenir un cervelas de la longueur désirée. Libérez un autre tronçon de 7,5 cm et coupez. Nouez les deux bouts de boyau libre et coupez près des nœuds. Piquez les cervelas sur toute leur surface avec une aiguille à brider. Mettez-les dans une casserole d'eau froide salée. Couvrez à moitié et faites chauffer à feu doux pour amener l'eau à la limite du frémissement. Maintenez cette température et laissez pocher les cervelas 20 minutes pour les raffermir. Sortez-les de la casserole et coupez-les en tranches, en diagonale. Servez sur des assiettes chaudes.

Fricandeau de veau

Pour 6 à 8 personnes

Noix de veau coupée en une longue tranche épaisse dans le sens du fil et dégraissée ou parée du cartilage ou de la membrane	1,500 kg
Lard gras coupé en lardons longs et minces	200 g
Oignon(s) haché(s)	1 ou 2
Carotte(s) hachée(s)	1 ou 2
Vin blanc sec	25 cl
Fond de veau chaud *(page 166)*	25 cl
Sel	

Avec une aiguille à larder, piquez les lardons dans le veau en tirant juste assez pour faire un seul point. Coupez les bouts qui dépassent avec des ciseaux. Répétéz ces opérations en piquant un lardon à la fois et en les disposant en rangs.

Dans une grande braisière ou une cocotte, faites cuire les oignons et les carottes à couvert au four préchauffé à 220°C (7 au thermostat) 30 minutes environ, jusqu'à ce qu'ils commencent à dorer. Sortez la braisière du four, mettez le veau sur les légumes et remettez le tout au four, sans couvrir, 10 minutes environ, jusqu'à ce que la viande se raffermisse un peu et blanchisse. Mettez la braisière sur la cuisinière, mouillez avec le vin blanc, faites réduire à feu vif et ajoutez le fond de veau chaud.

Couvrez le fricandeau de papier sulfurisé beurré, mettez le couvercle de la braisière et faites cuire 3 heures 30 minutes au four préchauffé à 150°C (2 au thermostat). Une heure avant la fin, augmentez la température à 200°C (6 au thermostat) et découvrez pour que la viande commence à dorer. Mouillez-la très souvent avec le fond de braisage. Prenez les deux tiers de ce fond et faites-les réduire à glace dans une casserole. Continuez à arroser la viande avec cette glace pour lui donner un beau glaçage ambré. Retirez-la et tenez-la au chaud. Passez le fond de braisage dans une casserole, dégraissez-le et faites-le frémir, à moitié hors du feu. Dépouillez les impuretés qui se forment sur le côté de la casserole hors du feu. Laissez frémir la sauce en la dépouillant jusqu'à ce qu'il n'y ait plus d'impuretés à la surface et servez-la avec le fricandeau.

Petites suissesses

Vous pouvez cuire ces petits soufflés au bain-marie à l'avance.

Pour 4 à 6 personnes

Lait	25 cl
Farine	45 g
Sel et poivre blanc	
Muscade râpée	1 pincée
Beurre	60 g
Parmesan râpé	125 g
Jaunes d'œufs	3
Blancs d'œufs battus en neige	2
Crème fraîche	35 cl

Portez le lait à ébullition, laissez-le tiédir et versez-le lentement sur la farine, sans cesser de remuer pour que le mélange ne fasse pas de grumeaux. Salez, poivrez et muscadez. Faites épaissir à feu modéré, sans cesser de remuer avec une cuillère en bois. Laissez tiédir plusieurs minutes, ajoutez 15 g de beurre, un peu plus de la moitié du parmesan et les jaunes d'œufs et mélangez bien. Incorporez délicatement les blancs en neige.

Beurrez des petits moules ou des ramequins en porcelaine et remplissez-les aux deux tiers d'appareil à soufflé. Faites-les cuire au bain-marie au four préchauffé à 150°C (2 au thermostat) de 15 à 20 minutes, jusqu'à ce qu'ils soient fermes et spongieux au toucher. Passez la lame d'un couteau contre les parois des moules et démoulez soigneusement les soufflés pour ne pas les endommager sur une grande plaque.

Beurrez un plat à four ou à gratin peu profond, assez grand pour contenir les soufflés côte à côte sans qu'ils se touchent — ou à peine. Foncez-le de la moitié du reste de parmesan, posez les soufflés dessus et versez de la crème jusqu'à mi-hauteur des soufflés. Parsemez-les du reste de parmesan et faites-les cuire pendant 15 à 20 minutes au four préchauffé à 180°C (4 au thermostat), jusqu'à ce qu'ils aient presque entièrement absorbé la crème et légèrement gratiné.

Estouffade printanière

Pour que les artichauts ne noircissent pas, préparez-les au dernier moment, mettez-les immédiatement dans la casserole et faites-les tourner tout de suite pour les beurrer uniformément. Vous pouvez ajouter des mange-tout ou des fèves décortiquées, blanchis un peu avant d'enlever la casserole du feu.

Pour 4 à 6 personnes

Grosses ciboules débarrassées des tiges ou tout petits oignons blancs	500 g
Tête d'ail, gousses détachées mais non pelées	1
Artichauts tendres moyens, parés, coupés en 4 et débarrassés du foin	6
Laitue moyenne tendre, taillée en chiffonnade	1
Petites courgettes fermes émincées	500 g
Beurre	125 g
Bouquet garni avec 1 branche de céleri, du persil, une feuille de laurier et du thym	1
Sel et poivre	
Persil haché	2 cuillerées à soupe
Marjolaine hachée menu (facultatif)	1 cuillerée à soupe.

Dans une grande casserole peu profonde en cuivre ou dans un poêlon, faites fondre 40 g de beurre environ. Ajoutez les ciboules ou les oignons, l'ail et les artichauts. Enfouissez le bouquet garni au centre, parsemez de laitue, salez et couvrez hermétiquement. Laissez suer 30 minutes environ à feu très doux, en secouant de temps en temps (ou en remuant avec une cuillère en bois). Vérifiez l'humidité à intervalles réguliers : il doit y avoir un soupçon de jus légèrement sirupeux.

Si le feu est assez doux, la laitue rendra assez de liquide et il sera inutile d'ajouter de l'eau. Si les légumes cuisent dans le beurre seulement, ils risquent de prendre couleur et il faut alors incorporer deux cuillerées à soupe d'eau en secouant délicatement le contenu de la casserole.

Quand les oignons et les artichauts sont tendres, faites fondre 30 g de beurre dans une grande poêle et faites sauter les courgettes à feu vif, en secouant très souvent, pendant 5 ou 6 minutes, jusqu'à ce qu'elles soient juste tendres et à peine colorées. Ajoutez-les aux autres légumes, couvrez et laissez les saveurs se mêler de 5 à 10 minutes environ. Goûtez. Salez et poivrez généreusement. Hors du feu, ajoutez le reste de beurre coupé en noisettes. Faites tourner la casserole ou remuez délicatement les légumes jusqu'à ce que le jus ait absorbé le beurre. Jetez le bouquet garni. Parsemez l'estouffade de persil et de marjolaine, si vous en avez, et servez.

Index des recettes

Les titres des recettes françaises sont classés par catégorie (bœuf, crème, fruits, Sauternes, vin rouge, etc.) et par ordre alphabétique. Les titres des recettes étrangères figurent en italique.

Sources des recettes

Les sources des recettes qui figurent dans cet ouvrage sont énumérées ci-dessous. Les références entre parenthèses renvoient aux pages de l'Anthologie où vous trouverez les recettes.

Bize-Leroy, Lalou, *Le Nouveau Guide Gault-Millau, Connaissance des voyages*. Revue, septembre 1981. © Agence Presse-Loisirs. Édité par Jour-Azur, Paris. Avec l'autorisation de Jour-Azur *(pages 142 et 153)*.
Blanch, Lesley, *Round the World in Eighty Dishes*. Copyright Lesley Blanch. Édité par John Murray (Publishers) Limited, Londres 1956. Traduit avec l'autorisation de Lesley Blanch *(page 154)*.
Born, Wina, *Heerlijke Gerechten*. © 1972 Uitgeverij van Lindonk, Amsterdam. Édité par Uitgeverij van Lindonk. Traduit avec l'autorisation de l'auteur, Amsterdam *(page 158)*.
Bosi, Leone, *Dolci per un Anno*. © 1972 Arnoldo Mondadori Editore, Milan. Édité par Arnoldo Mondadori Editore. Traduit avec l'autorisation de Arnoldo Mondadori Editore *(pages 161 et 164)*.
Bouché, Daniel, *Invitation à la cuisine buissonnière*. © Atelier Marcel Jullian, 1979. Édité par l'Atelier Marcel Jullian, Paris. Avec l'autorisation de la Librairie Hachette, Paris *(pages 161 et 163)*.
Bradley, Richard, *The Country Housewife and Lady's Director (Parties 1 et 2)*. Éditées respectivement en 1727 et 1732. © Prospect Books 1980. Édité par Prospect Books, Londres. Traduit avec l'autorisation de l'éditeur *(page 164)*.
Briggs, Richard, *The English Art of Cookery*. 3e édition 1794. Imprimé par G.G.J. and J. Robinson, Londres *(page 165)*.
Brown, Cora, Rose et Bob, *The Wine Cookbook*. © 1934, 1941 par Cora, Rose, et Robert Carlton Brown. Édité par Little, Brown and Company, Boston. Traduit avec l'autorisation de Laura P. Brown, Wellfleet, Massachusetts *(pages 143 et 144)*.
Buonassisi, Vincenzo et Capogna, Pino, *Il Vino in Pentola*. © 1977 Arnoldo Mondadori Editore, Milan. Édité par Arnoldo Mondadori Editore. Traduit avec l'autorisation d'Arnoldo Mondadori Editore *(page 149)*.
Camps Cardona, María Dolores, *Cocina Catalana*. © Editorial Ramos Majos, 1979. Édité par Editorial Ramos Majos, Barcelone. Traduit avec l'autorisation de Editorial Ramos Majos S.A. *(page 144)*.
Clément, Gaston, *Gastronomie et folklore*. Édité par les Éditions « Le Sphinx », Bruxelles 1957 et 1971. Avec l'autorisation des Éditions « Le Sphinx » *(pages 145 et 146)*.
Constantin-Weyer, Maurice et Germaine, *Les Secrets d'une maîtresse de maison*. Première édition en 1932. Édité par les Éditions Jeanne

Laffitte, Marseille 1981. Avec l'autorisation des Éditions Jeanne Laffitte *(page 160)*.
Cùnsolo, Felice, *La Cucina del Piemonte*. © Novedit Milano. Édité par Novedit Milano, 1964 *(page 155)*.
Cutler, Carol, *The Six-minute Soufflé and other Culinary Delights*. © 1976 Carol Cutler. Édité par Clarkson N. Potter, Inc./Publisher, New York. Traduit avec l'autorisation de Crown Publishers Inc., New York *(page 146)*.
Daguin, André, *Le Nouveau Cuisinier gascon*. © 1981, Éditions Stock. Édité par les Éditions Stock, Paris. Avec l'autorisation des Éditions Stock *(pages 151 et 153)*.
Davidson, Alan, *North Atlantic Seafood*. © Alan Davidson, 1979. Édité par Macmillan Publishers Ltd., Londres, en association avec Penguin Books Ltd., Londres. Traduit avec l'autorisation de Penguin Books Ltd.
Davidson, Alan, *Mediterranean Seafood*. © Alan Davidson, 1972, 1981. Édité par Penguin Books Ltd., Londres. Traduit avec l'autorisation de Penguin Books Ltd. *(page 149)*.
Ellis, Audrey, *Wine Lovers Cookbook*. © Audrey Ellis 1975. Édité par Hutchinson & Co. (Publishers) Ltd., Londres. Traduit avec l'autorisation de Hutchinson Publishing Group *(page 160)*.
Gioco, Giorgio, *La Cucina scaligera*. Édité par Franco Angeli Editore, Milan, 1978 *(pages 145, 152 et 162)*.
Gouy, Louis P. De., *The Soup Book*. © 1949 Mrs. Louis P. De Gouy. Édité par Dover Publications, Inc., New York. Traduit avec l'autorisation de Jacqueline S. Dooner, New York *(pages 143)*.
Hamilton, Ruth Mouton, *French Acadian Cook Book*. © 1955 The Louisiana Acadian Handicraft Museum, Inc. Édité par The Jennings Association of Commerce, Jennings, Louisiane. Traduit avec l'autorisation de The Jennings Association of Commerce *(page 148)*.
Hellrigl, Andreas, *La Cucina dell'Alto Adige*. © 1970 Franco Angeli Editore, Milan. Édité par Franco Angeli Editore. Traduit avec l'autorisation de Franco Angeli Editore *(page 157)*.
Jarrin, G.A., *The Italian Confectioner*. Édité par E.S. Ebers and Co., Londres 1841 *(page 163)*.
Kernmayr, Hans Gustl, *So kochte meine Mutter*. © 1976 Mary Hahns Kochbuchverlag, Berlin-Munich. Édité par Wilhelm Heyne Verlag, Munich. Traduit avec l'autorisation de Mary Hahns Kochbuchverlag *(page 150)*.
Lallemand, Roger, *Le Coq au vin*. © Éditions Goutal-Darly, 1980. Édité par le Éditions Goutal-Darly, Montrouge. Avec l'autorisation des Éditions Goutal-Darly *(pages 150 et 151)*.
Lamb, P., *Royal Cookery: or the Compleat Court Cook Book*. Imprimé pour E. et R. Nutt et A. Ropper en 1726 *(page 165)*.
Lujan, Nestor et Perucho, Juan, *El Libro de la cocina española*. © Ediciones Danae. Édité par Ediciones Danae, Barcelone. Traduit avec

l'autorisation de Editorial Baber, Barcelone *(pages 147 et 152)*.
Montagné, Prosper, *Nouveau Larousse gastronomique*. © 1967 Augé, Gillon, Hollier-Larousse, Moreau et Cie. Édité par la Librairie Larousse, Paris. Avec l'autorisation de La Société encyclopédique universelle, Paris *(page 162)*.
Oliver, Michel, *Mes recettes à la télé*. © Librairie Plon, 1980. Édité par la Librairie Plon, Paris. Avec l'autorisation de la Librairie Plon *(pages 152 et 158)*.
Olney, Richard, *Simple French Food*. © Richard Olney, 1974. Édité par Jill Norman and Hobhouse Ltd., Londres 1981. Traduit avec l'autorisation de Jill Norman and Hobhouse Ltd *(pages 157 et 159)*.
Owen, Jeanne, *A Wine Lover's Cook Book*. © 1940 Jeanne Owen. Édité par M. Barrows and Company Inc., New York. Traduit avec l'autorisation de William Morrow Co. Inc., New York *(pages 156 et 165)*.
Petits Propos culinaires II. Juillet 1982. © Prospect Books 1982. Édité par Prospect Books, Londres. Traduit avec l'autorisation de l'éditeur *(pages 147 et 148)*.
Philpot, Rosl, *Viennese Cookery*. © 1965 Rosl Philpot. Édité par Hodder & Stoughton Limited, Londres. Traduit avec l'autorisation de Hodder & Stoughton Limited *(pages 159 et 160)*.
Portinari, Laura Gras, *Cucina e vini del Piemonte e della Val d'Aosta*. © 1971 U. Mursia & C. Édité par Ugo Mursia & C., Milan. Traduit avec l'autorisation de Ugo Mursia Editore *(page 155)*.
Rabisha, Will, *The Whole Body of Cookery Dissected*. Édité Londres, 1682 .*(page 164)*.
Robotti, Frances D. et Peter J., *French Cooking in the New World*. © 1967 Frances Diane Robotti. Édité par Doubleday & Company, Inc., New York. Traduit avec l'autorisation de Frances Robotti, New York *(page 161)*.
Senderens, Alain et Eventhia, *La Cuisine réussie*. © 1981, Éditions Jean-Claude Lattès. Édité par Éditions Jean-Claude Lattès, Paris. Avec l'autorisation des Éditions Jean-Claude Lattès *(page 149)*.
Spoerlin, Marguerite, *La Cuisinière du Haut-Rhin*. Parties 1 et 2 publiées à compte d'auteur à Mulhouse respectivement en 1832 et 1833. Réédité par les Éditions Daniel Morcrette, Paris. Avec l'autorisation des Éditions Daniel Morcrette *(page 155)*.
Troisgros, Jean et Pierre, *Cuisiniers à Roanne*. © Éditions Robert Laffont 1977. Édité par les Éditions Robert Laffont, Paris. Avec l'autorisation des Éditions Robert Laffont *(page 154)*.
Valente, Maria Odette, Cortes, *Cozinha Regional Portuguesa*. Édité par Livraria Almedinà, Coimbra, 1973. Traduit avec l'autorisation de Livraria Almedinà.
Vence, Céline, *Encyclopédie Hachette de la cuisine d'hier et d'aujourd'hui*. © Hachette, 1978. Édité par Hachette, Paris. Avec l'autorisation de Hachette *(page 154)*.

Remerciements et sources des illustrations

Les rédacteurs de cet ouvrage tiennent à exprimer leurs remerciements à Gail Duff, Maidstone, Kent; Ann Mary O'Sullivan, Deya, Majorque; David Schwartz, Londres.

Ils remercient également les personnes suivantes: Danielle Adkinson, Londres; Les Amis du Vin, Londres; Baccarat, France; Martin Bamford, Château Loudenne, Bordeaux, France; Mavkie Benet, Londres; Nicola Blount, Londres; Jean-Eugène Borie, Château Ducru-Beaucaillou, Bordeaux; Judy Brittain, Lumley Employment Company Ltd., Londres; Judy Brittain, Lumley Employment Company Ltd., Londres; Michael Broadbent, Mike Brown, Londres; Cape Wine Centre, Londres; The Champagne Bureau, Londres; Windsor Chorlton, Londres; Emma Codrington, Richmond-on-Thames, Surrey; Philippe Cottin, Château Mouton-Rothschild, Bordeaux; Jean Crété, Château Lafite-Rothschild, Bordeaux; Martha de la Cal, Lisbonne; Jean Delmas, Château Haut-Brion, Bordeaux; June Dowding, Ilford, Essex; Sarah Jane Evans, Londres; Jay Ferguson, Londres; Food and Wine from France, Londres; Neyla Freeman, Londres; Richard Fyffe, Londres; Jean-Paul Gardère, Château Latour, Bordeaux; Peter Gordon, Londres;

Maggi Heinz, Londres; Suzannah Henderson, Lumley Employment Company Ltd., Londres; Hilary Hockman, Londres; International Wine and Food Society, Londres; Italian Institute for Foreign Trade, Londres; Richard Keele Ltd., Londres; Anna-Maria Kolkowska, Londres; Rémi Krug, Krug Champagne, Reims; M. Lapschies, Swiss Trade Centre, Londres; Lay & Wheeler Limited, Colchester, Essex; Yves Le Canu, Château Lafite-Rothschild, Bordeaux; François Lévy, Paris; Zelma R. Long, Simi Winery, Californie; Comte A. de Lur Saluces, Château d'Yquem, Bordeaux; Pierre Mackiewicz, Aix-en-Provence; Thierry Manoncourt, Château Figeac, Bordeaux; Barbara Mayer, Londres; Pippa Millard, Londres; Wendy Morris, Londres; Winona O'Connor, North Fambridge, Essex; Anders Ousbach, The Winery Limited, Londres; Lucien Peyraud, Domaine Tempier (Bandol), Plan du Castellet; Jean-Marie Ponsot, Bourgogne; Alain Querre, Château Monbousquet, Bordeaux; R & C Vintners, Carrow, Norwich; Claude Ricard, Domaine de Chevalier, Bordeaux; Geoffrey Roberts Associates, Londres; Sylvia Robertson, Surbiton, Surrey; Anna Skowronsky, Paris; Léon Thienpont, Vieux Château Certan, Bordeaux; Stephanie Thompson, Londres; Fiona Tillett, Londres; Renato

Trestini, Londres; Aubert de Villaine, Bouzeron (Chagny); Tina Walker, Londres; Rita Walters, Ilford, Essex; Sally Weston, Richmond-upon-Thames, Surrey

Photographies d'Alan Duns: couverture, 4, 22, 32- en haut, 33- en haut, 40, 42- en haut, en bas à droite, 43, 44- en haut à droite, en bas, 50 à 76.

Autres photographes (par ordre alphabétique): Tom Belshaw: 2, 27, 46, 47. Pierre Boulat: 6- en haut, 8 à 10, 12, 14, 15, 38- en haut à droite et en bas. John Cook: 34, 35, 38- en haut à gauche, 42- en bas à gauche, 44- en bas à gauche, 45. John Elliott: 48, 79. Monique Jacot/Susan Griggs Agency: 7. Bob Komar: 30-31, 32- en bas, 33- en bas, 77, 78. Colin Maher: 11, 16. A. Nadeau/Explorer: 13. Pitch: 6- en bas. John Sims/Vision International: 17.

Illustrations 18 à 21 Andrew Riley, The Garden Studio, Londres; Cartes pages 80 à 89, Creative Cartography Limited, Londres. Tous les dessins proviennent de Mary Evans Picture Library et de sources privées.

Quadrichromies réalisées par Scan Studios Ltd. Dublin, Irlande
Composition photographique par Photocompo Center, Bruxelles, Belgique.
Imprimé et relié par Brepols S.A. Turnhout, Belgique.